医学信息检索

主　编	方习国			
副主编	吴义苗	吴　斌		
编　委	方习国	胡笑梅	江　婧	姜欢欢
	刘　浏	孙　俐	吴　斌	吴义苗
	肖燕秋	徐　奎	杨　敏	周　洋
	朱　玲			
秘　书	徐　奎			

图书在版编目(CIP)数据

医学信息检索/方习国主编.—合肥:安徽大学出版社,2012.1(2024.8重印)
ISBN 978-7-5664-0354-4

Ⅰ.①医… Ⅱ.①方… Ⅲ.①医药学—情报检索 Ⅳ.①G252.7

中国版本图书馆 CIP 数据核字(2011)第 271903 号

医学信息检索 方习国 主编

出版发行:	北京师范大学出版集团 安 徽 大 学 出 版 社 (安徽省合肥市肥西路 3 号 邮编 230039) www.bnupg.com www.ahupress.com.cn
印　　刷:	江苏凤凰数码印务有限公司
经　　销:	全国新华书店
开　　本:	787 mm×1092 mm　1/16
印　　张:	19.5
字　　数:	458 千字
版　　次:	2012 年 2 月第 1 版
印　　次:	2024 年 8 月第 16 次印刷
定　　价:	37.00 元

ISBN 978-7-5664-0354-4

策划编辑:李　梅　钟　蕾	装帧设计:李　军
责任编辑:钟　蕾　武溪溪	美术编辑:李　军
责任校对:程中业	责任印制:赵明炎

版权所有　侵权必究

反盗版、侵权举报电话:0551—65106311
外埠邮购电话:0551—65107716
本书如有印装质量问题,请与印制管理部联系调换。
印制管理部电话:0551—65106311

前　言

《医学信息检索》自出版以来，经过两年的使用，获得了不少反馈信息，主要反映在细节部分的详略搭配和章节顺序的安排上。同时，由于信息技术和相关医学数据库的快速发展，需要及时将新信息融入本书中。基于这些因素，编者对本书进行了修订，本书仍然包含三大部分。第一部分为本书第一章，主要内容为信息检索的基本知识，包括检索系统、检索语言、检索技术等。为了能够引起学生对信息检索的重视，编者将信息素养调到第一章第一节；信息检索系统属于该课程的拓展部分，放置在第一章最后一节；主题检索语言是本课程的重点和难点，故将其单独列为一节。第二部分为该书第二章到第八章，具体介绍各类与医学相关的信息资源，重点是其检索方法。包括：数字图书馆、医学文摘数据库、医学全文数据库、医学网络信息资源、引文数据库；此外还包括：专利等特种类型信息资源、循证医学和生物信息学等学科专题信息资源。本书中，第二部分增加了移动图书馆和本地 PubMed 数据库等内容。第三部分为该书第九章和第十章，内容仍然是检索效果的评价和分析以及论文写作等。

参加该书写作的主要是在图书馆工作且从事医学文献检索的一线教师。在内容的选择上，该书力求贴近实际工作和教学的需要，以介绍常用的医学检索数据库和主要检索方法为重点，注重把最新的信息检索技术贯穿其中。

本书在写作的过程中，参考了大量的专家与学者的研究成果，在此一并表示感谢！

本书的出版得到蚌埠医学院李玉良同志的鼓励和支持，特别表示感谢！

由于编者水平有限，本书难免会存在一些错误，恳请读者批评指正！

编　者

2013 年 12 月

目 录

第一章 信息检索基础 (1)

第一节　信息素养 (1)
第二节　信息概述 (4)
第三节　信息检索语言 (13)
第四节　中国图书馆分类法 (17)
第五节　医学主题词表 (20)
第六节　信息检索技术与策略 (24)
第七节　信息检索系统 (30)

第二章 文摘数据库 (36)

第一节　中国生物医学文献数据库 (36)
第二节　PubMed (44)
第三节　EMBASE 数据库 (69)
第四节　BIOSIS Previews (77)
第五节　SciFinder Web (81)

第三章 全文数据库 (88)

第一节　中国知网(CNKI) (88)
第二节　维普资讯 (100)
第三节　万方医学网 (115)
第四节　EBSCO 全文数据库 (123)
第五节　Elsevier 全文数据库 (127)
第六节　SpringerLink (130)
第七节　本地 PubMed 数据库 (132)

第四章 数字图书馆 (144)

第一节　超星数字图书馆 (145)
第二节　方正 Apabi 数字资源平台 (151)
第三节　书生之家数字图书馆 (154)
第四节　NetLibrary 电子图书 (156)
第五节　移动数字图书馆 (159)

第五章 引文数据库 (163)

第一节 引文检索概述 (163)
第二节 Web of Science (166)
第三节 中国科学引文数据库 (174)
第四节 其他引文检索资源 (179)

第六章 特种类型信息资源 (188)

第一节 专利信息检索 (188)
第二节 学位论文信息资源 (198)
第三节 学术会议信息资源 (205)
第四节 标准信息检索 (214)

第七章 网络信息资源 (220)

第一节 网络信息资源概述 (220)
第二节 搜索引擎 (222)
第三节 医学搜索引擎与医学网站 (226)

第八章 学科专题信息资源 (234)

第一节 循证医学信息资源 (234)
第二节 生物信息学资源 (240)
第三节 药学信息资源 (248)

第九章 医学信息检索应用与评价 (257)

第一节 信息检索效果评价 (257)
第二节 医学文献检索策略与案例分析 (259)
第三节 医学信息分析 (267)
第四节 网络医学信息资源评价 (276)

第十章 医学科研论文写作 (281)

第一节 医学科研信息查新 (281)
第二节 医学科技查新方法 (287)
第三节 医学科研论文的基本结构与要求 (292)
第四节 医学科研论文的写作步骤与特点 (301)

参考文献 (304)

第一章　信息检索基础

当今时代,科学技术的迅猛发展使信息化成为不可阻挡的社会潮流,信息已经成为最重要的战略资源之一。随着计算机、现代通讯和互联网技术的迅猛发展,社会信息量激增,信息呈现几何式的增长,然而在信息的汪洋之中,存在着大量无用甚至虚假的信息,这使得获取有用的信息资源变得越来越困难。因此,信息检索能力已经成为现代人才的一项必备技能。作为新时代的大学生,掌握信息检索的方法显得尤为重要。

第一节　信息素养

一、信息素养的概念

当前,信息环境发生了重大的变化:信息资源极其丰富,发展速度快;信息渠道畅通,易于随时随地地获取;信息的表现形式多姿多彩,目不暇接;信息发布方便快捷,信息的质量参差不齐。如果一个人不能够有效地获取和利用信息,必将被信息的海洋淹没。信息素养的概念便顺势提出。

信息素养这个概念最早是由美国信息产业协会主席保罗·车可斯基(Paul Zurkowski)于1974年提出来的。他把信息素养定义为"利用大量的信息工具及主要信息源使问题得到解答的技术和技能",后来又将其解释为"人们在解答问题时利用信息的技术和技能"。1989年美国图书馆协会和美国教育传播与技术协会提交了一份《关于信息素养的总结报告》,将信息素养描述为:"有信息素养的人必须能够认识到何时需要信息,能够评价和使用所需要的信息,有效地利用所需要的信息;有信息素养的人最终是指那些懂得如何学习的人,懂得如何学习是因为他们知道如何组织知识,如何找到信息,知道如何利用信息。"1992年,Doyle CS在《信息素养全美论坛的终结报告》中给信息素养下的定义是:"一个具有信息素养的人,他能够认识到精确的和完整的信息是作出合理决策的基础,能够确定信息需求,形成基于信息需求的问题,确定潜在的信息源,制定成功的检索方案,从包括基于计算机的和其他的信息源中获取信息、评价信息、组织信息用于实际应用、将新信息与原有的知识体系进行融合以及在批判性思考和问题解决的过程中使用信息。"

从上述的定义看,信息素养不仅仅是指信息的获取、检索、表达、交流等技能,而且包括以独立学习的态度和方法,将已获得的信息用于解决问题、进行创新性思维的综合信息能力。

二、大学生信息素养的构成

大学生既需要掌握广博的知识,又需要掌握某些学科的前沿知识;既需要充分参加社会实践活动,又需要在实践中进行知识创新。所有这些都要求大学生能够从信息海洋中获取必要的信息,因此必须具备相应的信息素养。信息素养与读、写、算等能力一起构成新时代学生适应未来社会、开展终生学习、促进自身的完善与发展所必须具备的基本素质。培养和提高大学生的信息素养在知识与信息时代显得十分必要。大学生信息素养可以分为信息意识、信息知识、信息能力、信息道德几个方面。

信息意识是指大学生对信息需求的自我意识与自我感悟,即人们对信息的捕捉、分析、判断和吸收的自觉程度,包括主体意识、信息获取意识、信息传播意识、信息更新意识、信息安全意识等。信息意识是信息素养的前提。

信息知识是指大学生对信息学的了解和对信息源以及信息工具方面知识的掌握程度,包括信息的特点与类型、信息的功用及效应、信息交流和传播的规律与方式、信息检索等方面的知识。信息知识是信息素养的基础。

信息能力是指大学生对信息系统的使用以及获取、分析、加工、评价信息并创造新信息、传递信息的能力,包括信息需求分析及表达、熟练使用信息技术、掌握检索工具的使用方法、高效地获取和利用信息、创造出新信息等。信息能力是信息素养的保证。

信息道德是指大学生在查询、获取、处理、利用、创造等整个信息活动中应该遵循的行为规范的总和。大学生在组织和利用信息时,要遵守伦理规范,树立正确的法制观念,增强信息安全意识和信息免疫能力,提高对信息的判断和评价能力,准确合理地使用信息资源。信息道德把握着信息素养的方向。

三、大学生信息素养的标准

美国从20世纪末开始进行信息素养标准的探讨与研究。2001年1月美国高等教育研究协会(ACRL)在得克萨斯州召开了全美图书协会中东部会议,会议审议并通过了《美国高等教育信息素养能力标准(Information Literacy Competence Standards for Higher Education)》。其包括五大标准,分为22项执行标准和若干个子项。

标准一:能明确决定需求信息的特点和范围。包括:(1)定义与形成信息需求;(2)识别区分不同种类、不同格式的信息资源;(3)能考虑到获取信息的成本与效益;(4)具备对所需信息内容与范围进行重新评价的能力。该标准要求大学生明白自己的信息需求,了解相关信息源的服务特点,经济地获取自己所需要的信息。

标准二:能有效和充分地获取所需信息。包括:(5)能选用适当的调查方法和检索系统获取所需信息;(6)构建和实施有效的检索策略;(7)能通过联机或采用不同方法亲自检索信息;(8)必要时能调整检索策略;(9)能提取、记录和管理信息与信息源。该标准是要求大学生能够熟悉各种检索方法,灵活地运用各种检索策略,是对大学生检索技术的要求。

标准三:能客观、审慎地评估信息与信息源,并将其纳入信息库与评价系统。包括:(10)具有从获取信息中提炼信息主题的能力;(11)能采用有关标准评估信息及其来源;(12)能综合信息的要点形成新的认识;(13)能通过对新旧知识的比较而确定信息的增加值；(14)能确定新的知识对个人价值体系的影响；(15)能通过与其他人讨论,了解自己是否能表达所获得的信息；(16)能决定是否修改原来的查询方式。该标准要求大学生能够分析、评价自己获得的信息,能够从检索出来的信息中获取新的知识。

标准四:个人或作为群体的一员能有效地利用信息实现特定的目标。包括:(17)能够利用各种可获得的信息开发产生特定的信息产品或成果；(18)能调整开发信息产品或成果的过程；(19)有效地将信息产品或成果与他人沟通。该标准要求大学生充分利用相关信息进行创新,实现信息检索的最终目的。

标准五:理解有关信息使用的经济、法律的社会问题,获取与使用信息要符合道德与法律规范。包括:(20)了解信息与信息技术使用的相关法律、道德伦理以及社会经济问题；(21)在存取、使用信息资源时能够遵守法律、法规、信息资源提供的规定以及约定俗成的一些规则；(22)合理使用或引用信息产品或成果。该标准要求大学生掌握信息的相关非技术的社会性问题,特别是要在信息利用中遵守相关法律问题。

1999年英国国家和大学图书馆协会制定了《高等教育信息素养技能》。2000年澳大利亚图书馆协会制定了《澳大利亚信息素养》。

进入新世纪以来,我国的学者开始对我国大学生的信息素养进行探讨与研究。2005年北京高校图书馆学会完成了《北京地区高校信息素质能力指标体系》。该标准共7个维度、19个指标和61个描述。其中7个维度内容为:(1)具备信息素质的学生能够了解信息以及信息素质能力在现代社会中的作用、价值与力量；(2)具备信息素质的学生能够确定所需信息的性质与范围；(3)具备信息素质的学生能够有效地获取所需要的信息；(4)具备信息素质的学生能够正确地评价信息及其信息源,并且把选择的信息融入自身的知识体系中,重构新的知识体系；(5)具备信息素质的学生能够有效地管理、组织与交流信息；(6)具备信息素质的学生作为个人或群体的一员能够有效地利用信息来完成一项具体的任务；(7)具备信息素质的学生了解与信息检索、利用相关的法律、伦理和社会经济问题,能够合理、合法地检索和利用信息。

四、提高大学生信息素养的必要性

由于计算机和网络技术的发展历史不长,而发展速度很快,信息量大量增加,使得大学生在新的信息世界面前有些束手无策,因此,提高大学生的信息素养已经迫在眉睫。目前,我国大学生信息素养总体较低,突出表现在以下几方面。第一,不能自主有目的地利用信息资源。很多大学生不清楚自己需要什么样的信息,经常被不相关的网页信息牵着走,从一个网页跳到另一个网页,不能够集中在一个主题信息上。第二,没有充分利用现代信息技术提高学习成绩。大学生利用计算机和网络主要是看电影、聊天、玩游戏等,利用网络来阅读和学习的很少。第三,信息技能不高。很多大学生还不能熟练地运用各种信息工具,缺乏必要的信息基本知识和搜索技能。第四,对信息的利用程度低,对信息进行归纳、分类、鉴别、分析综合和内化的能力不强。第五,对信息的鉴别能力弱。容易被网络上一些未经证实的、伪科学的、庸俗的、下流的垃圾信息和有害信息干扰,又经不起诱惑,甚至失去控制力。第六,缺乏与别人交流信息、分享信息和加强协作的信息意识。

五、大学生信息素养的培养

1. 学习好相关信息课程

医学高等院校都开设了信息检索和计算机文化基础等课程,有的还开设了网络技术和信息技术等选修课程。大学生要认真学习这些课程,千万不要认为这些课程不是自己的专业课程就忽视它们。关键的知识点有数据库的基本知识、网络的基本知识、检索语言原理、典型的数据库检索方法、网络搜索引擎原理与使用、信息的评价等。大学生应以实践和运用为主,加强上机操作,把学习的内容应用到自己的学习和生活实践中去,在信息的实践中提高自己的信息素养。

早在1984年教育部就规定在全国有条件的高校广泛开展文献检索与利用课教育,目的是提高大学生的情报意识和文献检索技能。这可以说是我国高等学校的信息素养教育的开端。2002年教育部首次将文献检索课教学改革成信息素质教育,说明我国高等学校的信息素养教育已经进入新的阶段。

2. 参加有关信息素养的讲座、培训和学会等

高等学校经常开展相关信息素养的讲座,大学生都应当积极参加。特别是那些有针对性的讲座,一定要认真对待,例如针对新生的信息使用的入门培训,针对毕业生的论文写作和就业信息选择的讲座等。经常性的讲座和报告包括计算机网络新技术的应用、各类数据库信息源的使用。还可参加相关信息类学会,通过学会举办的一系列活动来提高自己的信息素养。

3. 到图书馆或在网络上学习和练习

一方面,大学图书馆中有足够的信息资源供大学生去培养和提升自己的信息素养;另一方面,图书馆中有大量的信息咨询馆员和信息技术人员,能够随时随地解答大学生在信息学习中遇到的问题,解决他们在信息使用中遇到的困难。

4. 把信息素养贯穿到学习和生活中去

大学生要充分利用网络来提高自己的学习成绩,利用网络收集资料,利用网络解决疑难问题,在学习中提高信息技能。大学生要充分利用信息来提高自己的论文写作和科研创新等能力,在科研中增强其信息技能。此外,大学生还要积极接触网络,通过建立校友录、班级网站、个人主页等活动,提高个人信息素养。

第二节　信息概述

一、信息的概念

在当今的社会里,信息无时无刻不存在于世界的各个角落,无时无刻不包围着人们,信息和人们的生活、学习和工作息息相关,既有人的感官和身体所感受到的信息,又有借助于语言和文字等手段彼此传递和交流的信息。人们在各种活动中,都在自觉和不自觉地使用着普遍约定和个别约定的手势、体态姿势、目光及简短用语等方式交流和传达着彼此的感受和感觉,以达到交流的目的。由此看来,信息联系着世间万物,联系着每一个人。信息无处不在,无时不有,无人不用,它已成为当今人们使用频率极高的词汇之一。信息究竟是什么呢?不同的学科,对信息这个概念有不同的解释。

控制论的创始人维纳说:"信息既不是物质,又不是能量",信息"是人们在适应外部世界并且使这种适应反作用于外部世界的过程中同外部世界进行交换的内容的名称"。

现代信息论的创始人申农从研究通信理论出发,把信息定义为"用来减少随机不确定性的东西"。

意大利学者朗高在《信息论:新的趋势与未决问题》一书的序言中指出:"信息是反映事物的形成、关系和差别的东西,它包含在事物的差异之中,而不在事物本身。"简而言之,信息就是差异。

中国学者钟义信在《信息科学原理》一书中将信息界定为:"信息是事物运动的状态以及它的状态改变的方式,是物质的一种属性。"

信息在各学科中有着广泛的运用,因而人们对其定义各有差别,据不完全统计,学术界对信息的定义达60种之多。信息的属性包括普遍性、客观性、抽象性、依附性、可加工性、传递性、共享性等。

(1)普遍性。世界上任何运动着的事物无时无刻不在生成信息,只要有事物存在,有事物运动,就存在着信息。信息无所不在,物质的普遍性以及物质运动的规律性决定了信息的普遍性。

(2)客观性。信息不是虚无缥缈的东西,是现实中各种事物运动的状态与方式的客观反映。由于事物及其状态、特征和变化是不以人的意志为转移的客观存在,所以反映这种客观存在的信息也具有客观性。不仅信息的实质内容具有客观性,而且信息已经形成且与载体结合,其本身也具有客观性。

(3)抽象性。信息本身是看不见、摸不着的,我们能够看得见、摸得着的只是信息载体,如语言、文字、图画、符号、纸张、光盘等,而非信息内容。对于认识主体而言,获得信息和利用信息要具备抽象能力,正是这种能力决定着人的智力和创造力。信息的抽象性增加了信息认识和利用的难度,并从而对人类提出了更高的要求。

(4)依附性。依附性是抽象性的延伸,信息的记录、存储以及交流和共享必须依附于或借助于物质载体,以某种载体形式表现出来,没有载体就没有信息。

(5)可加工性。信息数量庞大,质量高低不一,而人们对信息的需求往往具有一定的选择性。信息价值的发挥也需要进行不同层次的加工处理,由原始信息可以加工成二次信息,再经过分析、研究与综合,又可加工成三次信息。每次加工都可改变原有信息的结构,赋予信息新的价值。

(6)传递性。信息在运动中产生,在传递中发挥价值。信息传递可跨越时空,信息的获取利用以及反馈必须借助于信息的传递。信息传递是通过信道进行的。信息系统就是由信源、信道、信宿组成的有机整体。

(7)共享性。信息能够通过时空进行传递,因此能够被人类所共享,信息价值的实现需要通过信息的使用。与实物使用不同,同一信息可以同时被两个以上的多个用户使用,而且并不因为信息的多人多次重复使用而丢失其内容。正如萧伯纳所举的"苹果与思想"的例子。苹果交换之后交换双方仍然各有而且仅有一个苹果,但思想交换后交换双方都拥有了两种思想。

二、知识、情报、文献

1. 知识

知识是经过人的思维整理的信息、数据、形象、意向、价值标准以及社会的其他符号化产物,不仅包括科学技术知识,还包括人文社会科学知识、商业活动、日常生活以及工作中的经验和知识,人们获取并运用和创造知识的知识,以及面临问题做出判断和提出解决方法的知识。一般认为知识是人类通过信息对自然界、人类社会以及思维方式与运动规律的认识,是人的大脑通过思维重新组合的系统化的信息的集合。

知识可以说是经过加工与编码后创造出来的新的信息,具有意识性、信息性、实践性、规律性、继承性和渗透性等特性。知识按照其职能可分为隐性知识和显性知识两类;按照表现可分为事实知识、原理知识、技能知识和人力知识。从外延上看,知识包含在信息之中,收集、分析、利用信息往往能产生新的知识,新的知识又常会转化为新的信息,二者是相互影响、相互促进的。

2. 情报

"情报"一词最早在军事领域使用,即战事相关情况的报告,后来广泛应用于各个领域,因此,情报的定义也有许多种,至今尚无一致的认识。前苏联情报学家米哈依偌夫认为,"情报是作为存储、传递和转换对象的知识。"中国著名科学家钱学森说,"情报就是为了解决一个特定的问题所需要的知识。"近年来,国内情报界也有人提出:"情报,即为一定目的、具有一定时效和对象、传递着的信息。"

从上述说法中可以归纳出,情报就是人们在特定的时间内为一定的目的而传递的有特殊效用的知识或信息。情报是一种普遍存在的社会现象,人们在社会实践中,源源不断地创造、交流与利用各种各样的情报。

情报的基本属性:知识性、传递性、效用性。

情报的功能:一是启迪思维、增进知识,提高人们的认识能力;二是帮助决策,协调管理,节约各项事业的人力、物力和财力;三是了解动向,解决问题,加快人们各项活动的进程,以便在竞争中获胜。

3. 文献

我国当代学者给"文献"下的定义有多种表述方式,或简或繁,不尽一致。1983年,我国颁布了《中华人民共和国国家标准·文献著录总则》(GB3792.1-83),给"文献"下了简明的定义:"记录有知识的一切载体。"现在,这一定义已为多数学者所接受,被广泛引用。

文献是"记录有知识的一切载体",这个定义虽然只有10个字,但涵义很丰富。

第一,记录有知识的载体,才能称之为文献。即提供知识是文献的本质属性。从知识的时间跨度看,既包括古书上记载的知识,也有包括不断涌现的新知识。从知识的学科归属看,也是没有限制的,如历史文献记载着历史知识、地理文献记载着地理知识、科技文献记载着科技知识等。那种认为"文献"是"古文献"的代名词的看法是片面的。同样,认为"文献"只是文史知识的载体,或认为单指科技文献,这都是以偏盖全。

第二,所谓"一切载体",则强调记录知识的物质载体是多种多样的。古代的知识载体有金石、竹帛,后来发明了纸张,现代又有感光材料(如缩微胶卷)、磁性材料(如磁带、磁盘)等。纸质文献历史悠久,曾为人类知识的保存和传播立下不朽的功勋,至今仍广泛使用。但我们不能把眼光局限于此。我国有不少古籍珍本流传于国外,国内已查不到原件,但国内一些大图书馆收藏着这些珍本图书的缩微胶卷,可供利用,因此,这些缩微胶卷也是文献。

第三,记录知识的手段也是多种多样的,如书写、印刷、录音、录像等。

值得注意的是,20世纪90年代以来,以光盘为载体的多媒体"文献库"已陆续问世,令人耳目一新。读者可以利用电脑进行浏览,也可以进行自由词模糊检索,迅速查到所需要的相关信息,还可以打印、拷贝。

文献主要由以下五个基本要素构成:

(1)信息内容。信息内容是文献的灵魂所在,是构成文献的最基本要素。

(2)记录符号。记录符号即提示和表达知识信息的标识符号,如语言文字、图形、声频、视频、编码等。

(3)载体材料。载体材料是信息内容存储的依附体,又是信息内容传播的媒介体,如龟甲兽骨、竹木绢帛、金石泥陶、纸张、胶片、胶卷、磁带磁盘、光盘、穿孔卡片等。

(4)制作方式。文献的制作方式经历了刻画、手写、机械印刷、拍摄磁录、电脑自动输入存储方式等阶段。

(5)载体形态。载体形态指文献的外部单元形式,如册装、散装等。

4.信息与知识、情报和文献之间的关系

信息与知识、情报和文献之间有着极为密切的关系。知识是信息的一部分,是一种特定的人类信息。因为知识是人类通过有目的、有区别、有选择地利用信息,对自然界、人类社会及思维方式与运动规律的认识、分析和掌握,并通过人的大脑进行思维整合,使信息系统化而构成知识,因此说知识仅存在于人类社会,而信息存在于万物之中。人类生活环境中普遍存在的信息是知识的原料,这些原料经过人类接受、选择、处理,才能成为新的系统化知识。人们为了进行知识的传递和交流,必须使知识具有能为感知器官所感知的形式,即借助于文字、语言、符号、代码、电磁波、图像和实物等加以表现,这种表现形式就是信息。

情报是指有目的、有时效,经过传递获取的涉及一定利害关系的特定的情况报道或资料整理的结果,它是一种特定的知识性信息。信息与情报是有区别的。信息的范围比情报广泛得多;情报的传递具有机密性,传递手段有一定的特殊要求;情报是知识的一部分,情报的知识性较信息知识性强;情报的得失往往伴随着一定的利害关系,而信息的得失则不一定表现出明显的利害关系。情报是有特定传递对象的特定知识或有价值的信息,一部分融在知识之内,一部分则在知识外的信息中。

文献是记录有一定知识的载体。现代文献由四个要素构成,即文献信息、文献载体、符号系统和记录方式。文献信息是文献的内容,符号系统是信息的携带者,载体是符号赖以依附的"寄主",而记录方式则是代表文献的符号进入载体的方法和过程,四要素缺少任何一种都不可能形成文献。科学技术发展的连续性和继承性缘于文献载体记录的科技知识。可见,通过记录依附在一定载体之上的知识信息才是文献。

信息、知识、情报和文献的关系如图1-1所示。

图1-1　信息、知识、情报和文献的相容关系

三、信息资源

1. 信息资源的概念

信息资源是指一切能够产生信息或为了传递存有信息的系统，它包括信息生成源和加工整理后的再生源。凡是产生和持有信息，并能传递或透露信息的人、物体或机构，都可称为信息资源。信息资源是信息与资源两个概念整合而衍生出的新概念，目前国内外尚未对这一概念达成共识。下面我们列举出一些有代表性的观点。

美国里克斯(Betty R. Ricks)和高(Kay F. Cow)在《资源管理》中指出，信息资源包括所有与信息的创造、采集、存储、检索、分配、利用、维护和控制有关的系统、程序、人力资源、组织结构、设备、用品和设置。

美国的霍顿(Forest W. Horten)认为，信息资源在英语中有单复数之分，其概念也有所不同。单数的信息资源(resource)指信息内容本身，复数的信息资源(resources)指各种信息工具，包括信息设备、信息用品、信息设施、信息工作者及其信息处理工具。

德国的斯特洛特曼(K. A. Stroetmann)认为信息资源包括信息内容、信息系统和信息基础结构三部分。信息内容包括产生于信息服务或从外部信息源获取的信息，也包括与内容活动有关的理论和方法论信息、管理和操作信息与决策相关的信息，还包括与外部活动有关的交易信息、用户信息和市场信息；信息系统包括系统目标、操作人员、信息内容、硬件、内部规则等；信息基础设施是指一个组织的信息基础结构，它由各种可共享的数据库、计算机硬件设备、数据库管理系统和其他软件、局域网等构成。信息内容、信息系统、信息基础结构形成了一个组织的信息管理的三位一体结构。

孟广均教授在1991年提出，信息资源包括所有的记录、文件、设施、设备、人员、供给、系统和搜集、存储、处理、传递信息所需的其他机器。

乌家培先生也从狭义与广义两个角度来看待信息资源。狭义的信息资源仅指信息内容本身，广义的理解是除信息内容本身外，还包括与其紧密相连的信息设备、信息人员、信息系统、信息网络等。

综合国内外的研究成果，得到了一种具有代表性的观点，即把信息资源从狭义的信息资源与广义的信息资源两个角度来理解。

狭义的理解认为无论是信息人员，还是信息设备，都只能是信息产生过程的一种"物"的投入，而不是信息本身，将信息生产和信息活动的各种要素均视为"信息资源"是不合理的，而是指人类社会活动中经过加工处理有序化并大量积累后的有用信息的集合。例如科学技术信息、政策法规信息、社会发展信息、市场信息、金融信息等都是常见的狭义信息资源。广义的理解认为信息资源并非仅指信息内容，而应包括信息活动中的各种要素，如信息设备、信息人员、信息网络、信息系统等。

相比较而言,狭义的信息资源忽视了系统观,但却突出了信息本身这一信息资源的核心和实质。信息资源之所以是一种经济资源,主要是因为其中蕴涵着的信息具有十分重要的经济功能,而信息生产者、信息技术与设备等信息活动要素只不过是信息这种资源开发利用的必要条件,没有信息要素的存在,其他信息活动要素都没有存在的意义。广义的信息资源观点把信息活动的各种要素都纳入信息资源的范畴,相对来说,更有利于全面、系统地把握信息资源的内涵。信息是构成信息资源的根本要素。人们开发利用信息资源的目的,就是为了充分发挥信息的效用,实现信息的价值。但信息并不等同于信息资源,而只是其中的一个要素。这是因为,信息效用的发挥和信息价值的实现都是有条件的。信息的收集、处理、存储、传递和应用等都必须采用特定的技术手段即信息技术才能得以实施,信息的有效运动过程必须有特定的专业人员,即信息人员,才能对其加以控制和协调。信息、信息技术与设备和信息人员构成了完整的信息资源概念体系。

2. 信息资源的特性

信息资源与物质资源和能量资源相比,表现出许多特殊性。正是这些特殊性,使信息资源具有其他类型资源所无法替代的一些功能。其特性主要表现为以下几个方面。

社会性:不仅体现在信息的产生、存在、传播和使用上,还体现在信息资源的社会价值方面。

知识性:是任何社会信息源所产生、传播的信息都具有的特性。

关联性:各种信息资源之间都存在各种复杂的关联,这是自然界的物质运动和生物活动过程中发生的各种关联,以及人类社会活动中的各种关联的必然反映。

动态性:信息资源是一种动态资源,产生于自然界和人类社会的实践活动中,它随着时间的变化而变化,人类社会活动是一个永不停歇的过程,信息也总是处在不断产生、积累的过程中。

无限性:信息来源于客观物质世界,而客观物质世界是无限的,因此,随着客观世界的不断运动、变化、发展,各种各样的信息将不断产生,其汇集的信息资源则取之不尽,用之不竭。

无形性:信息资源与自然资源不同,它是一种人造资源,是智慧的结晶,不是有形的自然实体,自身不能独立存在。但为了传播与被利用,它必须依附于各种载体,如图书、期刊、图谱、幻灯片、录音带、录像带、光盘等。正因为如此,同样的信息内容能以不同的载体形态出现,所以信息资源有"无形财富"或"无形资源"之称。

时效性:信息资源是"消除不确定性的东西",是有"寿命"的,但它随着时间和空间的推移,可以不断更新和产生不同的功能。此时此地信息资源价值连城,彼时彼地则可能一文不值。所以信息资源具有强烈的时效性。

增值性:信息资源是一种重要的投入要素,同自然资源一样,不经过投入人力、智力、物力、财力,是无法被开发利用的。但它能带来增值,为社会生产和经济发展带来效益。与物质资源和能量资源的使用具有消耗相比,信息资源的使用,不但不使信息资源数量减少,而且在利用后,还会产生新的信息,使信息的数量不断增长。

共享性:信息资源与一般物质资源不同,它并不因为分享者人数多寡而使各自得到的信息量增或减,只有开发利用的环境条件变化时才产生不同的功效,导致吸收程度的不同。也就是说,信息资源不像一般物质资源经过一次消费就消失了,而是可以存储多次来被传输利用;不同的用户可以在同一时间共享同一内容的信息。

流通性:信息资源的流通是绝对的,其流通量及流通速度远远大于物质和能量的流通。某一重要的信息可以在极短的时间内流动到社会的各个角落。

指向性:信息资源在流通中具有一定的指向性,即某一信息往往向一定的使用者流通。信息资源的指向性表现为用户对信息资源的选择利用和信息的定向传播。

可再生性:信息资源不同于一次性消耗资源,它可以反复利用而不失去其价值。对它进行深入的开发利用,不但不会使它枯竭,反而会更加丰富和充实。

3. 信息资源的类型

信息资源纷繁复杂,按照不同的标准有多种不同的分类方法。

按信息所依附的载体划分为口语信息、实物信息、文献信息和数字信息。

(1)口语信息。口语信息是指存在于人脑记忆中,经过交谈、讨论、报告等方式交流传播的信息。口语信息资源是人类以口头语言所表达出来而未被记录下来的信息资源,它们在特定场合被信息接受方直接消费,并且能够辗转相传而为更多的人们所利用,如谈话、聊天、授课、讲演、讨论、唱歌、打电话、听广播、看电视等活动,都以口语信息资源的交流和利用为核心。

(2)实物信息。实物信息是指固化在实物中的信息(实物包括自然实物和人工实物),也就是通过实物本身来存储和表现知识信息的信息资源。人类的知识有许多被物化在各类物体之中,如工具、设备、武器、产品样本、模型、碑刻、雕塑、建筑物等。这类信息资源中物质成分较多,有时难以区别于物质资源,而且它们的可传递性一般较差。实物信息资源具有其他信息资源所不具备的特点:直观性、真实性、实用性、综合性。

(3)文献信息。文献信息是指以文献作为载体形式所表达的内载信息,即以文字、图形、符号、声频、视频等方式记录在各种载体上的信息。

(4)数字信息。数字信息亦可称为电子信息,是指以数字代码方式将文字、图形、图像、声音、动画等存储在磁带、光盘介质上,以电信号、光信号的形式传输,并通过网络通信、计算机及其终端设备再现出来的一种信息。其特点有:①信息资源以磁性材料或光学材料为存储介质,存储信息密度高,容量大,且可以无损耗地被重复利用。②数字信息资源以现代信息技术为记录手段,以机读数据的形式存在,可在计算机内高速处理,可借助通信网络进行远距离传播。③数字信息资源内容丰富,可以是文字、图表等静态信息,也可以是集图、文、声、像于一体的动态多媒体信息,且各种类型的数据又可借助计算机实现任意的组合编辑。④数字信息资源具有通用性、开放性和标准化的数据结构,在信息网络环境下,可被每一个用户所使用,是一种具有共享性的信息资源。⑤数字信息资源具有高度的整合性,它不受时间、空间限制,可以实现跨时空、跨行业的传播。

以记录方式和载体材料为依据,文献信息资源可划分为刻写型、印刷型、缩微型、机读型、声像型和多媒体型。

(1)刻写型。刻写型是指在印刷术尚未发明之前的古代文献和当今尚未正式付印的手写记录和手写稿本。如甲骨文、金石文等。

(2)印刷型。印刷型是指印刷术发明之后,以纸张为存贮载体,通过铅印、油印和胶印等手段,将知识固化在纸张上的文献类型。如图书、期刊等。

(3)缩微型。以印刷型文献为母体、感光材料为存储介质、缩微摄影为记录手段,采用光学摄影技术,将纸文献的影相固化在胶带上的一类文献。如缩微平片、缩微胶卷等。

(4)机读型。在计算机技术的支持下,通过编码和程序设计,将信息变为数字语言和机器语言并存储在磁带、光盘、磁盘等介质上的一类文献。

(5)声像型。声像型是以磁性材料或者感光材料为存贮载体,借助特定的机械设备直接记录声音和图像信息,以唱片、录音带、录像带、幻灯片等载体记录声音和图像的文献。

(6)多媒体型。多媒体型是采用计算机、通信技术、数字技术、超文本技术或超媒体技术等处理方式,将声音、图像、文字、数据等多种媒体信息综合起来,在内容表达上具有多样性与直观性,并有人机交互的友好界面,是以上数种载体形式的混合型,是一种立体式的信息源,又可以称为数字信息源。

文献信息资源根据出版形式和内容公开程度可划分为白色文献、灰色文献、黑色文献。

(1)白色文献。白色文献是指一切正式出版并在社会成员中公开流通的文献,包括图书、报纸、期刊等。这类文献多通过出版社、书店、邮局等正规渠道发行,向社会所有成员公开,其蕴涵的信息大白于天下,人人均可利用。这是当今社会利用率最高的文献。

(2)灰色文献。灰色文献是指非公开发行的内部文献或限制流通的文献。因从正规渠道难以获得,故又被称为"非常见文献"或"特种文献",其范围包括内部期刊、会议文献、专利文献、技术档案、学位论文、技术标准、政府出版物、科技报告、产品资料等。这类文献出版量小,发行渠道复杂,流通范围有一定限制,不易收集。

(3)黑色文献。这类文献包括两方面的情况:其一,人们未破译或未识别其中信息的文献,如考古出现的古老文字、未经分析厘定的文献;其二,处于保密状态或不愿公布其内容的文献,如未解密的档案、个人日记、私人信件等。这类文献除作者及特定人员外,一般社会成员极难获得和利用。

文献信息资源按信息的加工层次可划分为零次文献、一次文献、二次文献和三次文献。

(1)零次文献。零次文献是指记录在非正规物理载体上的、未经加工整理的信息,如书信、笔记、手稿、考察记录、实验记录等。这类信息往往呈现为零星的、分散的和无规则的状态,具有原始性、新颖性、分散性和不可检索性等特征。零次文献一般通过非正规渠道获取,在内容上具有一定的价值。

(2)一次文献。一次文献是指记录在正规载体上的、经过一定加工整理的信息,即以作者本人的生产和科研工作为依据而创作的原始信息,如专著、论文、研究报告、专利说明书、技术标准等。一次信息具有创造性、系统性和新颖性等特征。

(3)二次文献。二次文献是指将分散的、无序的一次信息进行加工整理后,按照内容特征(如主题、分类等)和外表特征(如著者、序号等)进行加工、编辑而形成有系统的文献,以便查找和利用,如书目、题录、文摘、索引等,也就是通常所指的检索工具。二次信息具有浓缩性、汇集性和有序性等特点,它只提供一次文献的线索。

(4)三次文献。三次文献是指在合理利用二次文献的基础上,根据一定的目的和需要,选用一次文献的内容,进行综合、分析、研究和评述而编写出来的文献,如述评、综述、进展报告、数据手册和年鉴等。三次信息具有较强的概括性,成为人们研究新事物的具体结论和成果。

文献信息资源按照出版形式可划分为图书、期刊、会议文献、专利文献、科技报告、标准文献、学位论文、产品资料、档案文献、政府出版物等。

(1)图书。图书是指论述或介绍某一学科或领域知识的出版物。一般来讲，其内容比较成熟、资源比较系统、有完整定型的装帧形式。其特点是：内容广泛、概括严谨，能及时报道新的科技专业名词、新成果、新事件、统计数字和人物情况等。图书分为两大类，即阅读性图书，包括教科书、专著和文集等；参考工具书，包括百科全书、大全、年鉴、手册、辞典、指南、名录、图册等。

(2)期刊。期刊指有固定名称、统一出版形式和一定出版规律的定期或不定期的连续出版物。其最突出的特点是：出版迅速、内容新颖、能迅速反映科学技术研究成果的新信息。在实际使用中，期刊的信息占整个信息源的60%~70%，因此，受到广大科技工作者的高度重视。其类型有多种，根据内容性质划分为学术性、技术性刊物，快报性刊物，消息性刊物，数据性刊物和检索刊物。

(3)会议文献。会议文献是指在各种会议上宣读和交流的论文、报告和其他有关资料。其特点是：专业性强、内容新颖、学术水平高、出版发行较快。会议文献按出版时间划分为会前出版物和会后出版物等。

(4)专利文献。专利文献是记录有关发明创造信息的文献，蕴含着技术信息、法律信息和经济信息，包括发明说明书、专利说明书、专利局公报、专利文摘、专利分类与检索工具书、申请专利时提交的各种文件(如请求书、权利要求书、相关证书等)、与专利有关的法律文件和诉讼资料等。构成专利起码要符合新颖性、创造性和实用性三个基本条件。基本特点是：内容详尽广泛，专利说明书既是技术文件又是法律文件。专利局出版的各种发明说明书、专利说明书及其派生的各种二次文献是专利文献的主体。在申请和审查专利的不同阶段，发明说明书公布或出版的形式有：申请说明书、公开说明书、公告说明书、展出说明书和审定说明书。

(5)科技报告。科技报告是指国家政府部门或科研生产单位关于某项研究成果的总结报告，或是研究过程中的阶段进展报告。其特点是：第一，反映新的科技成果；第二，内容多样化；第三，基本都是一次文献；第四，在流通范围上，都受到一定的控制。按内容划分为报告书、技术札记、备忘录、论文、通报、技术译文和特种出版物7种类型。

(6)标准文献。标准文献是指标准化工作的文件，是经过公认的权威当局批准的标准化工作成果。通常又称为"技术标准"和"标准"。主要特征是：约束性，时效性，针对性。

(7)学位论文。学位论文是指高等院校、科研单位的研究生为申请硕士、博士等学位，在导师指导下完成的科学研究、科学试验成果的学术论文。

(8)产品资料。产品资料是指产品目录、产品样本和产品说明书一类的厂商为客户宣传和推销其产品而印发的介绍产品情况的文献。其特征体现在：可靠性较强，技术信息比较完整，时效性强。

(9)档案文献。档案文献是指国家机构、社会组织以及个人从事政治、军事、经济、科学、技术、文化、宗教等活动形式的具有保存价值的历史记录文献。档案是在人们的社会实践活动中形成的，它的内容也反映了人们所进行的政治活动、生产活动和科技活动。其内容广泛、形式多样、材料来源庞杂。

(10)政府出版物。政府出版物是指各国政府部门及其设立的专门机构出版的文献。

它的内容广泛,可分为行政性文件和科技文献两大类。其出版发行大致分为 4 种方法:①由政府专门机构统一印刷出版,如美、英、加、意、荷等国家。②各印刷出版机构作为官方机构独立存在,各自分担印刷、出版工作,如印度、巴基斯坦等国家。③只有专门印刷机构,而出版则由官方机构负责,如澳大利亚、丹麦等国家。④没有统一的印刷出版机构,由各官方机构自己负责。

此外,文献信息资源还有报纸、新闻稿件、科技译文、手稿和地图等。

第三节　信息检索语言

一、信息检索语言的概念

信息检索的最终目标,是以作为检索结果的文献信息,来满足用户对于特定信息的需求。为实现这一目标,信息检索系统必须在文献信息与用户之间,建立起一定的对应关系。

由于文献数量浩如烟海,信息内容包罗万象,用户需求又各不相同,因而就必须依赖一种统一的交流"语言",以此来描述文献及信息内容的特征,来实现这一对应关系;同时,也以此来描述用户需求的特征。只有两者采用共同的"语言",才能把文献信息特征的标识与用户需求特征的标识彼此对应、互相联系起来,完成检索的标识匹配过程,达成信息的创造者与使用者之间的信息交流。

信息检索语言是人们在加工、存储及检索信息时所使用的标识符号,也就是一组有规则的、能够反映出信息内容及特征的标识符。标引人员根据信息的内容特征,依据检索语言的规则对信息进行标引,将其整理、加工、存储于检索系统中。同时,检索人员根据需要检索的信息内容特征,依据检索语言从检索系统中获取所需信息。所以,检索语言是标引人员与检索人员之间进行交流的媒介,也是人与检索系统之间进行交流的桥梁,实质上就是双方之间约定的共同语言。

这种在信息检索中用来联系文献信息与用户需求的"语言",就是信息检索语言。所以,信息检索语言是适应信息检索的需要,并为信息检索特设的专门语言,检索语言又称为标引语言、索引语言、文献检索语言、信息存储与检索语言等。

二、信息检索语言的作用

信息检索语言的作用表现在两个层次上,如图 1-2 所示。

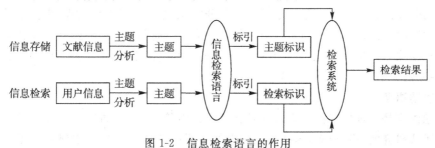

图 1-2　信息检索语言的作用

首先，在表面的操作层次上，检索语言被用来描述文献以及文献中信息内容的特征，把文献信息转换为一定的文献标识，构成信息检索系统的各种检索途径；同时，它也被用来描述检索提问以及需求内容的特征，把提问转换为一定的提问标识或检索标识，以便在检索系统中查找特定的文献信息。从这一层次来看，信息检索语言是一种逻辑语义工具，旨在表达各种事物。其次，在更深的原理层次上，信息检索语言能够把文献标引与检索提问联系起来，把标引人员与检索人员联系起来，把文献信息的存储与检索联系起来，以取得两者共同理解和互相对应。就这一层次而言，信息检索语言又是一种语义交流的工具，重在对各种意义的沟通。

三、信息检索语言的种类

不同的信息检索系统，如检索匹配方式不同、覆盖的学科领域不同、文献数量与类型不同、用户群体各异等，通常需要采用不同的检索语言，以适应不同的检索特性要求。即便是同一个检索系统，也往往同时采用多种检索语言，形成多种不同的检索途径。因而，在信息检索的领域中，为适应检索技术、检索系统的不断更新发展，先后出现了种类繁多的检索语言，并且不断地互相吸收融合、推陈出新。

如图1-3所示，就其结构原理来划分，信息检索语言主要有如下几种。

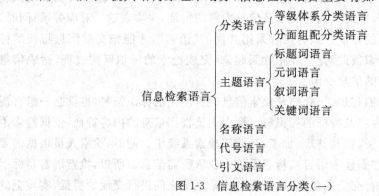

图1-3　信息检索语言分类（一）

1. 分类语言

分类语言是指以数字、字母（或字母与数字结合）为检索标识，作为有关类目的代号，便于信息存储与信息检索双方进行交流的一种检索语言。其历史最为悠久，其中最为常见的是等级体系分类语言，至今仍然是世界上各种图书馆组织和检索藏书的主要依据。我国最早记载的分类思想典籍是西汉刘向所著的《别录》和《七略》，其中《七略》是我国最早的一部图书分类法，它首创的"七分法"对后世我国的分类思想的形成和发展影响极大。建国以后，分类语言的发展受到极大重视，按照马列主义、毛泽东思想的指导方针，出版了一系列的分类法，其中影响较大的几部综合分类法是：《中国人民大学图书馆图书分类法》，简称《人大法》；《中小型图书馆图书分类表草案》，简称《中小型法》；《中国科学院图书馆图书分类法》，简称《科图法》；还有就是我们现在普遍使用的《中国图书馆图书分类法》，简称《中图法》。

2. 主题语言

主题语言是一种描述性语言。它以自然语言中的名词、名词性词组或句子来描述文献所论述或研究的事物概念，这些作为标识的语词按字顺（或音序）排列并使用参照系统直接表达概念之间的关系。主题语言的类型很多，主要包括标题词语言、元词语言、叙词语言和关键词语言。

标题词语言是一种以标题词作为主题标识来反映文献信息内容的一种主题法，它是在手工检索工具的基础上发展起来的，以列举的方式编制的一种主题法类型。标题词的统一和规范一般由标题表来控制，目前在国际上最具代表性的标题表是《美国国会标题表》(Library of Congress Subject Heading, LCSH)。

元词语言也叫单元词语言，是以单元词为主题标识，通过字面方式表达信息资源主题的主题法。所谓"单元词"，是指用来标引信息资源主题的、最基本的、字面上不可再分的语词，是一种完全后组式的主题语言。

叙词语言就是以叙词作为文献检索标识和查找依据的一种检索语言。叙词，也称为主题词，是经过规范化处理的，以基本概念为基础的表达文献主题的词和词组；叙词作为标引和检索人员之间的共同语言，是通过叙词表来实现的。叙词语言已成为受控主题语言的主流，到目前为止，国外的叙词表数据不少于千种，我国的叙词表也已超过130种，目前在我国影响最大的叙词表是《汉语主题词表》（简称"汉表"）。

关键词语言是直接选用文献中的自然语言作基本词汇，并将那些能够揭示文献题名或主要意旨的关键性自然语词作为关键词进行标引的一种主题检索语言。所谓"关键词"，是指那些出现在文献的标题（篇名、章节名）或摘要、正文中，对表征文献主题内容具有实质意义的词语。关键词语言是为适应目录索引编制的自动化的需要而产生的，是一种基本上不作规范化处理的检索语言。

主题语言虽然只有一个多世纪的历史，却在信息检索中占据着极其重要的地位。其中，检索性能较为完善的叙词语言，在计算机检索系统中得到了普遍应用；印刷型的手工检索工具一般采用标题语言，构造主题索引；在实际的检索系统中使用极少的元词语言，却贡献出影响深远的组配思想。

3. 名称语言

名称语言是以人名（作者、译者、编者等）、机构名、地名、书名、刊名、篇名等能够代表信息特征的名称为检索标识，作为标引文献和检索文献双方共同采用的交流语言。各种数据库中所设置的作者检索途径、机构检索途径、出版物检索途径等都是运用名称语言对信息的特征予以描述和展开的结果。

4. 代号语言

代号语言以文献特有的顺序号（如专利号、标准号、化学物质登记号、合同号等）为检索标识，作为标引具有特指性序号文献和检索这类文献双方共同采用的交流语言。

5. 引文语言

引文语言是利用文献之间的引用与被引用关系，来表达检索文献主题之间的相互关系，无需词表，也不必标引文献，检索简单而有效。引文语言诞生于20世纪60年代，现在广泛应用于数据库文献信息检索中。

如图1-4所示，按照信息特征的描述来分，检索语言主要有如下几种。

描述文献外部特征的语言有：书名、刊名、篇名等，作者、译者、编者等，号码（如报告号、专利号、序号、标准号、合同号等），文献类型，文献出版事项。

描述文献内部特征的语言有：分类语言（包括等级体系分类语言、分面组配分类语言),主题语言(包括标题词语言、元词语言、叙词语言、关键词语言)。

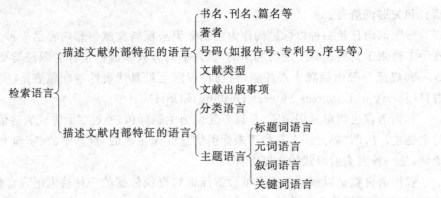

图1-4　信息检索语言分类(二)

不同的检索语言可以构成不同的标识和索引系统,提供给用户不同的检索点和检索途径。

四、信息检索语言的构成及其要求

1. 信息检索语言的构成

同任何自然语言都有释义词典一样,检索语言也有自己的"词典"——词表,它规范着检索语言中各个标识的概念意义及其使用,是信息检索语言的典据和依据。从理论上看,各种检索语言应该都有担负这一职责的词表,否则对检索语言的使用就会缺乏规范,难以准确地沟通标引与检索,容易导致检索失误。可见,词表是检索语言的构成主体,对检索语言的研究,主要也就是对词表的研究。

近年来,随着信息技术的发展,全文本、超文本检索系统大量地涌现,检索语言呈现出自然语言化的趋势,对检索语言构成的上述认识就有必要予以拓展。在新的信息环境下,要注重两点。

(1)词表虽然极为重要,却不是完整的检索语言。词表是静态的,而语言是动态的。检索失误既可因词表缺陷而产生,更会因对词表使用的不一致而产生。应该对检索语言的使用及其环境(语境)给予充分的重视。

(2)对检索语言的研究,可以更多地吸收语言学的理论与方法,强调从语言的角度来研究检索语言。从语言学的眼光来看,信息检索语言的构成应分为三个部分。

①用于组成词汇的形式化符号,通常有字母、数字或文字等。

②表达基本概念意义的词汇。

③控制语言使用的语法,据此把基本的词汇组合起来表达更为复杂的概念意义,主要体现为各种标引规则、组配规则、引用次序等。

2. 对信息检索语言的要求

对信息检索语言的要求体现在其作用的两个层次上。

(1)检索语言应该能够描述文献和提问的特征,即要有充分的表达能力,能全面、准确地描述任何复杂的文献信息以及提问内容,具体要求如下。

①专指性:检索语言的基本词汇和词组,都应具有足够的专指度和语义区分能力,能

够识别和区分不同的信息主题内容。

②唯一性:检索语言的基本词汇和词组,与概念意义之间应能达到一一对应,应尽可能减少同义和多义现象,以免因表达含糊而引起标引和检索的失误。

③灵活性:检索语言的基本词汇总是有限的,不可能也不必要用基本词汇表达所有的主题意义,应尽可能充分利用词汇之间的灵活组合,创造出几乎无限的表达能力。

(2)检索语言应该能够联系和沟通标引与检索两方面,即要求在语言的使用上应具有相当的一致性,能保证取得共同的理解和准确无误的沟通。对此的具体要求有:

①易用性:检索语言是由标引、检索人员使用的,越是容易使用的语言,在使用中越是容易保持一致。

②严谨性:检索语言应有作为语法措施的使用规则(如标引规则等),对词汇及其组合的正确使用给予适当的控制和指导。

③文献保障和用户保障:检索语言的基本词汇及其组合,既要能符合文献标引的需要,又要能满足用户提问的需要。

第四节 中国图书馆分类法

一、概况

《中国图书馆图书分类法》,简称《中图法》,初版于1975年,最新版本是2010年出版的第五版。为适应不同图书信息机构及不同类型文献分类的需要,它还有几个配套版本:《中国图书资料分类法》、《中国图书馆图书分类法(简本)》和《〈中国图书馆图书分类法〉期刊分类表》等。它是一部大型综合性分类法,是当今国内图书馆使用最广泛的分类法体系。

《中图法》编制的原则:第一,以马列主义、毛泽东思想为指导,以科学技术发展水平和文献出版的实际为基础,将科学性、实用性、思想性有机地统一。第二,以科学分类和知识分类为基础,依照从总到分、从一般到具体、从理论到应用的原则构建逻辑系统。分类体系与类目设置既要保持相对稳定性,又要考虑一定的动态性,及时反映新学科、新主题的发展,并允许对其结构与类目作一定的调整,以满足不同的需要。第三,标记符号力求简明、易懂、易记、易用;标记制度力求灵活实用,有较好的结构性,以揭示体系分类法的本质特征。第四,兼顾作为编制分类检索工具的规范与作为文献分类排架的规范的双重职能。第五,兼顾不同类型、不同规模图书馆和文献信息机构类分不同类型文献的需要。

二、《中图法》的分类体系

《中图法》的分类体系是指基本部类与基本大类的构成,以及其序列同所有类目相互联系与相互制约形成的等级结构。关于知识的分类,毛泽东在《整顿党的作风》一文中指出:"什么是知识?自从有阶级的社会存在以来,世界上的知识只有两门,一门叫作生产斗争知识,一门叫作阶级斗争知识。自然科学,社会科学,就是这两门知识的结晶,哲学则是关于自然知识和社会知识的概括和总结。"这是我们确定分类法的基本结构的理论依据。

据此,本分类法将知识门类分为"哲学"、"社会科学"、"自然科学"三大部类。马克思主义、列宁主义、毛泽东思想是指导我们思想的理论基础,作为一个基本部类,列于首位。此外,考虑到图书馆本身的特点,对于一些内容庞杂,类无专属,无法按某一学科内容性质分类的图书,概括为"综合性图书",作为一个基本部类,置于最后。最终,《中图法》设置了马列主义、毛泽东思想,哲学,社会科学,自然科学,综合性图书等五大部类。社会科学和自然科学涉及的知识众多,需要进一步拓展,这样就形成了22个基本大类。如图1-5所示。

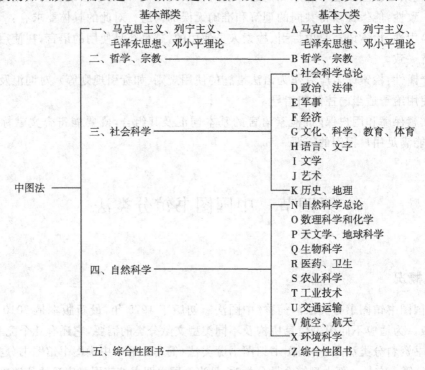

图1-5 《中图法》基本的部类和大类设置

不同的分类法之间的类目设置是千差万别的。例如《杜威十进图书分类法》设置了10个大类:0—计算机科学、资讯与总类;1—哲学与心理学;2—宗教;3—社会科学;4—语言;5—科学(指自然科学);6—技术(应用科学);7—艺术与休闲;8—文学和9—历史、地理与传记等。

《中图法》在基本大类的基础上进一步划分,形成二级、三级目录,直至六级目录。它主要从学科分类和知识分类的角度来揭示文献内容的区别与联系,按学科和专业集中文献,提供从学科和专业出发检索文献的途径。重视类目之间的内在联系,贯彻从总到分、从一般到具体、从简单到复杂、从理论到实践的划分原则。类目按学科系统排列,组成一个严密的概念等级分类体系,显示各学科知识在分类体系中的位置,反映学科知识之间的亲疏远近和隶属关系。R医药、卫生的二级类目包括:R1预防医学、卫生学,R2中国医学,R3基础医学,R4临床医学,R5内科学,R6外科学,R71妇产科学,R72儿科学,R73肿瘤学,R74神经病学与精神病学,R75皮肤病学与性病学,R76耳鼻咽喉科学,R77眼科学,R78口腔科学,R79外国民族医学,R8特种医学和R9药学等。

类目层次示意图见图1-6。

```
R 医药、卫生 ————————————（第一级类目）
    R5 内科学 ————————————（第二级类目）
        R51 传染病 ————————————（第三级数目）
            R111 病毒传染病 ——————（第四级类目）
                R111.1 麻疹 ————————（第五级类目）
            ……
            R512.1 流行性腮腺炎 ——————（第五级类目）
            R512.3 脑炎及脑脊髓膜炎 ——（第五级类目）
                R512.31 甲型脑炎 ————（第六级类目）
                R512.32 乙型脑炎 ————（第六级类目）
```

图1-6 类目层次展开示意

三、微观结构

类目是构成《中图法》主表的基本单元。一个类目通常代表具有某种共同属性的文献集合。类目由类号、类名、类级、注释与参照等要素组成。

标记符号是类目的代号,决定类目在分类体系中的位置。类目的编号制度是层累制,以号码的位数反映类目的级别,此外还采用了其他多种变通方法,以克服层累制的局限。

类名是类目的名称,用描述文献信息内容的术语直接或间接表达类目的含义和内容范围。

类级是类目的级别,用排版的缩格和字体表示,代表该类目在分类体系中的等级(划分的层次),显示类目间的等级关系。

注释和参照是对类目的含义及内容范围、分类方法与其他类目的关系等进行说明。

四、复分表

为了缩小分类法类目的篇幅,将一组可适用于多个类别的子目结构单独制表。在分类时,若有需要用到这个复分结构时,可以自行组合运用。复分表依据适用范围分为通用复分表和专类复分表。通用复分表列在主表之后,是主表各级类目组配的依据。专类复分表一般列在相应的类目之下,专供特定的类目细分使用。

《中图法》第五版的通用复分表包括:一、总论复分表,二、世界地区表,三、中国地区表,四、国际时代表,五、中国时代表,六、世界种族与民族表,七、中国民族表,八、通用时间、地点和环境、人员表等。总论复分表片段见图1-7。

```
—4    教育与普及
—40   教育组织、学校
—41   教学计划、教学大纲、课程
—42   教学法、教学参考书
—43   教材、课本
—44   习题、试题及题解
—45   教学实验、实习、实践
—46   教学设备
—47   考核、评估、奖励
—49   普及读物
```

图1-7 复分表片段示意

第五节 医学主题词表

一、概况

《医学主题词表》(Medical Subject Headings,简称 MeSH),由美国国立医学图书馆(NLM)编辑出版,第一版始于 1960 年,之后增加或删减了部分词汇。该表供标引、编目和联机检索使用。中国医科院医学信息研究所对其字顺表不定期地进行翻译,出版了 1979 年、1984 年和 1992 年版的《英汉对照医学主题词注释字顺表》。

编制 MeSH 的目的是对医学文献中的自然语言进行规范,使概念与主题词单一对应;保证文献的标引者和检索者之间在用词上的一致。MeSH 提供的主题词、副主题词组配功能提高了主题标引或检索的专指度。MeSH 把主题词进行等级编排,方便了对主题词进行扩检和缩检。

MeSH 由主题词字顺表、树状结构表和副主题词表等部分组成。

二、字顺表

2013 年的字顺表由 26853 个主题词、213000 余个款目词按英文字顺排列组成。主题词是文献标引或检索时该用的词。款目词是一部分不用作主题词的同义词或近义词,用参照系统同主题词进行联系,指导读者使用正式主题词。主题词和非主题词统一按照字顺排列,每一个主题词下设该主题词建立的年代、树状结构编码、历史注释及各种参照系统,来揭示主题词的变迁、族性类别及同其他同义词、近义词之间的逻辑关系。

用"see"和"X"表示用代参照,由款目词(也叫入口词)参见正式主题词。这种参照使具有等同关系、近义关系的大量自然语言词汇得到了人为的控制,使该表成为一种规范化的文献检索语言。例如:"Cancer see Neoplasms";"Neoplasms X Cancer"。

用"seerelated"和"XR"表示相关参照。用以处理两个或两个以上主题词在概念上彼此之间有某种联系或依赖的相关关系,其作用是扩大检索范围,达到全面检索的目的。例如:"Neoplasms, Hormone-Dependent see related Antineoplastic Agents, Hormonal";"Antineoplastic Agents, Hormonal XR Neoplasms, Hormone-Dependent"。

此外,还有"Consider Also Terms At",表示也须考虑参照。用于提示在用该主题词检索时,从语言学角度还应该考虑其他以不同词干为首的一组主题词与这个词有关。其作用是将同一概念的文献查全。

除了参照系统外,字顺表中还有树状结构号和注释等。图 1-8 的例子分别表示①主题词、②树状结构号、③组配注释、④历史注释和⑤参照系统。

①Family Planning(计划生育)
②N2.421.143.401+
③Only likely qualif are/econ/educ/hist/methods
④68;BIRTH CONTROL was see under CONTRACEPTION 1975, was see under FAMILY PLANNING 1968-74,was heading 1963-67
⑤see related
　Contraception
⑤X Birth Control
⑤XR Contraception
⑤XR Population Control

图 1-8　字顺表示意图

三、树状结构表

树状结构表(Tree Structure)又叫范畴表或分类表。它将字顺表中所有的主题词和非主题词(Non MeSH)按其学科性质、词义范围的上下隶属关系,分为十六个大类,分别是 a. 解剖学,b. 生物学,c. 疾病,d. 化学物质和药品,e. 分析、诊断治疗技术装备,f. 精神病学和心理学,g. 生物科学,h. 自然科学,i. 人种学,j. 工艺学工业、农业,k. 人文科学,l. 情报科学,m. 人的各种分类名词,n. 保健,v. 出版类型,z. 地理名称。树状结构的每个类目中,主题词和非主题词词逐级排列,按等级从上位词到下位词,用逐级缩排方式表达等级隶属关系,同一级的词按字顺排列。最多分至九级。一般来说,一个词归入一个类,有一个号,但有些主题词具有双重或双重以上的属性,这些词可能同时属于两个或多个类目范畴,在其他类目亦给出相应的树状结构号,从而可以查出该词在其他类目中的位置。简单示例如图 1-9 所示。

Diseases 疾病	C
Neoplasms 肿瘤	C4
Neoplasms by Site(Non MeSH)	C4.588
Digestive System Neoplasms 消化系统肿瘤	C4.588.274
Gastrointestinal Neoplasms 胃肠肿瘤	C4.588.274.476　　　C6.240.476
Intestinal Neoplasms 肠肿瘤	C4.588.274.476.411
Colonic Neoplasms 结肠肿瘤	C4.588.274.476.411.306
Colorectal Neoplasms 结直肠肿瘤	C4.588.274.476.411.306.416
Hereditary Nonpolyposis 遗传性非息肉疾病	C4.588.274.476.411.306.416.250

图 1-9　树状结构表示意图

树状结构表是字顺表的辅助索引,帮助了解每一个主题词在医学分类体系中的位置。它可帮助从学科体系中选择主题词。树状结构表是按学科体系汇集编排的术语等级表,检索时若找不到适当的主题词,可根据检索课题的学科范围,在结构表中查到满意的主题词。它可帮助进行扩检或缩检。在检索过程中如需要扩大或缩小检索范围,可根据树状结构表中主题词的上下位等级关系选择主题词。需要扩大检索范围时,选择其上位概念的主题词;需要缩小检索时,选择其下位概念的主题词。它可帮助确定词的专业范围。

字顺表与树状结构表功能各异。字顺表按主题词字顺排列,便于读者按字顺查找主题词,在查到主题词后,利用其下边的树状结构号,在树状结构表中根据其上下位主题词选择准确的主题词。树状结构表按树状结构号(学科体系)排列,便于从学科体系查找和确定主题词,在确定主题词后,再按字顺在字顺表中找到该主题词,通过它的各种注释准确使用该主题词。两表排列体系不同,但以树状结构号作桥梁和纽带,在检索时将主题法和分类法配合使用,既可发挥主题法专指、灵活、方便、直接检索的特点,又可发挥分类法系统、稳定、使扩检和缩检成为可能的优点。

四、副主题词

目前副主题词共有 92 个。副主题词的重要作用之一是对主题词起进一步的限定作用,通过这种限定把同一主题不同研究方面的文献分别集中,使主题词具有更高的专指性,例如,对于某个疾病进行病因学、诊断、治疗等方面限定。

每一个副主题词具有一定的专指性,其使用范围仅限于它后边括号内的类目,并不是说任何副主题词和任何主题词都能组配使用。副主题词的使用范围及适应类目见下例:

therapy(C, F3)—Used with diseases for therapeutic interventions except drug therapy, diet therapy, radiotherapy, and surgery, for which specific subheadings exist. The concept is also used for articles and books dealing with multiple therapies(治疗——与疾病主题词组配,用于除药物疗法、饮食疗法、放射疗法和外科手术以外的治疗手段,包括综合治疗)。

五、MeSH 的网络版

MeSH 网络版的地址是 http://www.nlm.nih.gov/mesh/,主界面如图 1-10 所示。

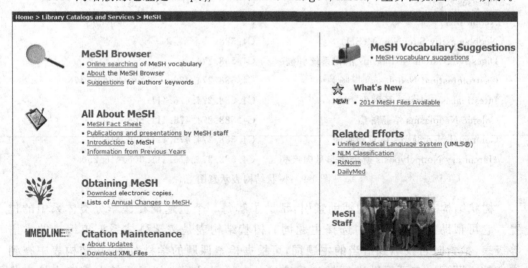

图 1-10 MeSH 的网络版的界面

点击 MeSH 的网络版界面左上角 MeSH Browser 下面的"Online searching"按钮,就进入浏览主题词界面,其上面的"Navigate from tree top"是树状结构的导航系统,可以逐级展开,从词语分类的角度查找主题词和相关主题词。下面为主题词查找部分(图 1-11)。

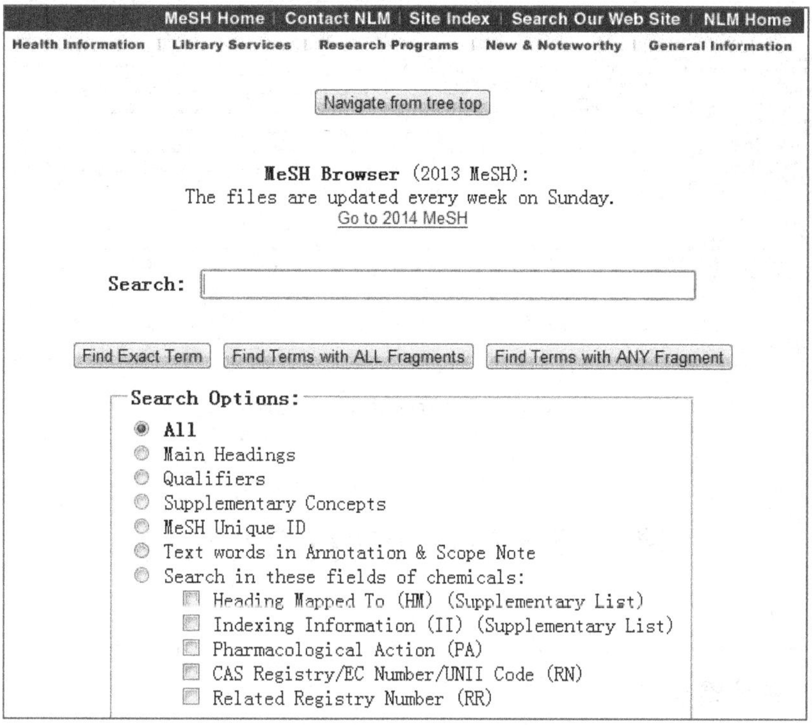

图 1-11　浏览 MeSH 主题词的主界面

点击图 1-11 上面的"Navigate from tree top"按钮,系统进入树状结构的导航系统(图 1-12),然后可以逐级展开,从词语分类的角度查找主题词。

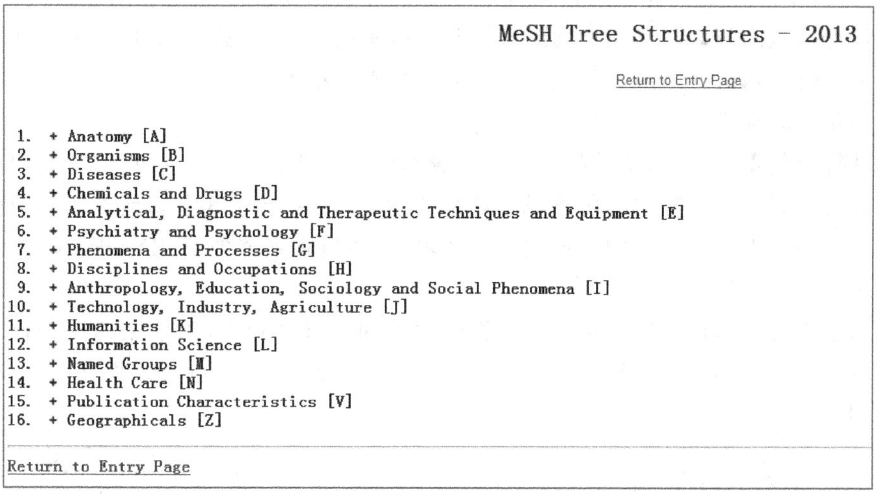

图 1-12　浏览 MeSH 树状结构主界面

在图 1-11 的 Search 后面的输入框内输入相关词汇,就可以查找相关主题词。这时,界面还提供了查找准确词汇或者出现在不同片断中的主题词。例如,输入"breast cancer",直接回车,就可以出现图 1-13 所示的页面。系统提供了该词的树状结构号、注释、人口词、参见系统和可以组配的副主题词等信息。

MeSH Heading	Breast Neoplasms
Tree Number	C04.588.180
Tree Number	C17.800.090.500
Annotation	human only; BREAST NEOPLASMS, MALE is also available; for animal use MAMMARY NEOPLASMS, ANIMAL or MAMMARY NEOPLASMS, EXPERIMENTAL: Manual 24.5+, 24.6+; coordinate IM with histological type of neoplasm (IM)
Scope Note	Tumors or cancer of the human BREAST.
Entry Term	Breast Cancer
Entry Term	Breast Tumors
Entry Term	Cancer of Breast
Entry Term	Cancer of the Breast
Entry Term	Human Mammary Carcinoma
Entry Term	Mammary Carcinoma, Human
Entry Term	Mammary Neoplasm, Human
Entry Term	Mammary Neoplasms, Human
Entry Term	Neoplasms, Breast
Entry Term	Tumors, Breast
Allowable Qualifiers	BL BS CF CH CI CL CN CO DH DI DT EC EH EM EN EP ET GE HI IM ME MI MO NU PA PC PP PS PX RA RH RI RT SC SE SU TH UL UR US VE VI
Entry Version	BREAST NEOPL

图 1-13 查找 breast cancer 主题词界面

第六节 信息检索技术与策略

一、信息检索技术

在计算机信息检索系统中,虽然各数据库提供给用户的检索界面的检索功能各不相同,但比较通用的有浏览、简单检索和高级检索等功能。浏览功能是由信息工作者将各种信息按一定的方式组织起来,按信息的主题、分类等方式编制成树状结构体系,供用户层层点击,进入不同分支查看检索结果列表。简单检索和高级检索是利用检索词(或检索式)进行检索,返回与之相符的检索结果。利用检索词(或检索式)检索时通常会用到布尔逻辑检索、截词检索、词间位置检索和限定字段检索等检索技术。

1. 布尔逻辑检索

在计算机信息检索中,单独的检索词一般不能满足课题的检索要求。19 世纪由英国数学家乔治·布尔提出来的布尔逻辑运算符的运用,在一定程度上满足了用户的检索需求。布尔逻辑检索是最常用的计算机检索技术,一些检索系统中 AND、OR、NOT 算符可分别用 ＊、＋、－代替。

布尔逻辑检索是运用布尔逻辑运算符对检索词进行逻辑组配,以表达两个检索词之间的逻辑关系。常用的组配符有 AND(与)、OR(或)、NOT(非)三种。图 1-14 是布尔逻辑示意图。

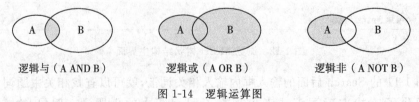

图 1-14 逻辑运算图

(1)逻辑与(AND,*)。逻辑与是具有概念交叉和限定关系的一种组配,用来组配不同的检索概念,其含义是检出的记录必须同时含有所有的检索词。如 A AND B(或 A * B),表示命中记录中必须同时含有检索项 A 和 B。逻辑与起到缩小检索主题范围的作用,用逻辑与组构的检索词越多,检索范围越小,专指性越强,有助于提高查准率。在运用时,应把出现频率低的检索词放在"与"的左边,节省计算机处理时间,使选定的答案尽早出现,中断检索。

(2)逻辑或(OR,+)。逻辑或是具有概念并列关系的一种组配,表示概念的相加,其含义是检出的记录只需满足检索项中的任何一个或同时满足即可。在实际检索中,一般用逻辑或来组配同义词、近义词、相关词等,以扩大检索范围,避免漏检,提高查全率。如 A OR B(或 A+B)表示记录中凡单独含有检索项 A 或检索项 B,或者同时含有 A、B 的均为命中记录。逻辑或组构检索式时,可将估计出现频率高的词放在"或"的左边,以利于提高检索速度,使选中的答案尽早出现。

(3)逻辑非(NO,-)。逻辑非是具有概念删除关系的一种组配,可从原检索范围中剔除一部分不需要的内容,即检出的记录中只能含有 NOT 算符前的检索词,不能同时含有其后的检索词。如 A NOT B(或 A-B)表示含有检索项 A 而不含检索项 B 的记录均为命中记录。逻辑非缩小了检索范围,提高了检索的专指度。逻辑非的缺点是取消部分往往会把切题的文献给丢弃,故运用运算时一定要慎重。

需要指出的是,不同的检索系统的布尔逻辑运算的次序可能不同,检索结果也会大不一样,一般检索系统的"帮助"会有说明。在中文数据库里,布尔逻辑运算符大多用 AND、OR、NOT 下拉菜单形式供用户选择,有时用"*"表示逻辑与,用"+"表示逻辑或,用"-"表示逻辑非。一般优先级依次为 NOT、AND 和 OR,也可以用括号改变优先级,括号内的逻辑式优先执行。

2. 截词检索

在数据库检索时,常常会遇到词语单复数或英美拼写方式不同,词根相同、含义相近而词尾形式不同等情况,为了减少检索词的输入,提高检索效率,通常使用"?"、"*"或"$"、"!"等截词符加在检索词的前后或中间,以扩大检索范围,提高查全率。计算机在查找过程中如遇截词符号,将不予匹配对比,只要其他部位字母相同,即算命中。按截词位置不同,可以分为前方截词、后截词和中间截词三种。

(1)前方截词。将截词符放在词根的前边,后方一致,表示在词根前方有无限个或有限个字符变化。如 Software(软件)、Hardware(硬件),在词根前加截词符即为"? ware",可包含前面两种情况。

(2)后截词。将截词符放在词根后面,前方一致。如"comput?"表示 comput 后可带有其他任何字母,且数量不限,检索出包含 compute、computer、computerized、computerization 等记录,为无限截词;而"plant???"则表示 plant 后可加 0~3 个字母,检索出含 plant、plants、planted、planter、planters 等词,为有限截词。

(3)中间截词。中间截词是将截词符号置于检索词的中间,而词的前后方一致。一般对不同拼写方法的词,用通配符"?"插在词的中间,检索出两端一致的词来,通常用于英、美对同一个单词拼读不同时使用。如"colo?r"包含 colour(英)和 color(美)两种拼写方法。

3. 词间位置检索

利用布尔逻辑运算符检索时,只对检索词进行逻辑组配,不限定检索词之间的位置以及检索词在记录中的位置关系。在有些情况下,若不限制检索词之间的位置关系,会影响某些检索课题的查准率。因此,在大部分检索系统中设置了位置限定运算符号,以确定检索词之间的位置关系。但不同的检索系统所采用的位置运算符有时不一定相同,功能也有差异,使用时应具体对待。

(1)W(With)算符。A(W)B 表示 A、B 两词必须紧接(之间不允许有其他词)且位置关系(词序)不可颠倒。如 x(W)ray 表示包含 x ray 和 x-ray 的文献记录均被命中,IBM(W)PC 表示包含 IBM PC 和 IBM-PC 的文献记录均被命中。

A(nW)B 表示 A、B 之间最多可插入 n 个单词且位置关系(词序)不可颠倒。其中 n 为整数,但 n 不能太多,否则运算符将失去意义。如 computer(IW)retrieval 表示检索含有"computer information retrieval"、"computer document retrieval"等词的记录。

(2)N(Near)算符。A(N)B 表示 A、B 两词必须紧密相邻,词间不允许插入任何词,但词序可以颠倒。A(nN)B 表示 A、B 两词间可插入 n 个单词(n 为整数),而且词序可变。在计算机信息检索系统中存在一些禁用词,如 of、this、and、for、on、to、are、from、that、with、as、in、the、would 等不允许出现在检索式中的词为系统禁用词,可用 Near 运算符来表示。如 A(1N)B 包含 A in B 和 B of A 两种情况,而 cotton(2N)processing 则表示包含 cotton processing、processing of cotton、processing of Chinese cotton 等的文献记录都会被命中。

(3)F(Field)算符。A(F)B 表示 A、B 检索词必须同时出现在同一记录的同一字段中(只限于题名、文摘字段),两词的词序、中间可插入单词的数量不限,但使用此算符时必须指定所要查找的字段(如 AB、TI、DE、AU 等)。如 pollution(F)control/AB 表示检索出文摘字段中同时含有 pollution 和 control 两词的文献记录。

(4)L(Link)算符。A(L)B 表示 A、B 检索词之间存在从属关系或限制关系,如果 A 为一级主题词,则 B 为二级主题词。

(5)SAME 算符。A(SAME)B 表示 A、B 检索词同时出现在同一个段落(paragraph)中,如 Education(SAME)school。

4. 限定字段检索

限定字段检索指定检索词在记录中出现的字段,检索时,计算机只在限定字段内进行匹配运算,以提高检索效率和查准率。不同数据库和不同种类文献记录中所包含的字段数目不尽相同,字段名称也有差别。数据库中常见的字段和代码如表 1-1 所示。

表 1-1　数据库中常见字段和代码

基本字段			辅助字段		
字段名称	英文全称	缩写	字段名称	英文全称	缩写
题目	Title	TI	记录号	Document Number	DN
文摘	Abstract	AB	作者	Author	AU
叙词	Descriptor	DE	作者单位	Cornorate Source	CS
标题词	Identifier	ID	期刊名称	Journal	JN
			出版年份	Publication Year	PY
			出版国	Country	CO
			文献类型	Document Type	DT
			文献性质	Treatment Code	TR
			语种	Language	LA

数据库字段可分为表达文献内容特征的基本字段(Basic Field)和表达文献外表特征的辅助字段(Additional Field)两种。

基本字段指表达文献内容特征的字段,如题名字段(Title Field)、文摘字段(Abstract Field)、叙词字段(Descriptor Field)等,检索字段符用后缀方式分别表示为/TI、/AB、/DE,检索时将检索词放在后缀字段符之前,如 garments/AB。

辅助字段(Additional Field)指表达文献外表特征的字段,如作者字段(Author Field)、刊名字段(Journal Field)、出版年字段(Publication Year Field)、语种字段(Language Field)、文献类型字段(Document Type Field)等,检索字段符用前缀方式分别表示为 AU=、JN=、PY—、LA—、DT—,检索时将检索词放在前缀字段符之后,如 AU—Evans,A.。

在一些数据库检索页面中,字段名称通常放置在下拉菜单中,用户可根据需要选择不同的检索字段进行检索,以提高检索效率。

5．限定范围检索

限定范围检索是通过限制数字信息的检索范围,以达到优化检索的方法。如 Dialog(Ondisc)系统、Silver Platter-Spirs 系统、UMI-ProQuest 系统,均设置了范围限定检索功能。

常用限定符有:

(1) :或"—"表示包含范围,如出版年 PY-1996:2005、邮政区号 ZIP-02100-02199。

(2) >表示大于,如公司销售额 SA>300m。

(3) <表示小于,如研究生申请接受率 PC<50%。

(4) —表示等于,如波长 WAV—0.0000106m。

(5) >—表示大于或等于,如公司总财产 TA>—500000000。

(6) <—表示小于或等于,如公司雇员数 EM<—900。

(7) !:表示范围之外,如波长小于 350nm 或大于 750nm 表示为 WAV(!350:750)。

6．加权检索

加权检索是某些检索系统中提供的一种定量检索技术。加权检索同布尔逻辑检索、截词检索等一样,也是信息检索的一个基本检索手段,但与它们不同的是,加权检索的侧重点不在于判定检索词或字符串是不是在数据库中存在、与别的检索词或字符串是什么关系,而是在于判定检索词或字符串在满足检索逻辑后对文献信息命中与否的影响程度。加权检索的基本方法是:在每个检索词后面给定一个数值表示其重要程度,这个数值称为权,在检索时,先查找这些检索词在数据库记录中是否存在,然后计算存在的检索词的权值总和。权值之和达到或超过预先给定的阈值,该记录即为命中记录。

运用加权检索可以命中核心概念文献,因此它是一种缩小检索范围、提高查准率的有效方法。但并不是所有系统都能提供加权检索这种检索技术,而能提供加权检索的系统,对权的定义、加权方式、权值计算和检索结果的判定等方面,又有不同的技术规范。

7. 扩展与缩小检索

扩展检索是指初始设定的检索范围太小,命中文献不多,需要扩大检索范围的一种检索方法。扩展检索的方法主要有:增加同义词检索;使用上位词扩大检索范围;使用截词符或通配符;减少检索的字段限定;从文献中选择合适的检索词。

缩小检索是指初始设定的检索范围太大,命中文献太多,需要增加查准率的一种检索方法。扩展检索的方法主要有:增加检索词用 AND 组配;与副主题词进行组配;使用主要主题词的加权检索;增加检索的字段限定;从文献中选择合适的检索词等。

8. 精确与模糊检索

精确检索实际上是检索形式上完全匹配的检索词,一般使用在主题词、作者等字段。例如以精确检索方式在主题词字段中检索"反倾销"一词,那么在主题词字段中出现"反倾销战略"、"反倾销调查"等复合词的记录就并非命中记录,一定是单独以"反倾销"出现才算匹配。再如,用户输入作者名为"郭新",那么"郭新宇"、"李郭新"等便不算匹配记录。模糊检索类似智能检索或概念检索,系统不但忽略复合词,可能还会自动返回包含它认为意义相近的检索词的记录。

总之,计算机信息检索是利用计算机的逻辑运算功能来实现文献的有无、多少、异同的比较匹配,以达到检索目的,在实际使用中,应配合使用布尔逻辑检索、截词检索、词间位置检索、限定字段检索、限定范围检索等达到较高的查全率和查准率,保证检索质量。

二、信息检索策略

检索策略就是在分析课题内容的基础上,确定检索系统、检索途径和检索词,并科学安排各词之间的位置关系、逻辑联系和查找步骤等。在数据库和系统功能相同的前提下,检索策略是否考虑周全,以及在检索过程中能否根据实际情况修改原来的策略,使其更加切题,都会影响检索文献的查全率和查准率。所以检索策略的构建与调整对检索者来说十分重要。

1. 信息需求分析

信息需求分析是让检索者了解检索目的,明确课题的主题或主要内容,课题所涉及的学科范围、所需信息的数量、出版类型、年代范围、涉及语种、已知的有关作者、机构,课题对查新、查准和查全的指标要求等,确定有关检索标识即描写信息特征的符号与词语,以便选择合适的检索工具或数据库。

2. 选择数据库

(1)在信息需求分析的基础上,根据检索需求,选择相应的数据库。若需要某一课题系统、详尽的信息,如撰写博硕论文、申请研究课题、科技查新、专利鉴定等,此类检索需了解其历史、现状和发展,对检索要求全面、彻底,检索覆盖的年份也较长。为了满足此类检索,尽可能选用一些收录年份较长的综合型和专业型数据库,如清华同方 CNKI 系列数据库、重庆维普中文科技期刊数据库、EBSCO、Elsevier SDOS/SDOL 等。

(2)关于某一课题的最新信息。这类信息用户对检索信息的要求是新,检索覆盖的年份也比较短,可以选择一些更新及时的联机数据库、网络数据库和搜索引擎来查找。

(3)了解某一方面的信息,以解决一些具体问题。如针对某个问题查找一些相关参考资料、一般论文写作、了解某人的资料等。此类检索不需要查找大量资料,但针对性很强,可以选择一般的数据库和网络搜索引擎进行查找。

另外,检索课题涉及专业性较强、学科单一,要求检中文献对口性强的,可选择专业型检索系统;若是涉及技术性的课题,应考虑是否使用专利信息检索系统等。

3.确定检索词

(1)分析课题的概念。选择所涉及的主要概念,并找出能代表这些概念的若干个词或词组,进而分析各概念之间的上、下、左、右关系,以便制定检索策略。如"网络资源的知识产权保护"可选"知识产权保护"、"网络资源"作为关键词。

(2)隐含概念的分析。有些课题的实质性内容很难从课题的名称上反映出来,其隐含的概念和相关内容需从专业的角度作深入的分析,才能提炼出确切反映课题内容的检索概念。如"知识产权保护"概念中的"知识产权"一词隐含着"著作权"、"版权"等概念。

(3)核心概念的选取。有些检索词概念已体现在所使用的数据库中,这些概念应予以排除。如 World Textiles 中"世界"一词应排除。另外有些比较泛指、检索意义不大的检索概念,如"发展"、"现状"、"趋势"等,在不是专门检索综述类信息时也应予以排除。

(4)检索词选取时应注意的几个问题。

一是检索词的选取应适当,具有专指性,涵盖主要主题概念,意义明确。一般应优先选择规范化主题词作检索词,但为了检索的专指性也可选用关键词配合检索。

二是尽可能地考虑其相关的同义词、近义词作为检索词,以保证查全率。如同一概念的几种表达方式,同一名词的单、复数,动词、动名词、过去分词形式,上位概念词与下位概念词,化学物质的名称、元素符号,植物和动物名的英文、拉丁名等。

三是避免使用低频词或高频词。一般不选用动词、形容词、禁用词,少用或不用不能表达课题实质的高频词,如"分析"、"研究"、"应用"、"建立"、"方法"、"发展"、"趋势"、"现状"、"设计"等。必须用时,应与能表达主要检索特征的词一起组配,或增加一些限制条件。

四是选用国外惯用的技术术语。在查阅外文文献时,一些技术概念的英文词若在词表中查不到,可先阅读国外的有关文献,再选择正确的检索词;也可以用中文数据库(如万方的数字化期刊数据库的英文题名)校正检索词。

五是尽量使用代码,以提高查全率。不少数据库有自己的特定代码,如《世界专利索引》(WPI)文档的国际专利分类号代码 IC,《世界工业产品市场与技术概况》文档中的产品代码 PC 和事项代码 EC,《化学文摘》(CA)中的化学物质登记号 RN 等。

4.编制检索式、执行检索

利用布尔逻辑运算符、位置运算符、截词符和字段符等,对各检索词进行准确、合理的逻辑和位置组合,编制出检索提问式,执行检索。

不同的数据库,可供检索的字段不一定相同,利用不同检索字段的检索结果也不尽相同。通常,关键词或自由词(ID)字段,对检索词没有什么特殊要求,但命中文献的相关度较低;主题词字段(DE)检索,所用检索词是规范化词语,检索效果较好,但由于词表规模限制和新技术词汇、信息需求的发展和变化,必要时可同时利用自由词或关键词检索。为防止漏检,除尽可能地多考虑同义词外,还可采用多个字段同时检索。

5. 调整检索式,优化策略

当检索式输入检索系统后,有时检索结果不一定能满足课题的要求,如输出的篇数过多,而且不相关的文献很多,或是输出的文献太少等,这时,必须重新思考并建立检索策略,对检索策略进行优化。

(1)当命中文献太多时,可进行以下缩检,对检索策略进行细化。用主题词表、索引词表选择更专指的主题词或关键词;通过浏览结果选择更专指的词,用运算符 AND、WITH、NEAR、NOT 等限制或排除某些概念,限定字段检索,从年代和地理及语言、文献类型上限制。

(2)当命中文献太少时,应进行扩检,对检索策略扩展。对已确定的检索词进行其同义词、同义的相关词、缩写和全称检索,保证文献的查全率,防止漏检;利用系统的助检手段和功能,有的系统提供树状词表浏览,使用户可以用规范词、相关词、更广义的上位词进行扩展;利用论文所引用的参考文献,当找到与课题相关的论文时,可参考其所引用的参考文献;使用运算符 OR 或截词符"*"、"?"等进行扩展检索。

第七节　信息检索系统

一、信息系统的概念、功能、种类

1. 概念

信息系统是通过计算机、网络等现代技术,从一定的业务领域获得信息,并对信息进行组织、存储、管理、检索和传输等,进而服务于用户的人机结合信息系统。

2. 基本功能

信息系统的基本功能包括:

(1)信息采集。信息采集是信息系统的基础工作。其任务是把相关信息收集起来,转化成信息系统所需的格式数据。信息采集有人工录入数据、网络获取数据、传感器自动采集数据等多种方式和手段。

(2)信息存储。信息存储有物理存储和逻辑存储之分。物理存储是指将信息存储在适当的介质上;逻辑存储是指根据信息的逻辑内在联系和使用方式把大批的信息组织成合理的结构,它的实现常依靠数据存储技术。信息存储要保证数据的一致性、完备性和安全性。

(3)信息处理。信息处理是信息系统的核心功能。系统的信息经过处理后才能被人们更好地利用。信息的处理包括排序、分类、归并、查询、统计、预测、模拟以及各种运算。例如,校园卡系统中对其系统的数据进行统计、结算、预测分析等都需对数据做数学运算,从而得到管理者所需的相关信息。

（4）信息查询与检索。信息查询与检索使用的是数据库技术和方法，不仅能够实现单项查询，还能够实现组合查询和模糊查询等。

（5）信息传输。信息传输主要包括将采集到的数据传送到处理中心，或从一个子系统传到另一个子系统等。

（6）数据输出。对加工处理后的数据，根据不同的需要，以不同的形式和格式进行输出，例如显示、打印或向其他系统输入等。

3．种类

信息系统种类繁多，按照不同的划分方法可以分成不同的类型。一般按照它的发展历史和解决的关键问题可以分为：数据处理系统、管理信息系统和决策支持系统。信息系统的应用是随着信息技术、管理理念、组织理念的发展而不断变化的，起初被简单地理解为计算机在数据处理中的应用，后来被理解为管理信息系统，用以辅助企业的管理和决策，因此又被称为"决策支持系统"。

（1）数据处理系统是为了提高事务的处理效率，实现业务的过程监控和对异常情况的反馈，以数据报告为主，解决业务操作人员和一线管理人员的事务问题。例如财务、仓库、销售等业务，主要运用计算机的计算功能。

（2）管理信息系统旨在通过信息共享实现管理的有效性，方便地获得有关业务流程的管理和支持组织的业务信息，解决中高层管理人员在管理中的问题。

（3）决策支持系统更加关注系统外部的信息，能灵活地运用模型与方法对数据进行加工、汇总、分析、预测，得出所需的综合信息与预测信息，解决组织变革中的最大问题，为组织高层提供决策参考信息。

二、信息系统的构成

信息系统由计算机和网络硬件、软件、数据和通讯系统等部分组成，此外人在系统中也起到决定性的作用。

1．硬件

硬件包括网络服务器、交换机、路由器和光纤等设备。

服务器是在网络上为客户计算机提供各种服务的高性能计算机，作为网络的节点，存储、处理网络上的数据与信息，其构成与微型计算机相似，包括处理器、硬盘、内存、系统总线等部件，但它在处理能力、稳定性、可靠性、安全性、可扩展性、可管理性等方面要优于微型计算机。

交换机是一种在局域网系统中完成信息交换功能。它基于介质访问控制地址识别，把其存放在内部地址表中，通过在数据帧的始发者和目标接收者之间建立临时的交换路径，使数据帧直接由源地址到达目的地址，在网络上完成数据包封装和转发等功能。

路由器是连接因特网中各局域网、广域网的设备，它会根据信道的情况自动选择和设定路由，以最佳路径、按前后顺序发送信号的设备。路由器是通过路由表来实现路由转换的。通过路由器的一站站转发，数据包最终沿着某一条路径到达目的地。

光纤是利用光的全反射原理使光在玻璃或塑料制成的纤维中传播，因光的衰减非常小，可实现远距离传输。光信号不受外界干扰的影响，也不会向外界辐射，这使得光纤传输非常安全。使用光纤时,要通过某种设备将计算机系统中的电脉冲信号与光脉冲信号进行转换。

存储设备是指计算机的外存储器,主要包括磁盘机和磁带机。磁盘机以磁盘为存储介质,具有存储容量大、数据传输率高、容错性能好等特点,常用于存放大容量的数据。磁带机通常用作数据备份。

信息系统的不同硬件设备组合可以构成多种结构。

(1) 集中式系统结构。整个系统只有一台计算机和相应的外部设备进行数据处理,适合小型的信息系统。其优点是信息资源集中,管理方便;缺点是系统脆弱,主机的瘫痪可能导致整个系统的崩溃。

(2) 分布式系统结构。利用网络把分布在不同地点的计算机硬件、软件、数据等资源联系在一起,服务于一个共同的目标,实现资源共享。其优点是系统扩展方便、稳定性好;缺点是维护和管理困难。

2. 软件

计算机软件包括程序及其说明和使用指导等。"程序"是指一组指示计算机每一步动作的指令,是完成一定任务或产生一定结果的指令集合。软件分为系统软件和应用软件。

系统软件负责管理计算机系统中各种独立的硬件,合理调用计算机资源,使得它们可以协调工作,担负着扩充计算机的功能。系统软件使得计算机使用者和其他软件将计算机当作一个整体而不需要顾及底层每个硬件是如何工作的。系统软件主要包括操作系统、计算机语言系统及数据库管理系统等。计算机操作系统有 Windows 系列、Linux、Unix、Mac OS,等等;各种计算机语言编译或解释软件包括 C、C++、VC、VB、VF、Delphi,等等;数据库管理系统主要有 Oracle、DB2、Informix、SQL Server、MySQL,等等。

与系统软件相反,应用软件是为了某种特定的用途而被开发的软件。不同的应用软件根据用户和所服务的领域不同而提供不同的功能,可分为通用应用软件和专业应用软件两类。前者如图形图像处理软件、统计分析软件等;后者如各种专业问题求解软件、人机界面软件等。

3. 数据

在计算机科学中,数据是对客观事物的性质、状态以及相互关系等进行记载的物理符号或是这些物理符号的组合。各种字母、数字符号的组合、语音、图形、图像等统称为数据。数据来源于客观世界,经过人脑主观的加工,最终形成计算机能够处理的信息世界。客观世界存在于人脑之外,例如一栋房子、一个人、一个组织、一笔交易等。人们必须通过文字符号、声音或者图像等手段,对这些客观事物的某方面属性进行描述。主观世界是现实世界在人们头脑中的反映,人们通过对其特性的理解和描述来理解客观的存在,例如通过姓名、性别、年龄、籍贯、学历、相貌等来了解一个人。利用数据库技术可组织信息世界,例如通过实体来区分客观存在,通过属性来描述实体。信息世界中的信息在机器世界中的数据存储形式涉及字段、键、记录、文件等。

有组织的数据是信息系统的最基本要素。数据与信息之间既有联系又有区别。数据是记录下来可以被鉴别的符号,信息是对数据的解释。数据经过处理后,经过解释才能成为信息。信息是经过加工后、并对客观世界产生影响的数据。

三、数据库

数据库是存储在一起的相关数据的集合,这些数据是结构化的,无有害或不必要的冗余,并为多种应用服务;数据的存储独立于使用它的程序;对数据库进行插入新数据、修改和检索原有数据等操作均能按一种公用的和可控制的方式进行。当某个系统中存在结构上完全分开的若干个数据库时,则该系统包含一个"数据库集合"(J. Martin 给出的数据库定义)。

数据库的特点有:①实现数据共享;②减少数据的冗余度;③数据具备独立性;④数据实现集中控制;⑤数据具有一致性和可维护性,以确保数据的安全性和可靠性;⑥故障恢复。

数据库的模型有:层次、网状和关系数据库系统。

(1) 层次结构模型。层次结构模型实质上是一种有根结点的定向有序树。有且仅有一个结点无父结点,这个结点称为根结点;其他结点有且仅有一个父结点。按照层次数据结构建立的数据库系统称为层次数据库系统。

(2) 网状结构模型。网状模型是一个网络。它允许一个以上的结点无父结点;一个结点可以有多于一个的父结点。按照网状数据结构建立的数据库系统称为网状数据库系统。

(3) 关系结构模型。关系式数据结构把一些复杂的数据结构归纳为简单的二元关系,数据的逻辑结构是一张二维表。由关系数据结构组成的数据库系统称为"关系数据库系统"。每一列中的分量是类型相同的数据;表中的分量是不可再分割的最小数据项;列和行的顺序可以是任意的。在关系数据库中,对数据的操作几乎全部建立在一个或多个关系表格上,通过对这些关系表格的分类、合并、连接或选取等运算来实现数据的管理。

字段(属性)是表的每一列,每个字段包含某一专题的信息。域是属性的取值范围,列中的数据类型。属性是关系中每个域的含义,是表中的一列。分量是元组中的属性值,是某个行某列的值。例如,在信息检索数据库中,"作者"、"文献类型"等就是字段,它们处于表的同一列中,属性相同。

记录(元组)是关系集合中的一个元素,是表中的一行,或称一条记录,是由若干相关属性构成。例如,在信息检索数据库中,一篇文献就是一条记录,由文献的篇名、作者、文献类型、文献出处等属性组成。

码是某个属性的值能够唯一标识关系的元组;码能够唯一标识二维表中的一行。例如,在信息检索数据库中,每篇文献都给予一个唯一的编号。

索引是对数据库表中一列或多列的值进行排序的一种结构。建立索引的目的是加快对表中记录的查找或排序。

二维表(关系)是由相关记录组成的,一个二维表就是一个关系。例如,在信息检索数据库中,就可能建立"文献基本情况表(表 1-2)"。

表 1-2 文献基本情况表

编号	文献名称	第一作者	文献类型	出处 1(期刊名)	出版年
000001234	大鼠视网膜干细胞的增殖和多向分化	余德立	论文	中国组织工程研究	2012
000001235	视网膜干细胞相关基因研究进展	弈文斌	综述	蚌埠医学院学报	2012
...	...	...	...	...	...

目前关系结构已成为占据主导地位的数据库管理系统。例如,Oracle,Sybase,Informix,Visual FoxPro,mysql,sqlserver 等。

四、信息检索系统

信息检索系统是指为满足信息用户的信息需求而建立的,运用特定的信息收集、管理域检索等技术,存贮经过加工的信息集合,提供一定存贮方法与检索服务功能的一种相对独立的服务实体。医学上常见的信息检索系统有文摘型数据库检索系统、全文型数据库检索系统、网络搜索引擎等。

一个完整的信息检索系统,通常由信息源、信息组织管理、用户接口和提问处理等几个有机部分组成。

1. 信息源

信息源是指计算机检索系统信息或数据的来源。信息检索系统中的数据主要来自各种公开文献,如一次文献中的期刊、图书、研究报告、会议论文、专科文献、政府出版物、学位论文,二次文献中的摘要、索引和目录,三次文献中的百科全书、专科词典、名录、指南、手册等。还有网络上的公开信息。每个系统根据其目标和服务对象的需要,确定数据收集范围,并广泛地采集各种信息源,为系统提供充足而适用的数据。

2. 信息组织管理

信息组织管理主要是指信息标引的方法、组织方式和更新周期。信息组织管理科学、实用、合理与否,直接关系到信息检索的效果好坏。标引就是根据系统的规则和程序,对文献内容进行分析,然后赋予每篇文献一定数量的内容标志,如分类号、主题词、关键词等,作为存储与检索的依据。标引的主要依据是词表。主题词表是控制标引用词和检索用词,使二者尽可能取得一致的有效工具。信息组织中一项重要的工作是建立索引,它能够提高系统检索效率。

3. 用户接口

用户接口是面向系统用户的人—机接口程序,它承担着用户与系统之间的交流功能。用户接口提倡界面友好、形象与直观,还考虑使用时的简便性和反馈机制等。接口部分使用的命令语言包括基本命令,如数据库选择、选词、组配、结果输出、求助等,以及功能扩展命令,如截词、位置运算、限制检索、保存检索策略等。

4. 提问处理

用户输入检索词或提问式后,系统要将检索词或提问式与数据库中存储的数据进行比较运算,然后把运算结果输出给用户。检索程序操作过程如下:①接收提问;②校验提问,包括语法检查、格式检查和用词检查;③加工提问,指对源提问式进行解释性或编译性的加工,生成便于机器处理的目标提问式;④检索,即从数据库中读入一批记录,与提问式进行比较,把满足要求的记录送入输出文档。

(吴　斌　方习国)

【思考题】

1. 信息素养的标准具体内容有哪些？自己与标准对比，哪些方面需要提高？
2. 知识、情报、文献三者之间有什么联系与区别？
3. 信息资源有哪些类型？各自有何特点？
4. 信息检索系统由哪些部分组成？
5. 信息检索语言有什么作用？
6. 信息检索语言及表达内容特征的检索语言有哪些类型？
7.《中图法》R 医药卫生类的二级类目有哪些？
8. 医学主题词子顺表和树状结构表是什么关系？
9. 加权检索与扩展检索的结果有什么不同？
10. 信息检索系统由哪些部分组成？

第二章 文摘数据库

第一节 中国生物医学文献数据库

一、概述

中国生物医学文献数据库(China Biology Medicine disc,称 CBM)是中国医学科学院医学信息研究所于 1994 年开发研制的综合性中文医学文献数据库,它收录了自 1978 年以来 1600 余种(册)中国生物医学期刊,以及汇编、会议论文的文献题录,年递增量约 40 万条,数据总量达 540 万篇。学科涉及基础医学、临床医学、预防医学、药学、中医学以及中药学等生物医学领域的各个方面,是国内最专业、权威的医学、生物学数据库之一,作为国家查新必备库,是目前国内医学文献的重要检索工具。

数据库的全部题录是根据美国国立医学图书馆最新版《医学主题词表(MeSH)》(中译本)、中国中医研究院中医药信息研究所《中国中医药学主题词表》以及《中国图书馆分类法·医学专业分类表》进行主题标引和分类标引。

中国生物医学文献数据库服务系统在全面涵盖中国生物医学文献数据库(CBM)的基础上,新增中国医学科普文献数据库、西文生物医学文献数据库、日文生物医学文献数据库、俄文生物医学文献数据库、英文文集汇编文摘数据库、英文会议文摘数据库、北京协和医学院博硕论文库等多种资源,学科范围广泛,年代跨度大。CBM 设有 30 多个检索入口,与 PubMed 具有良好兼容性,可以获得良好的查全率和查准率。

二、记录字段和运算符

中国生物医学文献数据库(CBM)中包括 30 多个可检索字段,下列是字段的英文、中文和注释。

AB	文摘
AD	地址
AU	著者
CA	索取号(医情所会议、汇编内部编码)
CN	国内代码(国内期刊代码)
CL	分类号

CT	特征词
IS	ISSN(国际期刊代码)
LA	语种(缺省值为中文)
MH	主题词
MMH	主要主题词
PT	文献类型
PY	出版年
RF	参考文献数
SO	出处(刊名 TA、年 PY、卷 VI、期 IP、页 PG)
TA	期刊名称
TI	中文题目
TT	英文题目
TW	关键词
UI	流水号

中国生物医学文献数据库(CBM)中使用的检索运算符主要有布尔逻辑运算符、字段限制符、范围运算符和通配符。

1.布尔逻辑运算符

布尔逻辑运算符 AND、OR、NOT,逻辑关系表示的分别是:"与"、"或"、"非",优先级运算式:()>AND,NOT>OR。

2.字段限制符

字段限制符为 IN 或=,IN 后可用中文标志也可用英文标志,如:"利多卡因 IN TI、艾滋病 IN 中文题目",均可查到文献题目中含有"利多卡因"或"艾滋病"字样的文献。也可用"="进行精确查找:字段标志符=检索词,如:"AU=赵莉"。

3.范围运算符

范围运算符,如>(大于)、<(小于)、=(等于)、>=(大于等于)、<=(小于等于)、-(指定范围),仅用于数字字段的检索,如"PY<2010"、"PY>2000"、"PY=2007-2011"。

4.通配符

单字通配符(?):替代任一半角字符或任一中文字符,如"血?动力"可检索到血液动力、血流动力等。

任意通配符(*):替代任意个字符,如"肝炎*疫苗"可检索出肝炎疫苗、肝炎病毒基因疫苗、肝炎减毒活疫苗、肝炎灭活疫苗等。

当检索表达式有多个逻辑组配符时,系统将按照 NOT>AND>OR 的顺序运算,如果要改变运算顺序,需用()将要先算的逻辑关系括起来。

三、检索途径和方法

用户可根据自身需要自由选择,随意搭配。中国生物医学文献数据库即 CBMdisc for Windows (CmbWin)是基于 Windows 的检索软件,分单机版和网络版。单机版在 Windows X 单机环境下运行,网络版在 Windows NT、Windows 2000、Windows XP 网络环境下运行。CBMdisc for Windows(CmbWin)是基于 WWW 的检索软件,可直接利用

Internet 进行检索，本节主要介绍 CBMWeb 的使用方法。如图 2-1 所示为功能流程图。

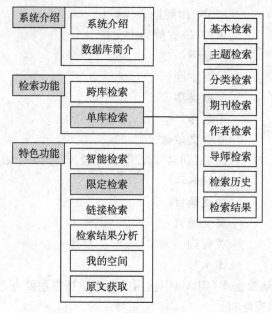

图 2-1　CBMWeb 功能流程图

在 IE 等浏览器地址栏中输入本单位 CBMWeb 所在服务器的地址后，即可进入 CBMWeb 的检索界面如图 2-2 所示。首先进入基本检索界面。

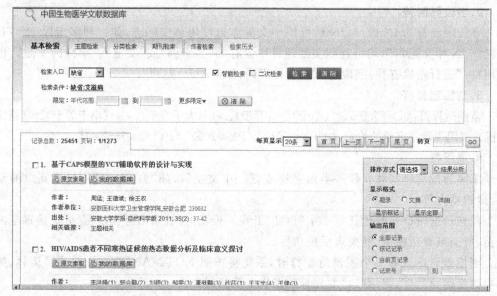

图 2-2　CBMWeb 基本检索界面

1. 基本检索

在基本检索界面检索式输入框输入中英文字、词、数字、带通配符的字词。状态由如图 2-2 所示的"检索入口"下拉框的选项确定，系统默认为"缺省"状态，"缺省"字段在中国生物医学文献数据库（CBM）中是中文标题、摘要、作者、关键词、主题词、刊名的内容组合。如在所有可检索的字段中查找,需要将检索字段换为"全部"。

基本检索还适用于关键词、主题词、特征词、分类号、作者、第一作者、刊名、期等字段。可以不通过"检索入口",在检索子窗口中输入带有字段限制符或范围运算符的检索式进行检索的,如,赵莉 IN AU,命中文献的某一位作者一定有"赵莉"二字,此为模糊检索(非精确检索),而 AU=赵莉,命中文献的作者中必有一人名"赵莉",此即为精确检索。可做精确检索的字段有:AD、AU、CL、CN、CT、IP、IS、JC、MA、MH、MMH、PP、PS、PY、TA、TI、TW、VI。

2. 逻辑组配检索

它是指利用布尔逻辑算符进行检索词或代码的逻辑组配检索,在检索输入框用命令方式进行。可以通过两种方法进行逻辑组配检索:

(1) 鼠标点击法。在"检索历史"界面中:

①勾选需要的检索式,点击"AND"或"OR"按钮。

②勾选拟去除的检索式,点击"NOT"按钮。

(2) 直接输入法。在检索词或检索式之间直接使用"AND"、"OR"、"NOT",如"乙型肝炎 AND 药物治疗"、"艾滋病 OR 艾滋病"、"肝炎 AND NOT 甲型肝炎"。

3. 二次检索

"二次检索"是在已有检索结果基础上再检索,逐步缩小检索范围,与上一个检索词之间的关系是"AND",操作形式为再次输入检索式后点击"二次检索"按钮。

基本检索中也可以进行主题词、分类、期刊检索,但没有相应的检索窗口功能强大。

4. 主题词检索

点击如图 2-3 所示"主题检索"进入主题检索界面。在"检索入口"的下拉菜单中选择中文或英文主题词,也可用同义词、相关词、上位词、下位词查找。在检索框里输入检索词,点击"查找"按钮,系统进入主题词轮排索引浏览状态,显示含有输入词或字段的所有主题词、同义词列表,也即主题词轮排索引中的相关内容。如图 2-3 中所示,如果想检索"高血压治疗"方面的文献,可在检索框中输入检索词"高血压"后回车,主题词轮排索引即定位到相关内容。

图 2-3　CBMWeb 主题词轮排索引

主题词轮排索引的词条中左侧为款目词,右侧为主题词。点击输入的主题词"高血压",进入图2-4所显示的页面,页面左框上方可选副主题词,右框则为副主题词,将某一主题概念("高血压")进行复分,使主题词具有更高的专指性。

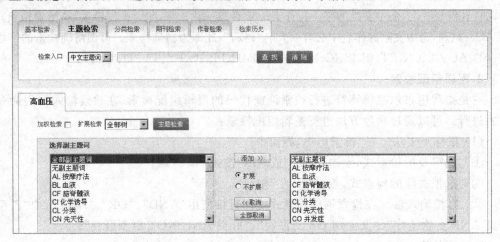

图2-4　CBMWeb主题词检索界面

图2-5显示的是主题词的树形结构和详细信息,但并不是每个副主题词都能同任何主题词组配,两者之间必须有必然的逻辑联系。图2-5列出了所查的"高血压"主题词的详细信息:主题词、英文名称、款目词、树状结构号、相关参见、标引注释、主题词详解等内容。树形结构列出了主题词的上位类和下位类,如想更换主题词,可以直接点击当前主题词的上位词或者下位词。

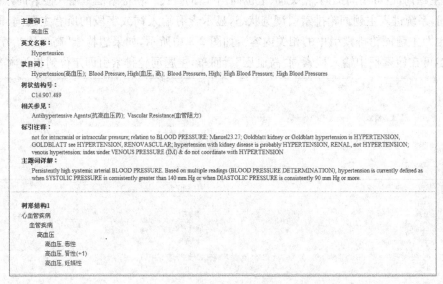

图2-5　CBMWeb主题词树形结构

主题词选项的功能设置:

(1)加权检索和非加权检索。主题词"加权"是表明主题词的重要程度,从而也反映文献论述的主要内容。加权主题词用"*"表示,如"*肺脓肿",加权检索仅对加"*"号主题词检索,非加权检索表示对加"*"主题词和未加"*"主题词均进行检索,也就是加权检索选项表示是否对主题词进行加权检索,勾选此项后系统将检出把该主题词作为主要论点及概念的文章。默认状态即为非加权检索。

(2)扩展检索和非扩展检索。扩展全部树选项表示对当前的主题词及其所有下位主题词进行检索,非扩展检索仅限于当前主题词的检索;如果某词所属的树不止一个,还可以选择其中的某个树进行检索。默认状态即为扩展检索。

(3)扩展副主题词。一些副主题词之间也存在上下位类关系的,勾选此项指对副主题词及其上下位副主题词进行检索,否则仅限于当前副主题词。点击"主题检索"按钮,系统进行检索并返回基本检索界面显示检索结果。

5. 分类检索

(1)通过类名、类号快速查找。点击进入分类检索界面,在类名、类号输入框输入学科类名或类号进行检索。如查找"婴幼儿麻疹病因"方面的文献,首先要进入分类检索界面,选择"类名"检索字段并输入检索词"麻疹",从系统返回的命中类名列表中选择准确类名"小儿麻疹";根据需要,选择是否扩展检索;对于可复分的类号,选择复分组配检索(可选择多个复分号);最后点击"分类检索"按钮,操作完成。

(2)通过分类导航实现。依据分类树逐级展开,直至浏览至所需要的类目后点击进入;根据需要,选择是否扩展检索;对于可复分的类号,选择复分组配检索(可选择多个复分号);最后点击"分类检索"按钮进行文献查找。分类检索从文献所属的学科角度进行检索,有利于提高族性检索。

6. 期刊检索

在期刊检索页面"检索入口"后选择刊名、出版单位、出版地、期刊主题词等入口,再输入检索词,点击"查找"按钮,可直接检索到某种期刊。点击"期刊检索"按钮,系统运行检索,并返回"基本检索"界面显示检索结果。期刊检索页面导航按类将期刊列出,点击刊名链接查看该刊的刊名、出版地、出版单位等详细信息,也可以选择年代和期数直接浏览该刊的某一期内容。

7. 作者检索

点击页面上的"作者检索"按钮,进入作者检索页面。在检索输入框输入完整的作者名或作者名片段,点击"查找"按钮,系统显示包含检索词的作者列表。选择作者名,检索出该作者的所有文献。同基本检索界面的作者检索相区别的是,在作者检索界面可以进行第一著者检索,点击作者对应的第一著者图标,可检索出该作者作为第一著者发表的文献。在"基本检索"页面选择"作者"为检索入口,也可以查找某一作者的文献。

8. 检索历史

检索历史界面是对已经完成的检索进行重新组配。此界面是按照检索时间顺序从下至上依次显示已经完成的检索式,最后完成的检索式在最上方。可以从检索历史中选择一个或者多个检索式运用布尔逻辑运算符 AND、OR、NOT 进行组配。根据需求选择一个或多个有意义的检索表达式保存成特定的"检索策略"。在"我的空间"中可定期调用该检索策略,及时获取最新信息。如果需要删除某检索式,只需勾选其前方的复选框,点击"清除检索史"按钮即可。一次检索最多可保存 100 条检索表达式、1000 条检索策略。

9. 特色功能

（1）智能检索。自动实现检索词、检索词对应主题词及该主题词所含下位词的同步检索。

（2）限定检索。在中国生物医学文献数据库 CBM 中，可限定的内容包括年代范围、文献类型、年龄组、性别、对象类型及其他，目的是减少二次检索操作，提高检索效率，如图 2-6 所示。进行限定检索时，可以在检索前设定限定条件，也可以在检索后设置限定条件，还可以根据需要随时修改限定条件。如果是在检索后设置限定条件，或对限定条件进行了修改，需要点击"检索条件"才能对当前检索条件执行新限定检索。在西文生物医学文献数据库 WBM 中，可限定的内容包括年代范围、主要语种、文献类型、年龄组、性别、对象类型和其他，如图 2-7 所示。

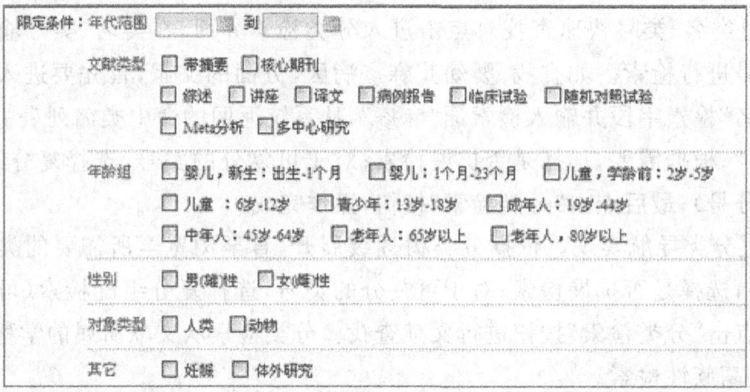

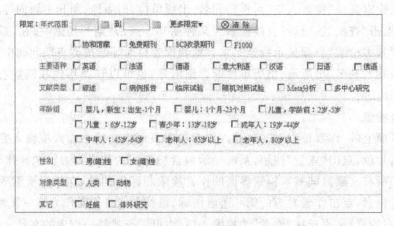

图 2-6　CBMWeb 限定检索对话框（一）

图 2-7　CBMWeb 限定检索对话框（二）

10. 链接检索

检索结果中的"作者"、"出处"、"中文关键词"、"主题词"、"特征词"、"相关链接"、"参考文献"等字段都可以作为链接检索。

11. 检索结果分析

检索结果分析是对检索结果进行辅助分析的过程。

12. 我的空间

我的空间包括三个部分:"我的检索策略"、"我的数据库"、"用户注册信息"。"我的检索策略"可用于定期跟踪某一课题的最新文献,勾选已定制的检索策略,选择需要的检索操作,确定是"重新检索"还是"最新文献检索"。"重新检索"是对数据库中所有文献进行再次检索,而"最新文献检索"是对末次检索后数据库更新的添加的文献进行检索。

13. 原文获取

用户可以通过四个途径进行原文获取:

(1) 点击进入"pdf"页面,进行维普中文数据库全文链接,可以获取中文全文文献。

(2) 点击进入"free"页面开放存取,即 OA 期刊免费获得英文全文文献。

(3) 进行原文链接,全文数据库获取英文全文文献。

(4) 点击原文获取,通过提交获取原文请求,得到中文全文文献。

四、检索结果

中国生物医学文献数据库(CBM)系统默认的显示格式有:

1. 题录、文摘、详细格式

题录格式包括标题、著者、著者单位、出处及相关文献字段;文摘格式,显示标题、著者、著者单位、文摘、出处、关键词及相关字段;还有详细格式,显示流水号、分类号、标题、英文标题、文献类型、著者、著者单位、国省市名、文摘、出处、关键词、主题词、特征词、参考文献、基金、ISSN 等检索的所有字段。选中某一格式,直接点击前面的按钮,即以相应的格式显示结果。

2. 显示条数

表示每页显示的记录数,有 20、30、50、100 四种方式。

3. 排序方式

用户选择每一页的显示条数由也还可以按年代、著者、期刊、相关度对检索结果进行排序。

4. 输出范围

包括全部记录、标记记录、当前页记录和记录号选择。输出范围的选择,只对"打印"、"保存"、"E-mail"起作用。

5. 文献标记

方法是点击检索结果前面的复选框,对文献进行标记。点击"显示标记"按钮,显示所有标记记录。在显示标记的页面,点击"显示全部",可显示全部检索结果。一次打印、保存或 E-maild 的文献数据总量不能超过 500 篇。

(孙 俐)

第二节 PubMed

一、PubMed 概述

PubMed 是美国国家医学图书馆（the U.S. National Library of Medicine，NLM）所属的国家生物技术信息中心（the National Center for Biotechnology Information，NCBI）开发的基于 Web 的生物医学信息检索系统，位于美国国立卫生研究院（the National Institutes of Health，NIH）的平台上。PubMed 是 NCBI Entrez 检索系统数据库之一，在系统中可以与 NCBI 其他数据库如基因序列中心、电子期刊出版商网站链接，也可与美国图书馆馆藏资源链接。PubMed 具有收录文献范围广、内容全、检索途径多、检索系统完备等特点。

PubMed 是开放的，该系统通过网络途径免费提供自 1946 年以来全世界 80 多个国家 5000 多种主要生物医学期刊的书目索引和摘要、在线书籍等 2300 余万条书目数据（其中 MEDLINE 记录 1900 多万条），涉及生命科学、行为科学、化学科学、生物工程学等，并提供部分免费和付费全文链接服务，是世界上最权威的生物医学数据库。

PubMed 信息来源广泛，数据更新速度快，在因特网上免费向大众开放，而且无需用户注册，通过网址进入站点就可以直接进行检索；操作界面简洁明快友好，非专业检索人员能轻松入门，足不出户就能检索国内外医学外文文献，获取最新资料信息。目前，PubMed 已成为医务工作者、科研人员首选的网上医学文献检索系统。

1. PubMed 的收录范围

PubMed 的数据主要有四个部分，即 MEDLINE、OLDMEDLINE、In Process Citations、Record Suppled by Publisher。

（1）MEDLINE。MEDLINE 收录自 1966 年以来的包含医学、护理、兽医、健康保健系统及前临床科学的文献 1900 万余条书目数据（2013 年数据），记录的标记为[PubMed-indexed for MEDLINE]。这些数据来源于 80 多个国家和地区的 5600 多种生物医学期刊，近年数据涉及 60 多个语种，回溯至 1966 年的数据涉及 40 多个语种，约 45% 的文献来自美国，约 90% 为英文文献，大约 83% 的文献有著者撰写的英文摘要。

（2）OLDMEDLINE。包含 1945 年至 1965 年期间发表的 200 万篇生物医学文献。OLDMEDLINE 的记录没有 MeSH 字段和摘要，记录的标记为[PubMed-OLDMEDLINE]。

（3）In Process Citations。一个临时性的数据库，收录准备进行标引的题录和文摘信息，每天都在接受新的数据，进行文献的标引和加工，每周把加工好的数据加入到 MEDLINE 中，同时从 In Process Citations 库中删除。In Process Citations 中的记录标有[PubMed- in process]的标记。

（4）Record supplied by publisher。出版商将期刊文献信息电子版提供给 PubMed 后，每条记录都标有[PubMed-as supplied by publisher]的标记，这些记录每天都在不停地向 In Process Citations 库中传送，加入到 In Process Citations 后，原有的标记将改为

[PubMed-in process]的标记。

此外,由于被 MEDLINE 收录的有些期刊涉及学科范围较广,有些文献已超出了 MEDLINE 的收录范围(如地壳运动、火山爆发等),因而不能进入 MEDLINE,但仍然存在于 PubMed 中,其标记为[PubMed]。

2. 主界面介绍

只要在浏览器地址栏中输入:http://www.ncbi.nlm.nih.Searchv/pubmed/,或者 http://www.PubMed.gov,或者 http://www.PubMed.Searchv/后,就可以立刻进入 PubMed 的界面。主界面更新很快,但其内容变化一般不大(如图 2-8 所示)。

图 2-8　PubMed 检索首页面

(1) 检索提问区。进入 PubMed 后,首先看到的就是页面上方的检索框(如图 2-8 所示)。用户在检索框内输入任意一个或多个检索词后,回车或点击"Search"即可进行检索,检索结果将直接显示在下方的结果显示区中。通过数据库切换框的下拉菜单,也可以选择 NCBI 提供的其他信息资源或检索途径。

(2) PubMed 简介区。在基本检索提问区的下方是 PubMed 简介:PubMed 包括来自MEDLINE、生命科学期刊、在线书籍的超过 2300 万的生物医学文献。全文引用链接内容可能包括公共医学中心和出版商网站。

(3) 常用功能区。位于主界面的下方。①使用帮助(Using PubMed):包括有关 PubMed 的帮助信息以及在使用中的一些常见问题的解答。②PubMed 工具(PubMed Tools):包括 PubMed Mobile;Single Citation Matcher,输入期刊的信息可以找到某单篇文献或整个期刊的内容;Batch Citution Matcher,用一种特定的形式输入期刊的信息一次搜索多篇文献;Clinical Queries,这一部分主要为临床医生设置临床方法学过滤器。③更多资源(More Resources)：包括 MeSH Datebase 主题检索,可以用它来分层浏览 MeSH 表;Journal in NCBI Databases,期刊浏览;Clincal Trials,此部分的目的是加快 NIH 资助的临床研究成果的发布;E-Utilities 即 Entrez Programming Utilities,对几种二次检索软件的介绍,实现自动化大批量地从 Entrez 数据库下载数据;LinkOut,外部链接等。

3. PubMed 特点

①能获取当月、甚至当日发表的最新文献以及 1966 年以前的文献;②具有强大的词语自动匹配转换功能,能对意义相同或相近的词或词组进行全面搜索,并自动转换后再检索;③把相关的期刊文献、数据、事实、图书连接在一起,形成相互贯通的信息链,方便进行追溯性检索;④能在线获取部分免费电子版全文。

4. PubMed 的主要字段

在数据库中,大多数时,表的"列"称为"字段",每个字段包含某一专题的信息。就像"通讯录"数据库中,"姓名"、"联系电话"等都是表中所有记录共有的属性,所以把这些列称为"姓名"字段和"联系电话"字段。PubMed 的记录字段有 60 多个,可检索的字段有 49 个,下面为 PubMed 主要可检索字段的标识(Tags)、字段名称及字段含义。

Tag	字段名称	含义
AB：	abstract	摘要
AD：	affiliation	第一作者的研究机构和通讯地址(作者单位)
AU：	author	作者
1AU：	first author name	第一作者
FAU：	full author name	作者全称
LASTAU：	last author	最后一位作者,责任作者
CN：	corporate author	合作者
TI：	title	文章英文题目
TA：	journal title	期刊的全称、简称、ISSN 号
TIAB：	title/abstract	题目/文摘
TT：	transliterated title	音译题目
PT：	publication type	文章出版类型
PL：	place of publication	出版国家
VI：	volume	期刊卷
DP：	PMCID & MID Publication Date	文章出版日期
EDAT：	entrez date	文章录入 PubMed 的日期
MHDA：	MeSH Date	文章添加 MeSH 词的日期
LA：	language	文章出版的语种
GR：	grant number	资金资助号、合同号或由美国国家卫生研究院财政支持项目
MH：	MeSH terms	NLM 受控词汇
PA：	pharmacological action MeSH terms	药理作用主题词
PMID：	PubMed unique identifier	PubMed 唯一标识码
PS：	personal name as subject	人名作为文章的主题词

RN： EC/RN number 酶号或化学物质登记号
SB： subset 子集
SI： secondary source identifier 第二来源标示符
TW： text words 自由文本词

字段检索和限制检索常常结合使用,字段检索就是限制检索的一种,因为限制检索往往是对字段的限制。在搜索引擎中,字段检索多表现为限制前缀符的形式。如属于主题字段限制的有 Title,Subject,Keywords,Summary 等。属于非主题字段限制的有 Image,Text 等。作为一种网络检索工具,搜索引擎提供了许多带有典型网络检索特征的字段限制类型,如主机名(host)、域名(domain)、链接(link)、URL(site)、新闻组(newsgroup)和E-mail限制等。这些字段限制功能限定了检索词在数据库记录中出现的区域。由于检索词出现的区域对检索结果的相关性有一定的影响,因此,字段限制检索可以用来控制检索结果的相关性,以提高检索效果。

二、PubMed 检索机制及规则

PubMed 的检索功能非常强大,在检索中可实现检索词的自动转换、通配符的使用等功能,也可以进行强制性检索。

1. 词汇的自动转换功能

在 PubMed 主页的检索提问框中输入检索词进行检索时,系统将按顺序自动使用如下四种索引,对检索词进行转换后再进行检索。

(1) MeSH 转换表(MeSH Translation Table)。包括 MeSH 词、参见词、副主题词、出版类型、含有同义词或不同英文词汇书写形式的统一医学语言系统(UMLS)、补充概念(物质)名称表等。如果系统在该表中发现了与检索词相匹配的词,就会自动将其转换为相应的 MeSH 词(或其他词表中的词)和 Text word 词(题名词和文摘词),并用"OR"组配进行检索,同时停止使用其他的索引进行转换。有些词在转换后可能会出现 3 个词进行检索。例如:输入"blood",系统将其转换成"("blood"[MeSH Subheading] OR "blood"[MeSH Terms]) OR blood[Text Word]"后进行检索。

(2) 刊名转换表(Journal Tanslation Table)。包括刊名全称、MEDLINE 形式的缩写和 ISSN 号。如果系统在该表中发现了与检索词相匹配的词,就会自动将其对应到相应的刊名进行检索。此外,该转换表能把键入的刊名全称转换为 MEDLINE 缩写后进行检索。如在检索提问框中键入"new England journal of medicine",PubMed 将其转换为"N Engl J Med"后进行检索。

(3) 常用短语表(Phrase List)。该表中的短语来自 MeSH,含有同义词或不同英文词汇书写形式的统一医学语言系统(UMLS：Unified Medical Language System)和补充概念(物质)名称表[Supplementary Concept (Substance) Name]。如果 PubMed 系统在 MeSH 和刊名转换表中未发现与检索词相匹配的词,PubMED 就会检索来自 MeSH、物质名称、题名和文摘中多次出现的短语表,例如 cold compresses。

(4) 著者索引(Author Index)。如果键入的词语未在上述各表中找到相匹配的词,或者键入的词是一个后面跟有1～2个字母的短语,PubMed即自动查著者索引。

如果以上仍然查不到相匹配的词,PubMed就会把该词断开后再重复上述自动词汇转换过程,直到找到为止。假如仍然不能找到匹配的词,系统将把各单词用"and"连接,在全部字段中进行查找。如输入"small cell",系统就会自动将其分成两个词:"small"和"cell"检索,其检索表达式为:"small AND cell"。要查看词汇的自动转换详细情况,可在"Details"进行查看("Small"[Journal] OR "small"[All Fields]) AND ("cells"[MeSH Terms] OR "cells"[All Fields] OR"cell"[All Fields])(见后)。

2. 截词检索功能

PubMed允许使用"*"号作为通配符进行截词检索。如输入"flavor*",系统会找到那些前一部分是flavor的单词(如flavored,flavorful,flavoring等),并对其分别进行检索。如果这类词少于600个,PubMed会逐个词检索;若超过600个(如ca*),PubMed将显示警告信息,要求增加词汇的开头字母数量。截词功能只限于单词,对词组无效。如:"infection*"包括"infections",但不包括"infection control"等。使用截词检索功能时,PubMed系统会自动关闭词汇转换功能。

3. 强制检索功能

如上所述,在PubMed主页的检索提问框中输入一个短语后点击"Search",系统会用自动转换功能查找到相应的匹配词后再进行检索;但是,当输入的词语无匹配词时,PubMed就会将输入的词语断开后再重复上述自动词汇转换过程,若仍然没有匹配词,系统就将短语分解成单词,再用AND连在一起在全部字段中检索。很明显,这样检索的结果是不符合用户要求的。因此,PubMed允许使用双引号("")来强制系统进行短语检索。例如,在PubMed主页的检索提问框中输入"Single cell",并用双引号引起来,然后点击"Search",系统会将其作为一个不可分割的词组在数据库的全部字段中进行检索。使用双引号强制检索,PubMed系统也会自动关闭词汇转换功能。

三、检索方法

PubMed系统可从多种途径检索数据库。

1. 基本检索

进入PubMed检索系统主页面后,就可以进行基本检索了。在检索框中输入查询词,然后单击"Search"按钮或按回车键,PubMed将会自动开始检索,并将检索到的相关条目显示在屏幕上。在检索框前面,还可以选定所要检索内容的数据库范围,除NCBI数据库以外,可供选择的还有PROTEIN, STRUCTURE, POPSET等。

(1) 智能检索。即由系统的检索词自动转换功能确定检索词的检索范围并进行检索。在PubMed的检索提问框中输入单词或短语(系统不区分检索词的大小写),例如键入"breast cancer"后回车或点击"Search",即开始检索词的自动转换检索,"breast neoplasms"[MeSH Terms] OR ("breast"[All Fields] AND "neoplasms"[All Fields]) OR "breast neoplasms"[All Fields] OR ("breast"[All Fields] AND "cancer"[All Fields]) OR "breast cancer"[All Fields],并直接将检索结果显示出来。

(2) 著者检索。利用自动转换功能可查找按一定格式输入的作者名称(格式为:著者姓+空格+名的首字母缩写），例如 Smith JA，然后回车或者点击"Search"，PubMed 将自动截取作者姓名中名的首字母以适应不同的名缩写，系统将在作者和研究者两个字段检索；但如果仅知道作者的姓而直接进行检索时，例如 Smith，然后回车或点击"Search"，系统将在全部字段中进行检索；因此系统也提供了限制在著者字段中进行检索的方法，即在检索词后加上字段标记[au]，如：shires[au]；若同时输入作者的名，需在姓名的前后使用双引号，如"shires j"[au]，PubMed 将关闭自动截词，且检索姓名中名只有一个字母缩写的作者。

（3）期刊检索。在检索输入框中输入刊名全称、缩写或 ISSN 号，例如 molecular biology of the cell，或 mol biol cell，或 1059-1524，然后回车或点击"Search"，系统通过自动转换功能将在刊名字段中进行检索，并显示检索结果。在期刊检索时应注意：如果杂志名也是一个 MeSH 词，例如 cell、liver、gene therapy 等，系统会把这些词按 MeSH 词来检索，要想检索杂志名，加字段标记[ta]，如 gene therapy [ta]就可以了。

（4）布尔逻辑检索。PubMed 系统允许使用布尔逻辑检索，最常用的三种布尔运算是 AND，OR 和 NOT，要求用大写。如：lung AND apoptosis，vitamin c OR ascorbic acid。AND 提供的运算方式即不管所输入的两个关键词语所出现的位置在哪，只要他们都出现在同一索引文章的某一处，就将其列出。而 OR 则是将出现至少一个关键词的文章列出，这种运算在需要将相似主题的文章罗列在一起时，十分有效。NOT 运算可以在检索范围内将某些不需要的部分除去。但是在使用的时候要特别注意，会有可能将一些需要的文章漏掉。比如当检索词为 LEAD POISONING NOT CHILDREN 时，除了会删除掉那些仅讨论儿童的文章，同时也会删去那些同时讨论儿童及其他年龄组的文章。运算优先级为（）＞NOT＞AND＞OR，例如 drug therapy AND(asthma OR hay fever)。布尔逻辑检索允许在检索词后面附加字段标志，例如 dna[mh] AND crick[au] AND 1993[dp]。查带文摘的文献（1975 年以后出版的文章），检索词 AND has abstract，例如：Neoplasms AND has abstract。

（5）日期或日期范围检索。时间作为检索中的重要因素之一，在 PubMed 系统中有三种字段标志方法：即标引主题词的时间[mhda]、出版时间[dp]和加入 PubMed 数据库的时间[edat]。日期的输入格式为 YYYY/MM/DD，可以输入完整的时间，也可以仅输入年或年月，如 2003[dp]或 2003/07[edat]。如果需要检索的是某一时间段内的文献，检索时可以在起止日期之间加入冒号"："，如要检索 2000 年至 2002 年间出版的文献，可以输入"2000[dp]:2002[dp]"。另外还可以用 Limits 进行时间限定（见后）。

（6）主题词检索。PubMed 系统提供了两种主题词检索的途径：一种是通过 MeSH Datebase 进行检索；另一种就是利用主题词字段标志[mesh]加以限定，如输入"hepatitis [mesh]"。在利用字段标志进行主题词查找时，系统也会对输入的检索词进行自动调整，找到合适的主题词进行查找，如输入"lung cancer[mesh]"，在 Datail 中我们可以看到实际执行的检索式为"lung neoplasms[mesh]"。

在通常情况下，如果输入的主题词有下位词，系统将自动对其进行扩展检索，用户如果不想进行扩展检索，可以使用标志符"noexp"加以限制，如"cells[mh:noexp]"，这样可以看到得到的记录数远远少于检索式"cells[mesh]"。

2. Additional filters 过滤器限定检索

在检索结果页面,点击"Show additional filters"即可进入条件限定界面(图2-9)。用户可对检索字段、出版类型、文献语种等多种文献的特征进行限定。

(1) 日期(Datas)。通过 Published in the Last(出版日期)中,可以限制截止到检索时为止的某段时间内出版的 PubMed 数据库的文献,可选时间有 5 years,10 Years 两个时间段,也可以选择"Custom date range(YYYY/MM/DD)",直接输入时间的起止范围(月和日可不填)。

(2) 文章类型(Article types)。PubMed 中的文献出版类型有 60 余种,在文章类型列表里按照字母顺序排列,常用 7 种选项:Clinical Trial 临床试验、Editorial 编辑按语、Letter 读者来信、Meta-Analysis 荟萃分析、Practice Guideline 实践指南、Randomized Controlled Trial 随即对照试验、Review 综述,其他的文章类型列在"More Article Types"对话框中供用户选择使用。

(3) 原文语种(Languages)。列出了 PubMed 中收录文献的全部语种,选择后可以限制在特定的语种范围内检索。如没有限制语言,PubMed 会将所有语种出版的文献检出。语种的字段标记符一般取英文的前 3 个字母表示,德语为[ger],汉语为[chi],但日语例外,为[jpn]。

(4) 物种(Species)。限制文献中所研究的对象是人(Humans)还是动物(other Animals)。

(5) 性别(Sex)。该选项是对研究对象的性别男(male)或女(female)进行的限制。

(6) 子集(Subsets)。对 PubMed 数据库中收录的文献按期刊类型、文章主题等分为 AIDS、Bioethics、Cancer、Complementary Medicine 、Dietary Supplements 、History of Medicine、Systematic Reviews、Toxicology、Veterinary Science 等 9 个子集。

(7) 年龄(Ages)。如想检索对某一特殊年龄段人群进行研究的文献,可通过 Ages 列表进行选择,PubMed 将出生到 80 岁以上分为 14 个年龄段。

(8) 文本选择(Text availability)。有文摘 Abstracts availability、免费全文 free full text availability 及全文 full text availability 三个复选框,选中后,检索将只在可以链接到带摘要的、链接到免费全文的或(和)全文的记录中进行。注意,1975 年前的文献是没有摘要的。

(9) 字段限定检索(Search Field)。其缺省选项为"All Fields",可选项包括:Affiliation(联系方式);Author(作者);EC/RN Number(EC/RN 号);Entrez Date(入库日期);Filter(过滤器);Grant Number(基金号);Issue(期);Journal(期刊);Language(语种);MeSH Date(Mesh 词标引日期);MeSH Major Topic(主要主题词);MeSH Subheadings(副主题词);MeSH Terms(主题词);Pagination(页码);Publication Date(出版日期);Publication Type(出版类型);Secondary Sourse ID(二级来源数据库);Substance Name(物质名称);Text Word(文本词);Title(标题);Title/Abstract(标题/文摘);Volume(卷)。选择相应的选项后,系统将仅在选择的字段中对检索词进行检索。

Additional filters 过滤器限制条件旁边的复选框如果处于选中状态,则表示限定条件生效,选择好相应的限制后,直接在检索输入框中输入检索词进行检索即可。例如:检索"近 2 年有关细胞凋亡的带有文摘的英文综述文献"。检索步骤:在检索框内输入检索词 apoptosis，在 Additional filters 过滤器栏下，进行如下各种限定：选择只检带文摘（选 abstract）的记录、文献类型（选择 review）、语种（选 English）、文献出版日期（在 Custom range 时间下拉菜单中输入时间范围 2 年），点击"Search"（图 2-9），就得到检索结果。

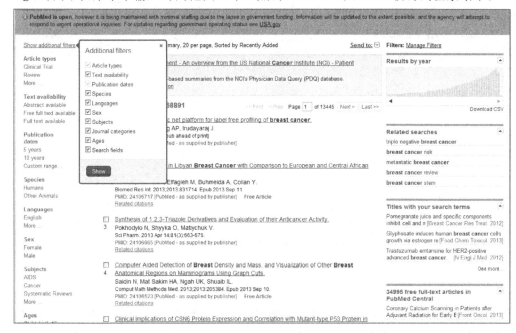

图 2-9　Additional filters 过滤器检索页面

需要注意的是：限制了出版物类型、年龄、人或动物、性别中的任何一项，检索将只在 MEDLINE 中进行检索（因为这些特征限制只有 MEDLINE 中才有），因此使用"Additional filters"会排除还未标引好的文献。如果你要查找最新文献，建议不要使用 Additional filters。如果开始搜索，生效的限定条件将会显示在检索结果页面左侧，蓝色字体显示选择项。如果要调整限定条件，直接在检索结果显示页面用 Clear 键清除选择项，如果要清除全部限定条件重新检索，用 Clear all 键（如图 2-10）。注意，再进行其他搜索前将 Additional filters 选项前的复选框去掉，以消除限定条件。

图 2-10　Additional filters 过滤器检索结果页面

3.高级检索(Advanced)

在 Pubmed 的主界面,或者是有 Advanced 键的其他界面,点击 Advanced 就可以进入高级检索页面(如图 2-11)。高级检索页面,点击"Edit",在输入框中键入检索词或者检索式,然后单击 Search,就可以显示检索结果而直接得到命中文献的数量。

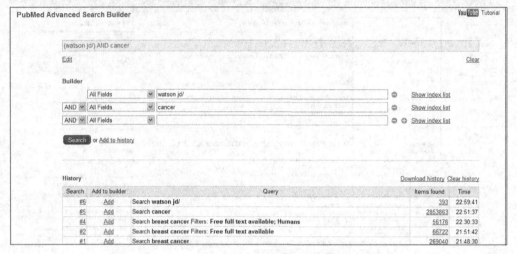

图 2-11 高级检索页面

(1) 定制(Builder)检索式:通过这种功能,用户通过"All Fields"下拉菜单选择适当的检索字段,增加一个或多个单词,然后点击 AND、OR 或 NOT 按钮选择逻辑运算关系,来修改查询方案,点击 Preview 可以看到搜索方案与查询结果的数量,直到得到希望的内容,从而可以较为灵活地调整检索策略。利用点击"Preview"按钮,得到相应的检索式及命中文献数,出现在检索历史(Search History)中,如果点击"Search"则显示检索结果页面。

(2) 索引(Index)。功能类似于 MEDLINE 数据库 Index 命令,从"All Fields"下拉菜单中选择检索字段,在检索框中输入检索词,点击"Show Index"按钮,在检索框下方出现索引词表。通过旁边的"Previous 200"和"Next 200"按钮可进行前后翻页,用鼠标选择检索词,然后点击 AND、OR 或 NOT 按钮,用 Add to Search box 添加所选词,进入检索输入区中的检索框,然后还可从其他字段中选择词汇添加到检索框中(如图 2-12 所示)。全部完成后,点击"Preview"按钮查看命中文献数或点击"Search"显示检索结果。

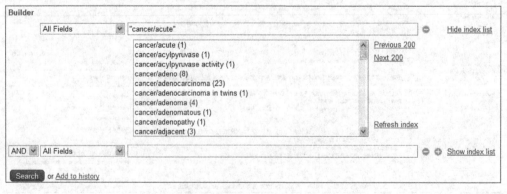

图 2-12 高级检索页面中索引功能

(3) 检索历史(Search History)。在每次进行检索时,PubMed 就将用户的检索策略和结果自动保存在 Search History(历史)中,在此界面中(如图 2-13 所示)显示已执行的检索,包括检索号、检索策略、检索时间、命中文献数,只要点击每个条目后面的 Results,就可以直接看到该条目的检索结果。在 Search History 中,还可以点击检索号直接使用逻辑运算符连接后进行检索,如:♯2 AND ♯6,或 ♯3 AND(drug therapy OR diet therapy)。在高级检索页面 Search History 中仅显示出 5 条检索记录,按检索的时间顺序排列,最近的检索记录排在前,越久的检索记录越靠后。想看更多,点击"more History"即可,History 中最多保留 100 条检索式,超过 100 条时,系统将自动清除最早的检索式。如果两次查询内容相同,PubMed 会将头一次记录的去除。Search History 中的 Clear History 按钮也可以清除所有检索记录的内容。单独清除某一条检索记录如 ♯5,可以单击其前面的序号,在弹出的对话框里选择"Delete"即可。

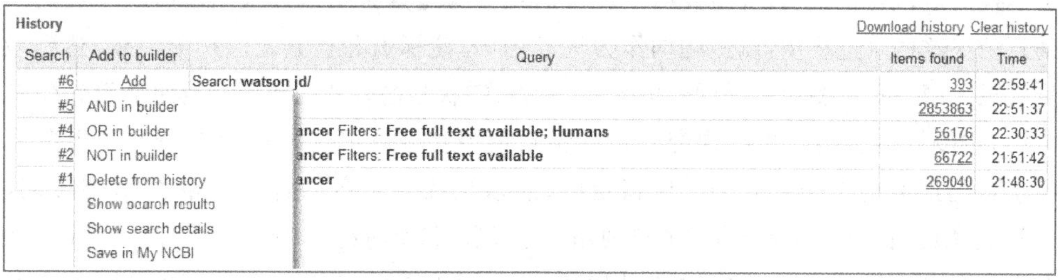

图 2-13　高级检索页面中检索历史

(4) 检索详解(Details)。在 History 页面,单击检索式前面的序号,点击"Details"即可查看最近一次检索操作的详细情况(如图 2-14 所示)。由于 PubMed 检索系统具有词汇的自动转换功能(见前),因此系统在实际检索中所使用的词与用户输入的可能有所不同,在 Details 中即可查看转换的详细情况。Details 页面分为五部分:Query Translation 显示 PubMed 实际使用的检索策略,检索时可在此处修改检索策略;Result 显示检索命中文献数;Translations 显示检索词转换的过程;检索使用的 Database;检索提问使用 User Query。还可以从检索细节窗口保存检索项目:点击"URL"按钮后,用浏览器的书签(或收藏夹)菜单将目前的检索项目作为 URL 地址以书签形式保存,以便下次再检索。

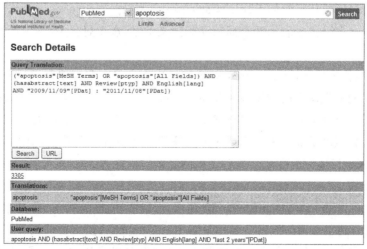

图 2-14　Details 显示页面

4. 主题词检索 MeSH Database(医学主题词数据库)

《医学主题词表》(Medical Subject Headings,简称 MeSH),是美国国立医学图书馆编制的权威性主题词表,它是一部规范化的可扩充的动态性叙词表。美国国立医学图书馆以它作为生物医学标引的依据,编制《医学索引》(Index Medicus)及建立计算机文献联机检索系统 MEDLINE 数据库。医学主题词表是提供读者进行自然医学词汇规范处理,并使用规范化的主题词检索文献的一种辅助工具。利用主题词查找文献,可提高文献的查全率和查准率。MeSH 表从 1963 年开始出版,每年再版一次,与月刊本第一期同时出版。目前《MeSH》汇集约 2 万多个医学主题词,并通过注释、参照系统和树形结构等反映主题词的历史变迁和词间的相互关系。《MeSH》在文献检索中的重要作用主要表现在两个方面:准确性(准确揭示文献内容的主题)和专指性;标引(对文献进行主题分析,从自然语言转换成规范化检索语言的过程)人员将信息输入检索系统以及检索者(用户)利用系统内信息情报这两个过程中,以主题词作为标准用语,使标引和检索之间用语一致,达到最佳检索效果。MeSH 主要由主题词变更表、字顺表、树状结构表和副主题词表四个部分组成。

(1)主题词变更表。主题词变更表主要介绍当年主题词的增删更改情况。主题词是由标引员为所有的 PubMed 记录所指定的、能恰当描述文章内容的最相关 MeSH 词,通常一篇文章可有几个 MeSH 词;用户利用一个 MeSH 词能找出所有含有该主题的文献;PubMed 能自动地为输入的检索词寻找相应的 MeSH 词;多数 MeSH 词还包括副主题词(subheadings)。

(2)字顺表。字顺表是以全部主题词(包括少量款目词、类目词)按英文字母顺序排列而成。词间关系用参照系统反映。参照系统共有三组,分别表示三种不同的词间语义关系。用代参照:揭示词间等同关系,其参照符号为 see(见)和 X(代)。例如 Acetylsalicyclic acid see Aspirin 及 Aspirin X Acetylsallcyllc acid。属分参照:揭示词间上下等级关系,参照符号为 see under(属)和 XU(分)。例如 Gamma Ray see under Radiation,Ionizing 及 Radiation,Ionizing XU Gamma Ray。1991 年后,所有次要叙词均升级为主要叙词,该参照被取消。相关参照:揭示部分主题词之间意义上的相关关系。参照符号为"see related (参见)"和"XR(反参)"。例如 Dental Caries see retated Cariogenic agents 及 Cariogenic agents XR Dental Caries,表示两个词间既非同义关系,也无属分关系,仅在概念上有一定的相关性。

(3)树状结构表(Tree Structures)。树状结构表是将主题词按照学科分类集中,反映的是主题词之间的概念上的逻辑隶属关系。字顺表反映词间的横向关系,树状结构表则显示词间的纵向隶属关系。两表以树状结构号互相沟通。将两表配合使用,可帮助检索者进行专指性检索和扩展检索。因为 IM 主题索引标引的一条重要原则是,尽量用最专指的 MeSH 词确切地标引文献。只有在该词尚未被确立为 MeSH 词时,才选用比它概念广的主题词标引。

(4)副主题词表(Subheadings)。论述主题某一方面的内容的词称为副主题词(subheadings),副主题词的作用主要是限定主题词的范围,使主题词具有更高的专指性,缩小检索范围,加快检索速度。副主题词一般为外延比较广泛的一些词,往往是对某一类事物的某一方面的概述,如对某种疾病的诊断、治疗,某种药物的治疗应用、副作用等。副主题词不能单独使用,必须与主题词组配在一起配合使用。但每个副主题词并不能与所有主题词组配,副主题词表对每一个副主题词的组配范围作了说明。

在进行检索时,用户输入一个主题词后,系统会自动显示该主题词所能组配的副主题词。《MeSH》有一个副主题词表,1989－1990 年 IM 使用的副主题词是 77 个,1991～1994 年是 80 个,每年略有变化,目前 IM 使用的副主题词是 92 个,如诊断(Diagnosis,DI)、药物治疗(Drug Theray,DT)、血液供给(Blood Supply,BS)等。正确选择副主题词也很关键。例如肺发育不全,输入主题词"肺"后,在副主题词菜单中选择"畸形"表示发育不全;再如双子宫,用"子宫/畸形"检索。

在《医学主题词注释字顺表 MeSHAAL》中,对每个范畴类目的主题词和副主题词的组配原则进行了严格规定,组配时要按照规则进行。例如,副主题词治疗 therapy 与疾病主题词组配,可用于综合疗法。例如,消化性溃疡的心理疗法,用消化性溃疡/治疗;心理疗法。副主题词治疗应用 therapeutic use 与药物、生物制品和物理作用物主题词组配,指用于预防和治疗疾病,包括兽医用药。例如,红霉素治疗链球菌感染,用红霉素/治疗应用;链球菌感染/药物疗法。(见附《MeSH》副主题词的适用类目与使用范围注释表)

使用医学主题词进行检索时,可以从 PubMed 首页上点击"More resources"更多资源下的"MeSh database"主题检索即可进入以下界面(如图 2-15 所示)。

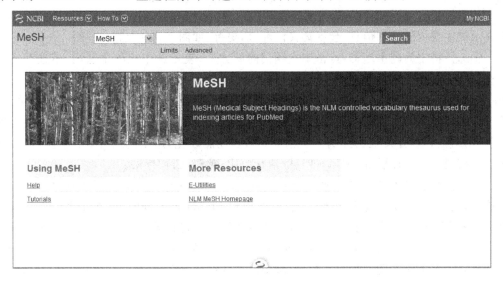

图 2-15　主题词检索页面

(1) 单个或多个主题词检索。在检索框中输入检索词(如 hypertension),点击"Search",系统显示所有相关的主题词列表及词义注释(如图 2-16 所示)。一般第一个词就是输入词的规范主题词,若仅仅对这个主题词所涉及的文献进行检索,直接选中该主题词左边复选框,点击页面右侧"Add to send builder"按钮发送到检索框中,执行"Search PubMed"检索命令即可得到结果。如想查找多个主题词,可重复以上步骤,它们之间的逻辑关系的缺省选项为"AND",也可选择其他选项如"OR"或"NOT"。选择完成后,点击"Search

PubMed"按钮,开始检索并显示结果。

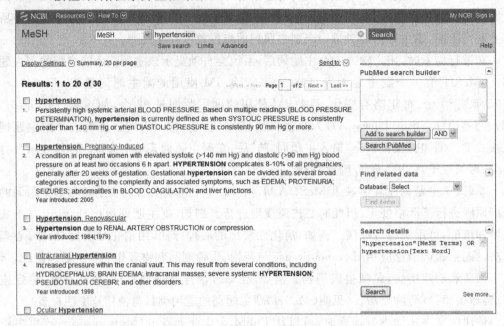

图 2-16　系统显示所有相关的主题词列表及词义注释

　　(2)主题词/副主题词组配检索。在列表中选择适当的主题词并点击,出现的页面中将显示该主题词的详细信息,包括词义注释、历史等(如图 2-17 所示)。

　　①选择特定的副主题词:点击副主题词前的方框,表示选中该副主题词(不选系统将进行单个主题词检索),可连续选择多个词如 Hypertension/diagnosis、Hypertension/diet therapy 等。在检索中,主题词与副主题词(主题词/副主题词)之间须有必然的逻辑关系,善于分析两者之间的关系(因果关系、应用关系等)是正确组配的关键。例如,眼结核引起失明,用结核,眼/并发症;盲/病因学。牛奶引起动脉硬化,用牛奶/副作用;动脉硬化/病因学。阿司匹林治疗感冒,用阿司匹林/治疗应用;感冒/药物疗法。

　　②选择在主要主题词中检索(Restrict to MeSH Major Topic):MeSH 词是文章主要讨论的内容(带 * 号);当标引员为一篇文章确定 MeSH 词的同时,通常要进一步分析它是文章的主要论点还是次要论点;通过主要主题检索使得结果更精准(如图 2-17 所示)。

　　③不进行扩展检索(Do not include MeSH terms found below this term in the MeSH hierarchy):为了使主题词具有系统性,MeSH 引入范畴表(Categories and Subcategories)的概念。范畴表又称树形结构(Tree Structure),是将字顺表中的主题词(主要叙词)、次要叙词按其学科性质、词义范围的上下类属及派生关系,分别划为 15 大类。在 15 个类目中,有 9 类又分若干子类目,子类目下面又分若干更小的类目,这就是通常供检索使用的主题词,共 16000 多个,都按其医学概念的性质分别列入各自所属的类目下。系统要检索某一主题词时,会自动扩展检索(Explode),即将该主题词及其所有的下位词进行一并检出;如果只需检索单个主题词,可点击此按钮(如图 2-17 所示)。

　　④下面还有系统提供的其他相关入口词,以及主题词在树状结构表中所处的等级位置及其上下位类,供检索者选择(如图 2-17 所示)。

选择完成后，点击页面两端的"Add to send builder"按钮发送到"Search PubMed"检索框中。如想查找多个主题词/副主题词，可重复以上步骤，它们之间的逻辑关系为缺省选项为"AND"，也可选择其他选项如"OR"或"NOT"，选择完成后，点击"Search PubMed"按钮，开始检索并显示结果。

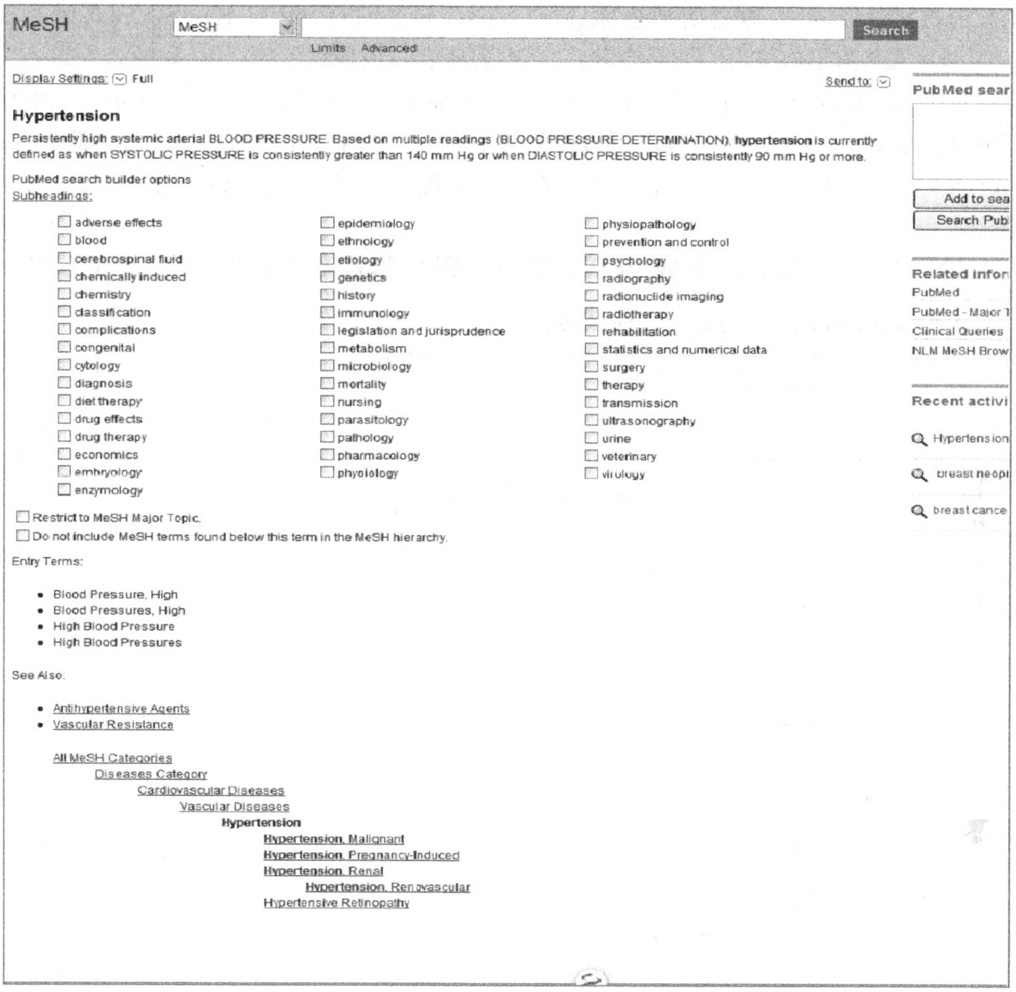

图 2-17　主题词/副主题词组配检索页面

注意：

主题词的选择要遵循以下原则：①首选专指词，同时注意倒置主题词的使用，同义词、近义词的转换及主题词的增删、变更情况；②次选主副组配词；③再选上位词；④靠词检索。

副主题词的选择要注意以下问题：①隐含的副主题词；②副主题词组配范围的限定；③副主题词定义的限制。

注意配对选词：许多涉及多个主题内容的课题，各主题概念间往往存在一定的关系，可采用配对选词的方式，将每组词都进入 IM 进行检索，比较其下的文献题录量，从量少的一组中再浏览筛选所需内容。以此方法来节省检索时间，提高检索效率。

注意配合使用树状结构表来选词：树状结构表按学科等级排列，可利用它选择某概念范围内的专指词，或者将某概念范围内的词选全。

5.期刊检索(Journals in NBCI Database)

期刊检索是查找包括 PubMed、Nucleotide、Protein 等所有 Entrez 数据库中的期刊信息的检索途径，可以通过期刊全称、MEDLINE 刊名缩写、NLM ID、ISO 刊名缩写或 ISSN 号。在检索框内输入一个词检索后，会出现所有与该词相关的刊名，如输入"cancer"，会出现 Blood cancer journal、Cancer reports、Prostate cancer 等（如图 2-18 所示），点击期刊的全称如 Blood cancer journal，即可查看该刊的书目信息（如图 2-19 所示）。此外，在 Journals in NBCI Database 界面中，可以查看所有能够链接到全文网站的期刊列表及其链接。

图 2-18　期刊检索页面

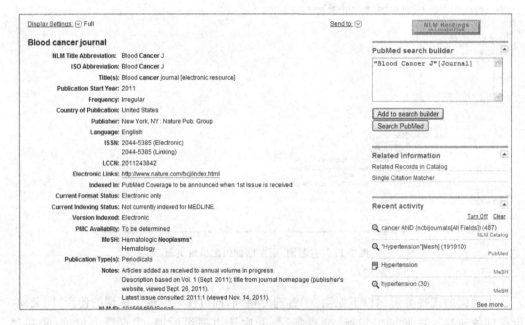

图 2-19　期刊书目信息页面

6.引文匹配器(Single Citation Matcher/Batch Citation Matcher)

点击 PubMed 首页面的"Single Citation Matcher"，进入单篇引文匹配器页面（如图 2-20 所示），针对单篇文献进行检索，如已知该文献的出处、作者、卷、期、首页页码等信息，可采用这种检索方法；如记得某篇文献所发表的期刊和作者，但不太清楚它具体的标题，或是隐约记得标题中的某个词和作者等等，在 Single Citation Matcher 界面中对应的框内输入所知道的信息（如图 2-20 所示），填上至少一个以上的信息，然后按"Search"按钮就可以迅速得到结果。

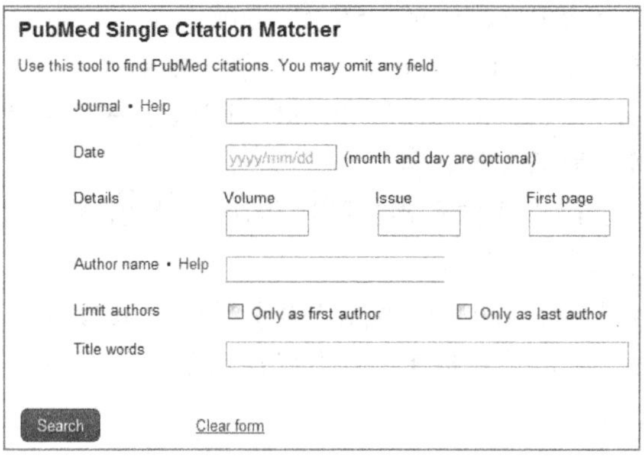

图 2-20　单篇引文匹配器页面

需要特别说明的是,作者姓名的格式一定要符合标准,否则将会检索不到结果。此外,如输入 Smith j 将会同时检索出 Smith ja，Smith jb，Smith jc 等作者的文献,如果出现这种情况的话,应该把 Smith j 置于引号中,即"Smith j",然后再进行检索就可以了。

多篇引文匹配器 Batch Citation Matcher 可进行多篇文献的检索,当已知多篇文献的检索特征时,在输入框中同时输入多条检索式(每条检索式对应一篇文献)即可进行检索。其检索式的格式为:journal_title|year|volume|first_page|author_name|your_key|(刊名|年|卷|起始页|著者|关键词|)。

7.临床查询(Clinical Queries)

这是专门为临床医生设计的临床方法学的"过滤器",在这个界面,用户不需要掌握复杂的检索策略就可以检索到所需的临床文献。检索方法是在 PubMed 主页面点击工具栏中的就可以进入 Clinical Queries 检索界面(如图 2-21 所示)。

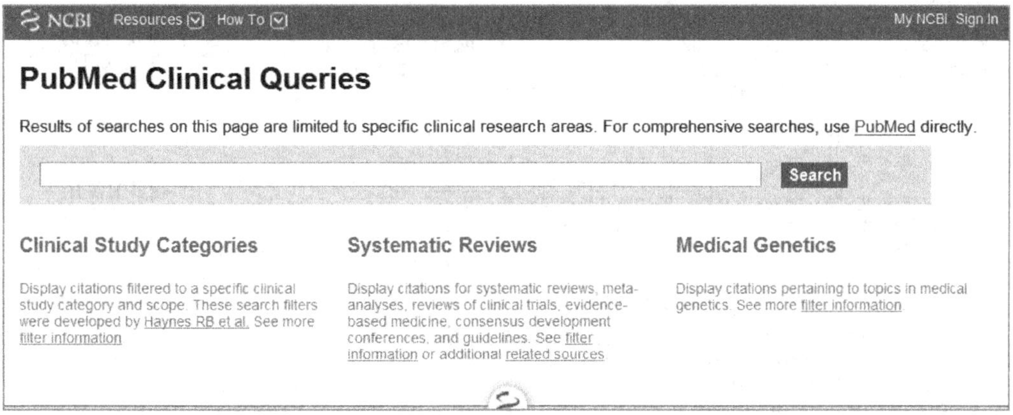

图 2-21　临床查询检索界面

在 Clinical Queries 的主页上的检索框里输入检索词,执行检索命令,即可以得到相关临床文献,包括下面三个方面:

(1) 临床研究类(Clinical Study Categories)。列有临床医生常用的类目,如 therapy(治疗)、diagnosis(诊断)、etiology、(病因)、prognosis(预后)和 Clinical prediction guides

(临床预测指南)五个方面;另外根据需要选择 Broad(查全率)、Narrow(查准率)两种检索方式。系统默认 therapy(治疗)、Broad(查全率)选项。

(2) 系统评价类(Systematic Reviews)。主要包括 systematic reviews(系统评价)、meta-analyses(Meta 分析)、reviews of clinical trials(临床试验评价)、evidence-based medicine(循证医学)等方面的文献。

(3) 医学遗传学类。医学遗传主要包括遗传诊断、鉴别诊断、遗传疾病临床症状、遗传咨询、分子遗传学、遗传检测等方面。

要特别说明的是,Clinical Queries 利用内在的滤器使其检索结果更加贴近临床的需要,包括临床的诊疗等。但如果需要查阅的不仅仅局限于临床,也包括基础研究,就不应该使用这个检索引擎。

四、检索结果的处理

1. 结果显示

PubMed 执行检索式后,直接在结果显示区中将结果显示出来,其缺省的显示格式为 Summary 格式,每页显示 20 条记录,记录显示时按照入库日期的先后进行排列(如图 2-22 所示),不含摘要。如需查看摘要,点击"Display Settings"按钮即可选择文摘格式,也可以选择其他几种显示形式:文摘(Abstract)、MEDLINE and XML 等。

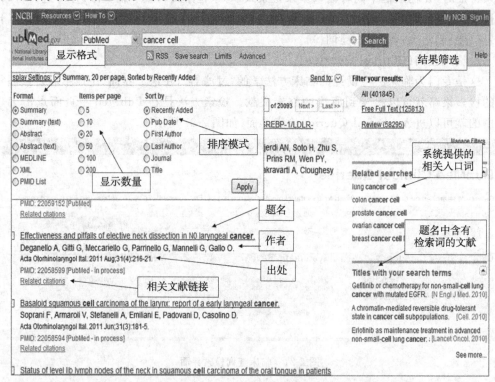

图 2-22 PubMed 结果显示页面

(1) 查看单篇文献。如想查看某一篇文献的文摘信息,直接点击该文献的作者姓名的链接即可,除了显示的文摘和出版类型字段外,有的文献还提供了全文的链接(不论是否免费)图标(如图 2-23 所示)。

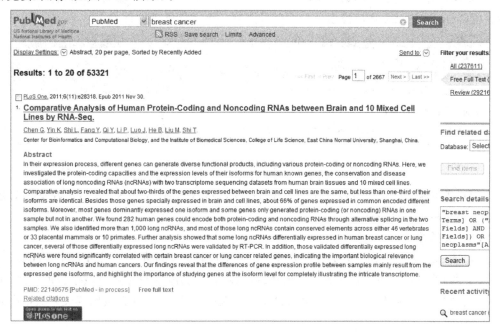

图 2-23　检索结果记录有全文链接显示页面

(2) 改变结果显示方式。在结果显示区中有"Display"按钮和缺省状态下显示为 Summary、20 per page 和 Sorted by Recently Added，当需要改变结果的显示方式时，点击下拉菜单，分别选择好文献显示的格式、每页记录条数及索引方式后，单击"Display"按钮即可。

(3) 查看多篇文献。当需要同时查看多篇文献的文摘时，可以单击所需要文献前端的复选框以选中该文献，选好后在文献显示格式的下拉菜单中选择 Abstract，点击"Apply"按钮，就会显示已选中的多篇文献的文摘格式。

2. 结果输出

(1)保存检索结果。PubMed 在保存检索结果时主要使用"Send to"按钮(如图 2-24 所示)。"Send to"按钮后的下拉菜单中包括 File、Clipboard、Collections、E-mail、Order、My Bibliography 和 Citation manager 七种选项，除 Order(订购，需要账户)之外，其他几项都可以作为保存结果的途径。①点击"Send to"并选择"File"按钮后，系统将出现提示信息，即下载格式、索引方式，选择好后开始保存。如没有标记记录将保存检索到的全部文献，但最多只能保存 1 万条。②点击"Send to"并选择"Clipboard"按钮后，可以将标记的记录或检索结果全部记录添加到粘贴板中，以便于集中存盘、打印或订购原文时使用。只要粘贴板中有记录，就可点击"Clipboard"查看其中的记录(记录为 Summary 格式)，粘贴板按记录存放的先后顺序显示记录题录。要删除粘贴板中的全部记录，直接点击"Remove from Clipboard"键。要删除其中部分记录，需要点击要删除的记录左边的选择框，然后点击"Remove from Clipboard"键。③点击"Send to"并选择"E-mail"按钮后，可以选择记录格式、E-mail 地址及邮件的说明信息。一次最多可以发送的记录为 500 条。在使用 File、Clipboard 选项时，应首先选择好要保存记录的格式及索引方式。完成后，结果页面显示 Clipboard:。④Order 为原文订购。⑤Collections、My Bibliography 为注册用户使用。⑥Citation manager 把检索到的文献导入到一个文件管理软件中。

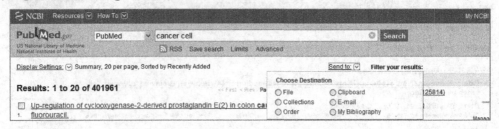

图 2-24　检索结果页面结果输出对话框

（2）打印检索结果。可以先把查阅到的文献条目保存成文本文件,然后在文本处理程序中调整后再进行打印。

3. 相关链接

（1）Related citations 链接相关文献。每一个条目的下面都有一个 Related citations（相关文章）的链接。点击这个按钮,PubMed 自动把数据库中的文献与该条目的标题、摘要和医学主题词进行比较,从而得出与该条目相关的文献条目,并且按照相关系数由高到低的顺序排序。

（2）LinkOut 功能。允许在 PubMed 中检索时,链接入那些与 PubMed 建立联系的网站,如某篇文献期刊全文、所对应期刊的出版商、第三方生物学数据库、图书馆馆藏信息等。有 LinkOut 的文献会在其条目或摘要的下面显示一个出版商的图标,点击这个图标即可链接进入该出版商的网站。

（3）PubMed 还提供与综合分子生物学数据库的链接与接入服务,这个数据库归 NCBI 所有,其内容包括:DNA 与蛋白质序列、基因图数据、3D 蛋白构象、人类孟德尔遗传在线。

4. 获取全文

PubMed 上约有 10% 的文献是可以免费看到全文的,通常这些文献的下方会有一个 Free Article 或者 Free PMC Article 的小标记,分别是网上免费电子期刊和 PMC 的免费电子期刊。你只要点击这个图标,系统就自动链接入该文献的全文。也可以在检索时用 Limits"Links to free full text"限定检索结果为免费全文。

五、其他服务

1. NCBI 个性化信息服务

PubMed 提供免费个人化检索服务——My NCBI,在 My NCBI 服务页建立个人检索账号/密码,注册个人用户后,即可以使用个人化检索服务,如直接在 My NCBI 页面选择 NCBI 任一数据库进行检索;Saved Searches 保存检索式,个人书目数据 My bibliography,以及在线收藏 Collections 相关检索条目,方便下次登录时使用;电子邮件通知功能及时获取最新信息;对检索结果进行筛选满足对检出文献的需求等。

2. 信息聚合推送

PubMed 在提供个性化服务之外,也可以通过 RSS(简易信息聚合)实时推送信息。

在检索结果页面,单击 RSS 按钮,会出现一个下拉菜单(如图 2-25 所示),选择每次推送的数量,使用系统提供的 Feed name 或者重新命名,点击 Create RSS 即可出现 RSS feed 对话框。点击 XML 按钮,出现保存一个源界面,点击"订阅该源",键入源的名称,然后选择要在其中创建源的文件夹。单击"订阅",即可完成设置。可以在 Internet Explorer 及使用"常见源列表"的其他程序中查看实时更新内容。

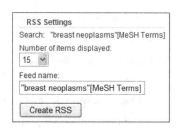

图 2-25 信息聚合推送

附《MeSH》副主题词的适用类目与使用范围注释

Abnormaities(畸形)(A1-10,A13-14,B2)

与器官组配,表明因先天性缺陷而致器官的形态改变。亦用于动物畸形。

Administration & Dosage(投药和剂量)(D)

与药物组配,表明其剂型、给药途径、次数、用药时间、药品数量以及这些因素的作用。

Adverse Effects(副作用)(D,E1-4,E6,E7)

与药物、化学物质、生物制品、物理作用剂或各种制品组配,表明其在以诊断、治疗、预防或麻醉为目的,正常用量或可接受的剂量情况下所出现的不良反应;也与各种诊断、治疗、预防、麻醉、手术或其他技术操作组配,表明因操作而引起的副作用或并发症。不包括禁忌证。禁忌证副主题词为"禁忌证(Contraindication)"。

Agonists(激动剂)(D1-32)

与化学物质、药物和内源性物质组配,表明具有受体亲和力及内在活性的物质或制剂。

Anavogs & Derivatives(类似物和衍生物)(D3,D6,D14-18,D20-23)

与药物及化学物质组配,表明是具有相同的母体或相似的电子结构,但其他的原子或分子不同(增加或取代)的物质。在《MeSH》表中无此专指的化学物质主题词合适的化学结构族主题词时使用。

Analysis(分析)(D)

用于一种物质的成分或其代谢产物的鉴定或定量测定,包括对空气、水或其他环境媒介物的分析,但不包括对组织、肿瘤、体液、有机体和植物的化学分析。对后者用副主题词"化学(Chemistry)"。本概念适用于方法学和结果。血液、脑脊髓液和尿中的物质分析,分别用副主题词"血液(Blood)"、"脑脊髓液(Cerebrospinal Fluid)"和"尿(Urine)"。

Anatomy & Histology(解剖学和组织学)(A1-10,A13-14,B2,B6)

与器官、部位及组织组配,表明其正常解剖学和组织学也与动、植物组配,表明其正常的解剖学及结构。

Antagonists & Inhibitors(拮抗剂和抑制剂)(D1-23)

与药物、化学物质、内源性物质组配,表明在生物效应上与其有相反作用机制的物质或制剂。

Biosynthesis(生物合成)(D8,D11-13,D24)

与化学物质组配,表明其在有机体内、活细胞内或亚细胞成分中的形成。

Blood(血液)(B2,C,D1-11,D13-24,F3)

用于表明血液中各种物质的存在或分析,也用于疾病状态时的血液检查和血液变化,但不包括血清诊断和血清学。后两者分别用副主题词"诊断(Diagnosis)"和"免疫学(Immunology)"。

Blood Supply(血液供给)(A1-6,A8-10,A13-14,C4)

可与器官、身体部位组配,在需与血管主题词组配,如无专指的血管主题词时,可与某器官、部位的动脉、毛细血管及静脉系统组配,表明通过器官内的血液。

Cereorospinal Fluid(脑脊髓液)(B2,C,D1-24,F3)

表明脑脊髓液中物质的存在和分析,也用于疾病状态时,脑脊髓液的检查和变化。

Chemical Synthesis(化学合成)(D2-23,D25-26)

与化学物质和药物组配,表明体外分子的化学制备。有机体内、活细胞内或亚细胞成分内化学物质的形成,用副主题词"生物合成(Biosynthesis)"。

Chemically Induced(化学诱导)(C1-20,C22-23,F3)

表明因化学化合物而致的人或动物的疾病、综合征、先天性畸形或症状。

Chemistry(化学)(A2-16,B,C4,D)

与化学物质、生物或非生物物质组配,表明其组成结构、特点和性质。也用于器官、组织、肿瘤、体液、有机体和植物的化学成分和物质含量,但不包括物质的化学分析和测定、合成、分离和提纯。对后几种情况,分别用副主题词"分析(Analysis)"、"化学合成(Chemical Synthesis)"、"分离和提纯(Isolation & Purfication)"。

Classification(分类)(A11,A15,B,C,D,E1-4,E6-7,F3,G1-2,I2-3,J,M,N2-4)

用于分类的或体系的或等级的分类系统。

Complications(并发症)(C,F3)

与疾病主题词组配,表明两种病同时存在或相继存在的状况,即同时存在的疾病、并发症或后遗症。

Congenital(先天性)(C1-12,C14-15,C17,C19-23)

与疾病主题词组配,表明出生时(通常情况下)或出生前即存在的疾病;但不包括形态学畸形和分娩时的损伤,后两者分别用副主题词"畸形(Abnormalities)"和"损伤(Injuries)"。

Contraindications(禁忌证)(D1-26,E1-4,E6-7)

与药物、化学物质、生物和物理因子组配,表明在疾病或生理状态下,使用这些物质可能不合适、不合需要或不可取。

Cytology(细胞学)(A2-10,A12-16,B1,B3,B5-6)

用于单细胞或多细胞有机体的正常细胞形态学。

Deficiency(缺乏)(D8,D12)

与内源性和外源性物质相配,表明其缺乏或低于有机体或生物系统的正常需要量。

Diagnosis(诊断)(C,F3)

与疾病主题词组配,表明诊断的各个方面,包括检查、鉴别诊断及预后;但不包括普查、放射照相诊断、放射性核素成像、超声诊断。对后几种情况,分别用副主题词"预防和控制(Prevention & Control)"、"放射照相术(Radiography)"、"放射性核素成像(Radionuclide Imaging)"、"超声诊断(Ultrasonography)"。

Diagnostic Use(诊断应用)(D)

与化学物质、药物和物理作用剂主题词组配,表明其对器官的临床功能的研究,或对人类或动物疾病的诊断。

Diet therapy(饮食疗法)(C,F3)

与疾病主题词组配,表明对疾病所作的饮食和营养安排;但不包括维生素或矿物质的补充,对后者可用副主题词"药物疗法(drug therapy)"。

Drug Effects(药物作用)(A2-16,B1,B3-6,D8,D12,G4-11)

与器官、部位、组织或有机体以及生理和心理过程组配,表明药品和化学物质对其产生的作用。

Drug Therapy(药物疗法)(C,F3)

与疾病主题词组配,表明通过投给药品、化学物质和抗生素治疗疾病;但不包括免疫治疗和用生物制品治疗,对后者用副主题词"治疗(Therapy)"。对于饮食疗法和放射疗法,分别用专指的副主题词。

Economics(经济学)(C,D,E1-4,E6-7,F3,G1-2,I2-3,J,N2-4)

用于任一主题的经济方面,也用于财务管理的各个方面,包括资金的筹集和提供。

Education(教育)(G1-2,M)

与学科、技术和人群主题词组配,表明各个领域和学科以及各类人群的教育和培训。

Embryology(胚胎学)(A1-10,A13-14,B2,B6,C)

与器官、部位和动物主题词组配,表明其在胚胎或胎儿期的发育;也与疾病主题词组配,表明因胚胎因素而引起的出生后疾病。

Enzymology(酶学)(A2-16,B1,B3-6,C,F3)

与有机体(脊椎动物除外)、器官和组织、疾病主题词组配,表明有机体、器官组织的酶以及疾病过程中的酶;但不包括诊断性酶试验,后者用副主题词"诊断(Diagnosis)"。

Epidemiology(流行病学)(C,F3,Z)

与人类或兽医疾病组配,表明疾病的分布、致病因素和特定人群的疾病特征,包括发病率和患病率、地方病和流行病暴发流行,包括对地理区域和特殊人群发病率的调查和估计;也与地理主题词组配,表明疾病流行病学方面的地理位置;但不包括死亡率。死亡率用副主题词"死亡率(Mortality)"。1989年起,替代副主题词"发生"(occurrence)。

Ethnology(人种学)(C1-21,C23,F3,Z)

与疾病和有关主题词组配,表明疾病的人的、文化的、人类学的或种族的等方面,也与地理主题词组配,表明人群的起源地。

Etiology(病因学)(C,F3)

与疾病组配,表明疾病的致病原因(包括微生物、环境因素、社会因素和个人习惯)及发病机理。

Genetics(遗传学)(B,C,D8,D11-13,D24,F3-5,G7-12)

与有机体主题词组配,表明其遗传机制,正常和病理状态下的遗传学基础;与内源性化学物质主题词组配,表明对其遗传学方面的研究。包括对遗传物质的生物化学和分子影响。

Growth & Development(生长和发育)(A1-10,A13-14,B)

与微生物、植物和出生后动物主题词组配,表明其生长和发育情况;也与器官和解剖部位主题词组配,表明其生长后的生长和发育情况。

History(历史)(C,D,E1-4,E6-7,F3-4,G1-2,I2-3,J,M,N2-4)

与任何主题词相配,表明其历史情况,包括简要的历史注解;但不包括病史。

Immunology(免疫学)(A2-16,B,C,D1-24,F3,G4-12)

与组织、器官、微生物、真菌、病毒和动物组配,表明对其进行免疫学研究,包括疾病的免疫学方面;但不包括用于以诊断、预防和治疗为目的的免疫学操作,对后者分别用副主题词"诊断(Diagnosis)"、"预防和控制(Prevention & Control)"、"治疗(Therapy)";亦可与化学物质主题词组配,表明抗原和半抗原。

Injuries(损伤)(A1-10,A13-14,B2)

与解剖学、动物和运动主题词组配,表明其所受的创伤和损害;但不包括细胞损害,对后者用副主题词"病理学(Pathology)"。

Innervation(神经支配)(A1-5,A7,A9-10,A13-14)

与器官、部位或组织主题词组配,表明其神经支配。

Instrumentation(仪器设备)(E1-5,G1-2)

与诊断或治疗操作、分析技术及专业或学科主题词组配,表明器械、仪器或设备的研制和改进。

Isolation & Purification(分离和提纯)(B1,B3-5,D)

与细胞、病毒、真菌、原虫和蠕虫主题词组配,表明对其纯株的获取;表明通过DNA分析,免疫学和其他方法(包括培养技术)以显示上述有机体的存在或对其进行鉴定。也与生物物质和化学物质主题词组配,表明对其成分的分离和提纯。

Legislation & Jurisprudence(立法和法学)(G1-2,I2-3,M,N2-4)

用于法律、法令、条令或政府法规;也用于法律争议和法庭判决。

Manpower(人力)(G1-22)

与学科和规划项目主题词组配,表明其对人员的需求、提供、分配、招聘和使用。

Metabolism(代谢)(A2-16,B,C,D,F3)

与器官、细胞和亚细胞成分、有机体和疾病主题词组配,表明其生化改变及代谢情况;也与药品和化学物质组配,表明其合成代谢过程(从小分子到大分子的转换)和分解代谢变化(从复杂分子分解为简单分子)。对于生物合成、酶学、药代动力学和分泌,则应分别用副主题词"生物合成(Biosynthesis)"、"酶学(Enzymology)""药代动力学(Pharmacokinetics)"和"分泌(Secretion)"。

Methods(方法)(E1-4,G1-2)

与技术、操作和规划项目主题词组配,表明其方法。

Microbiology(微生物学)(A,B1-2,B6,C,F3)

与器官、动物、高等植物和疾病主题词组配,表明对其进行微生物学研究。对寄生虫,用副主题词"寄生虫学(parasitology)"。

Mortality(死亡率)(C,E1-4,F3)

与人类疾病和兽医疾病组配,表明其死亡率统计;也与技术操作主题词组配,表明因操作而致的死亡情况。

Nursing（护理）(C,E1-4,F3)

与疾病主题词组配，表明对疾病的护理和护理技术，包括诊断、治疗和预防操作中的护理作用。

Organization & Administration（组织和管理）(G1-2,I2,N2)

用于行政机构及其管理的主题词。

Parasitology（寄生虫学）(A,B1-2,B6,C,F3)

与动物、高等植物、器官和疾病主题词组配，表明其寄生虫因素。在疾病诊断过程中，寄生虫因素不明确时，不用此副主题词。

Pathogenicity（致病力）(B1,B3-5)

与微生物、病毒和寄生虫主题词组配，表明其对人或动物致病能力的研究。

Pathology（病理学）(A1-11,A13-16,C,F3)

与器官、组织与疾病主题词组配，表明疾病状态时，器官、组织及细胞的结构。

Pharmacokinetics（药代动力学）(D)

与药品和外源性化学物质组配，表明以其剂量的效用和代谢过程的扩展和速度，研究其吸收、生物转化、分布、释放、转运、摄取和清除的机理和动力学。

Pharmacology（药理学）(D)

与药品和外源性投给的化学物质组配，表明其对活的组织和有机体的作用，包括对物理及生化过程的催化和抑制以及其他药理作用机制，1988年起，替代副主题词"药效学(Pharmacodynamic)"。

Physiology（生理学）(A,B,D8,D11-13,D24,G4-12)

与器官、组织和单细胞及多细胞有机体细胞组配，表明其正常功能；也与生化物质、内源性物质组配，表明其生理作用。

Physiopathology（病理生理学）(A1-10,A13-14,C,F3)

与器官和疾病主题词组配，表明疾病状态下的功能异常。

Poisoning（中毒）(D)

与药品、化学物质和工业物质组配，表明因上述物质而致的人或动物急、慢性中毒，包括因意外、职业、自杀、误用、环境污染等原因所致的中毒。

Prevention & Control（预防和控制）(C,F3)

与疾病主题词组配，表明增加人和动物的抗病能力（如预防接种），对传播媒介的控制，对环境有害因素和致病社会因素的预防和控制，包括对个体的预防措施。

Psychology（心理学）(C,E1-4,F3,I3,M)

与非精神性疾病、技术及人群名称组配，表明其心理学的、精神的、身心的、心理社会学的、行为的和感情的等方面；也与精神性疾病组配，表明其心理方面。也与动物主题词组配，表明动物行为和心理学。

Radiation Effects（辐射效应）(A,B1,B3-6,D,G4-12)

与活的有机体、器官和组织及其组成部分、生理过程组配，表明电离和非电离辐射对其产生的作用；也与药品和化学物质组配，表明辐射对其产生的效应。

Radiography（放射照相术）(A,C,F3)

与器官、部位和疾病组配，表明对其进行X线检查；但不包括放射性核素成像，对后者,用副主题词"放射性核素成像(Radionuclide Imaging)"。

Radionuclide Imaging(放射性核素成像)(A,C,F3)

与解剖学和疾病主题词组配,表明对任何解剖结构的放射性成像以及对疾病的诊断。

Radiotherapy(放射疗法)(C)

与疾病主题词组配,表明电离和非电离辐射的治疗应用,包括放射性同位素疗法。

Rehabilitation(康复)(C1-21,C23,E4,F3)

与疾病和外科手术操作主题词组配,表明病后或术后个体的功能恢复。

Secondary(继发性)(C4)

与肿瘤主题词组配,表明肿瘤转移的继发部位。

Secretion(分泌)(A2-16,C4,D8,D11-13)

与器官、组织、腺体、肿瘤和内源性物质主题词组配,表明由于器官、组织或腺体的完整细胞活动,而产生的内源性物质经细胞膜排出进入细胞间隙或管内。

Standards(标准)(D1-23,D25-26,E1-4,E6-7,F4,G1-2,I2,J,N2-4)

与设施、人员和规划项目主题词组配,表明对其合适的或可行标准的制订、测试或应用;也与化学物质和药品主题词组配,表明其鉴定标准、质量标准和效率标准,包括工业或职业中的卫生和安全标准。

Statistics & Numerical Data(统计和数值数据)(E1-4,E6-7,F4,G1-2,I2,J,N2-4)

与非疾病主题词相配,表明对数值的表达,即对特定的数值集合或数值进行描述;不包括人力分配和物资设备等,对后两种情况,分别用副主题词"人力(Manpower)"和"供应和分配(Supply & Distribution)"。

Supply & Distribution(供应和分配)(D1-23,D25-26,E7,N2)

与物质、设备、卫生服务和设施组配,表明可能获得上述项目的数量和分布情况;但不包括工业和职业性的食品和水的供应。

Surgery(外科手术)(A1-10,A13-14,B2,C,F3)

与器官、部位、组织的疾病主题词组配,表明以手术治疗疾病,包括用激光切除组织;但不包括移植术,对后者用副主题词"移植(Transplantation)"。

Therapeutic Use(治疗应用)(D)

与药品、生物制品和物理作用剂主题词组配,表明其在疾病的预防和治疗中的应用。

Therapy(治疗)(C,F3)

与疾病主题词组配,用于除药物疗法、饮食疗法、放射疗法和外科手术以外的治疗手段,包括综合治疗。

Toxicity(毒性)(D)

与药品及化学物质主题词组配,表明对其有害作用进行人和动物的实验性研究,包括测定安全界限或测定按不同剂量给药产生的不同反应的研究;也用于对接触环境污染物的实验性研究。

Transmission(传播)(C1-3,C22)

与疾病主题词组配,表明对疾病传播方式的研究。

Transplantation(移植)(A2-3,A5-7,A9-11,A13-16)

与器官、组织和细胞主题词组配,表明器官、组织或细胞在同一体中,由一个部位移植到另一个部位,或在同种或异种间进行不同个体间的移植。

Trends(发展趋势)(E6-7,G1-2,I2-3,N2-4)

用于表明事物随时间的推移而发生质变和量变的方式,包括过去、现在和未来的情况;但不包括对具体病人的疾病过程的讨论。

Ultrasonography(超声检查)(A,C,F3)

与器官、部位主题词组配,表明对其进行超声成像。也与疾病主题词组配,表明对疾病进行超声诊断;但不包括超声治疗。

Ultrastructure(超微结构)(A2-11,A13-16,B1,B3-6,C4,D8)

与组织和细胞(包括肿瘤)和微生物主题词组配,表明其通常用光学显微镜观察不到的细微解剖结构。

Urine(尿)(B2,C,D1-24,F3)

表明尿液中物质的存在或分析;表明疾病状态时,尿液中物质的变化及尿液检查。

Utilization(利用)(E1-4,E6-7,N2-4)

与设备、设施、规划项目、服务和卫生人员主题词组配,讨论其利用情况(通常用数据),包括讨论利用过度和利用不够。

Veterinary(兽医学)(C1-21,C23,E1-4,E6-7)

与疾病主题词组配,表明动物自然发生的疾病;也与技术操作主题词组配,表明兽医学中使用的诊断、预防或治疗操作。

Virology(病毒学)(A1-16,B1-3,B5-6,C1-23,F3)

与器官、动物、高等植物及疾病主题词组配,表明对其进行病毒学研究。细菌、立克次体和真菌研究用副主题词"微生物学"、寄生虫研究用副主题词"寄生虫学"。

(徐　奎　肖燕秋　方习国)

第三节　EMBASE 数据库

一、EMBASE 概况

EMBASE 数据库全称 the Excerpta Medica Database(医学文摘数据库),由荷兰爱思唯尔(Elsevier)公司 1974 年出版,是全球最大最具权威性的生物医学与药理学文献数据库。2003 年,Elsevier 公司推出 Embase 网络版 Embase.com,可以同步检索超过 2300 万条 EMBASE＋MEDLINE 生物医学记录(无重复记录),囊括了 70 多个国家/地区出版的 7500 多种经过同行评审的期刊,包括所有的 MEDLINE 和未被收录在 MEDLINE 之内的 2000 份生物医学期刊,覆盖各种疾病和药物信息,尤其涵盖了大量欧洲和亚洲医学刊物。换而言之,检索 Embase.com 就等于同时检索 EMBASE 和 MEDLINE 两个数据库,是其他同类型数据库所无法匹敌的,从而真正满足生物医学领域的用户对信息全面性的需求。

Embase.com 数据每日更新,每日添加 2000 多条记录,每年增添 60 多万条记录,EMBASE 记录在收到原始刊物后 10 个工作日内即会出现,80％的记录都包含摘要。学科范围有:可替代药物、药物研究、药理学、配药学、药剂学、药物副作用、毒理学、人体医学（临床于实验）、与人体医学相关的基础生物医学、生物工程、生物工艺与仪器、生物技术、保健策略与管理、药物经济学、公众、职业与环境保健、污染、药物依赖性与滥用、精神病学、康复与理疗、法医学、兽医学、牙科医学、护理学、心理学、替代性动物实验等。同时，提供全面、权威而又可靠的大多数相关生物医学文献的信息。

Embase 现在还包含 800 个会议和超过 260000 条会议摘要，主要摘自 2009 年 2010 年出版的期刊和期刊增刊。目前，以每个工作日增加 1000 条记录的速度向 Embase 增加会议摘要，其中每条记录都可以使用 Emtree 进行索引。另外还有 Embase Classic，使得搜索范围覆盖了 1947 年到 1973 年间 EMBASE 的所有内容。自 2010 年始，Embase 中增加了"媒体文章"及"会议摘要"索引。

二、EMBASE 数据库的检索途径和方法

进入 Embase.com 的主页，在地址栏里输入 www.embase.com，就可以看到主页，有四个功能键：搜索（Search）、EMTREE 词库（EMTREE Keywords）、期刊查询（Journal）、作者查询（Authors）。

1. 搜索界面 Search

在搜索界面，EMBASE.com 提供快速搜索 Quick Search、高级搜索 Advanced Search、字段搜索 Field Search、药物搜索 Drug Search、疾病搜索 Disease Search、文章搜索 Article Search 六种检索模式。使用快速搜索模式，用户可直接输入关键词、出版年份并限定人或动物研究类型、是否带有摘要、是否带有分子序列号等以得到搜索结果。关键词的输入支持逻辑运算符、通配符、临近符等多种运算规则。若选择 Extensive search，系统会同时检索该词在 EMTREE 中的首选词、该词本身、该词的派生词和下位词。

（1）Quick Search（快速检索）。在检索框内输入检索词、词组（需加单、双引号）或检索式，通过精确选定检索词，结合布尔逻辑运算符、截词符控制检索词之间的相关性。如果勾选"Extensive search（mapping, explosion, as keyword）"栏，则系统自动将用户输入的检索词与 EMTREE 主题词进行匹配并进行扩展检索。同时用户可以根据"limit to"项作进一步限定。多为初学者用，操作容易，词序无关，且不分大小写，也不需了解复杂的检索语言（如图 2-26 所示）。

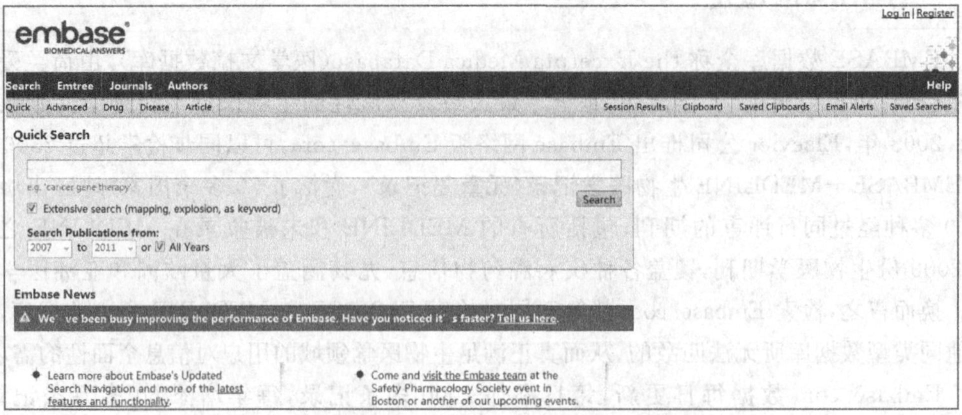

图 2-26 Quick Search（快速检索）界面

（2）Advanced Search（高级检索）。主要是利用EMTREE主题词表的主题词进行检索，使检索的文献专指性更强。在高级检索界面（如图2-27所示），为了提高查全率或查准率，EmBASE提供了5项扩展检索功能。①选择Map to preferred terminology（with spell check）（与EMTREE主题词匹配）后，系统将检索词自动转换成EMTREE主题词进行检索；②Also search as free text，以自由词在全部字段中进行检索；③Include sub-terms/derivatives（explosion search），利用EMTREE主题词树状结构，对检索词与对应于EMTREE主题词的同位词及下位词进行扩展检索；④Search terms must be of major focus in articles found，基于主要EMTREE药物或医学索引主题词字段，仅检索以检索词为重点内容或重点内容的文章，提高相关性；⑤Search also for synonyms、explosion on preferred terminology，既对检索词进行EMTREE主题词匹配检索，又同时作为文本词在全部字段中进行检索。

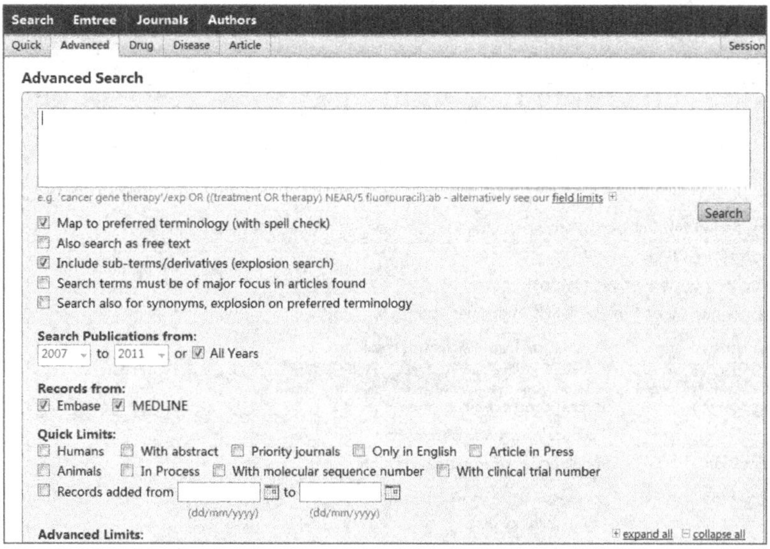

图2-27　Advanced Search（高级检索）界面

此外，在高级检索中对检索结果提供了其他的限定条件，点击"More Limits"可在循证医学、文献类型、学科、语种、性别、年龄、是否带有分子序列号、动物研究类型等进行限定（如图2-28所示）。同时可以检索自特定日期以来新增的记录。

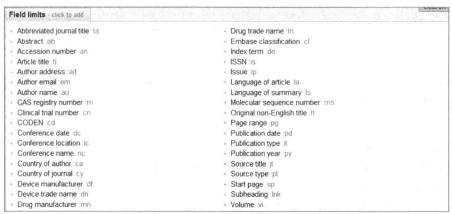

图2-28　高级检索中对检索结果的限定条件

高级搜索对比快速搜索可设置更多限制，搜索更智能。选择 Map to EMTREE 可进行术语对照检索；选择 Search as keyword 可用输入的关键词作关键词进行检索；选择 Explosion search 可进行扩展检索，即检索被检索词及其所有下位词；选择 Major focus articles 可仅检索以关键字为重点内容的文章，提高相关性；Synonym search 可进行同义词检索。点击更多限制(More limits)可以更精确地限定搜索范围，如不同研究性质的文件类型、出版物类型、研究领域、文献语言、研究对象的性别和年龄组或者动物研究类型等。更多限制(More limit)在药物搜索和疾病搜索中同样可以使用。

(3) Drug Search(药物检索)。利用药物的名称进行检索。在检索框内输入药物名称，EmBASE 在检索限制选项里提供了两项扩展检索功能。①Also search as free text，以自由词在全部字段中进行检索；②Include sub-terms/derivatives (explosion search)；利用 EMTREE 主题词树状结构，对检索词与对应于 EMTREE 主题词的同位词及下位词进行扩展检索(如图 2-29 所示)。

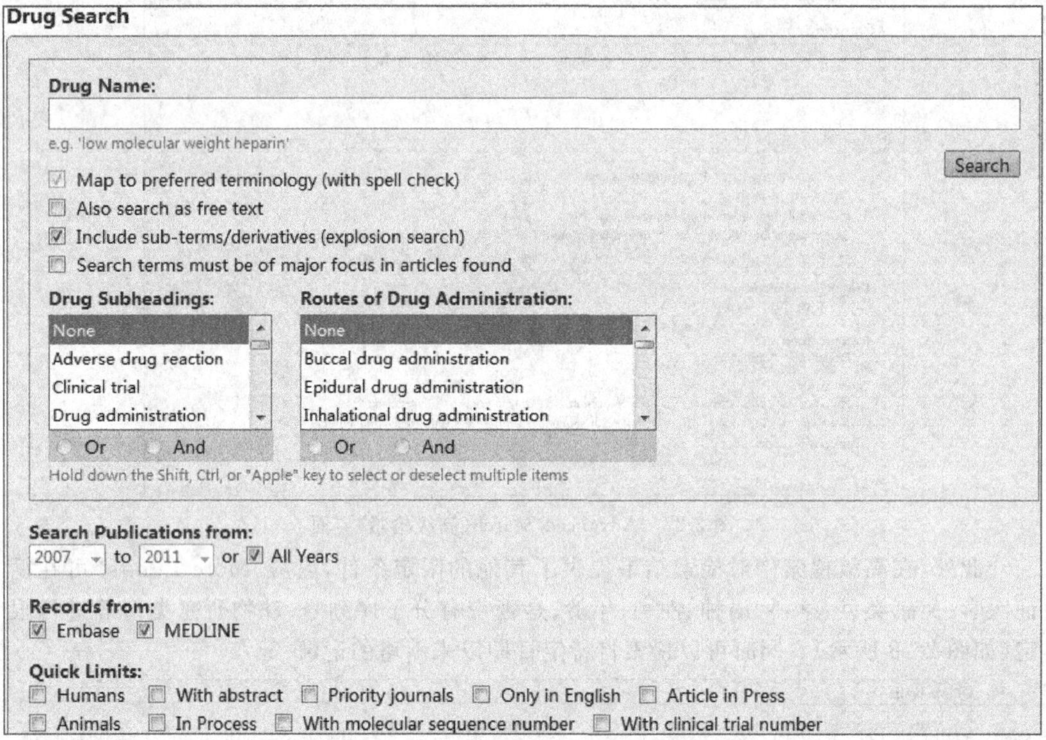

图 2-29 Drug Search(药物检索)界面

此外还可以检索以某药物为研究重点的文献，EMBASE 还提供了药物专题检索和用药方式的检索。药物检索专门检索以某药物为研究重点的文献。药物可作为关键词并自动转换到优选术语。检索结果提供关于药物的副作用反应、临床使用、药物分析等的药物专题以及包括口服、肌肉注射、静脉注射等用药方式检索，以增强索引的深度。同样，药物检索也提供出版日期、是否英语文献、是否带有文摘等限制选项。

(4) Disease Search(疾病检索)。利用疾病的名称进行检索。在检索框内输入疾病的名称，EmBASE 提供了两项扩展检索功能。①Also search as free text，以自由词在全部字段中进行检索;②Include sub-terms/derivatives (explosion search),利用 EMTREE 主题词树状结构,对检索词与对应于 EMTREE 主题词的同位词及下位词进行扩展检索(如图 2-30 所示)。

另外还可以检索以某疾病为研究重点的文献,EMBASE 还提供了 14 种疾病的副主题词(Disease subheadings)。疾病检索专门检索以某疾病为研究重点的文献,它能帮助用户更精确地检索疾病的某一类或几类分支的相关文献,提高相关性。输入的关键词可自动转换到优选术语,也提供限制选项。

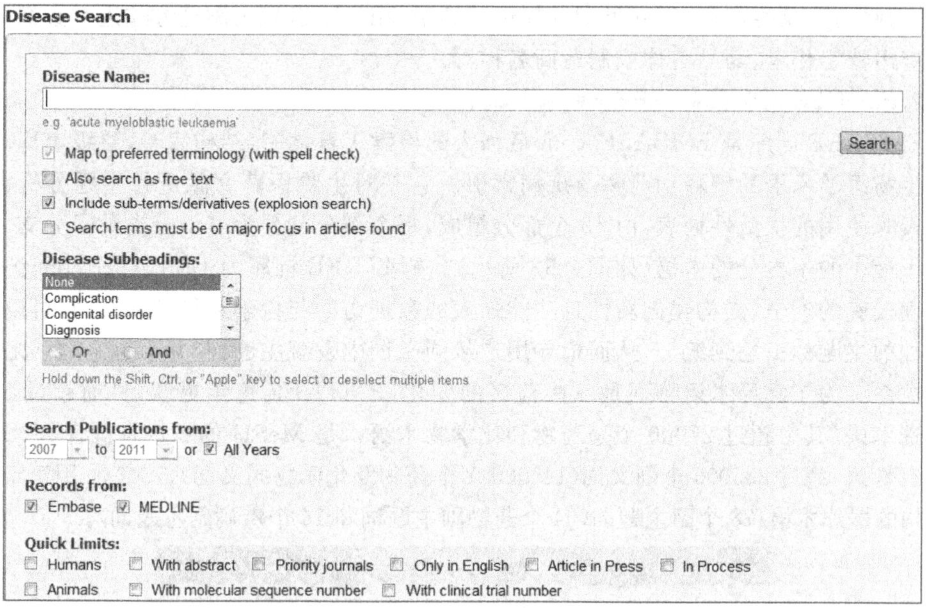

图 2-30　Disease Search(疾病检索)界面

(5) Article Search(论文检索)。在作者(姓在前,名的缩写在后)、期刊名称、期刊缩写名称、ISSN、期刊卷期及文章首页数等检索字段中输入检索词,然后点击"Search"按钮,即可定位待检的文献。有精确查找或模糊查找两种模式(如图 2-31 所示)。

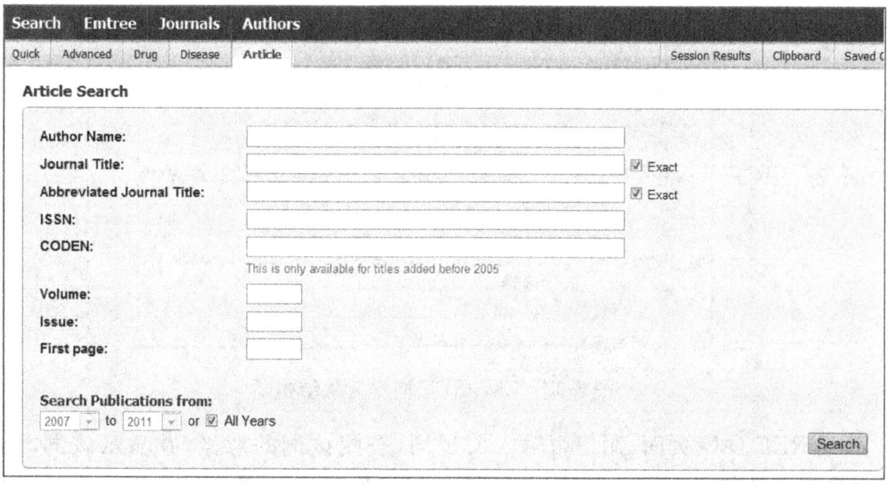

图 2-31　Article Search(论文检索)界面

(6) Field Search(字段检索)。EMBASE.com 提供了期刊名称(JT)、作者(AU)、文章题目(TI)、出版物类型(IT)期刊缩写名称(ta)、摘要(ab)、ISSN(is)等 23 种可检索字段。检索方法：点击"Field Search"键进入字段检索界面，可在检索框中输入检索词并选择下方的字段，也可直接在检索框中输入检索式。如检索某个著者的文献，检索式为 Smith H：au，检索有关生物化学方面的文献，可使用"EMBASE classification"字段，分类号"29"(为书本式 EM 生物化学分册号)，或在检索框中直接输入分册号及字段的代码"29：cl"，就可检索相应分册的有关文献。数据库还为检索频率较高的字段如作者姓名与地址、药品名称及生产商、出版类型等提供了索引，用户可以采用浏览方式进行查询，帮助用户查出特定作者、药品名称或制造商名称等。

2. EMTREE 词库(EMTREE Keywords)

EMTREE 词库是 EMBASE.com 最强大的检索工具之一，结构完善，层级丰富，提供所有生物医学术语的解释和药物及疾病索引。它是对生物医药文献进行主题分析、标引和检索时使用的权威性词表，由 15 个部分组成，每个部分又分为若干分支及子分支，最终结束于最小的不再分的术语(如图 2-32 所示)。EMTREE 词库为 EMBASE.com 记录编制精确权威的索引，是构建创新性且功能强大的数据访问与检索途径的基石，它可以使医学文件的主题标引达到统一，从而指导用户从同义词中发现主题词，并了解主题词之间的相互关系。为了翻译术语特别是一些药名的变化，EMTREE 每年更新，目前超过 57000 个首选术语(其中超过 27000 个是药物和化学物术语)，是 MeSH 的 2 倍且包含 MeSH 中的所有术语；超过 235000 个同义词(145000 多个药物及化学物同义词)；7500 个用于定义层级结构的爆炸术语；78 个副主题词(64 个药物副主题词和 14 个疾病副主题词)。

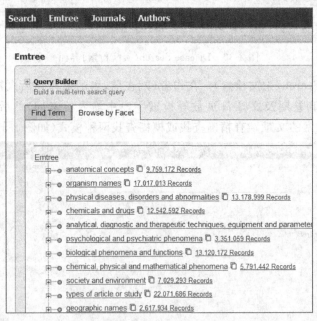

图 2-32　EMTREE 词库树状结构

在 EMTREE 词库页面，用户可输入关键词，查找该词的意义，并显示该词本身在树状结构中的位置及其同义词。若使用者拼写有误时，系统将显示最接近的词。用户也可直接点击树状图,显示该部分的若干分支显现以浏览特定领域的词语(如图 2-33 所示)。

(1) 检索方法。如检索有关胃癌治疗方面的文献。①分析检索课题,选择主题检索,点击"EMTREE keyword"键进入主题词检索;②输入检索词,如输入"gastric cancer"主题词表会出现"stomach cancer"这一规范化的主题词,还可用连接词如 drug therapy(药物治疗)、radiotherapy(放射疗法)、therapy(治疗)、surgery(外科手术)等进行组配;③点击检索,显示检索结果;④通过文献线索索取原始文献。

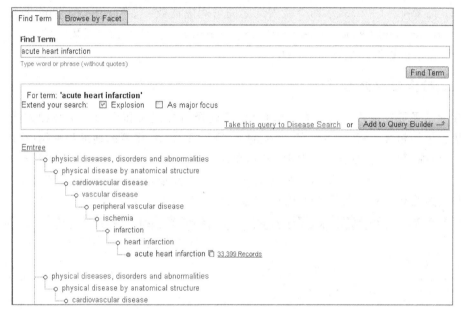

图 2-33　EMTREE 词库检索页面

(2) EMTREE 特点。①搜索便捷。每个术语平均有超过 4 个同义词,可以方便快捷地查看搜索到的术语。②全面的药物搜索。EMTREE 包括化学物名称、商品名和实验室/研究编码以及通用名。③即时更新。全年都会对最新药物、疾病、有机体和程序的候选术语进行索引,并向 EMTREE 添加最常用的术语。也就是说,可以对最新的术语进行搜索。④爆炸式(树型)搜索。利用 EMTREE 丰富的层级结构(12 层),可以扩大和缩小搜索范围。⑤多级结构。不必知道术语在 EMTREE 结构中的位置,EMTREE 的工具会在进行操作时为用户提供向导。⑥自然语言术语不必知道术语在 EMTREE 中是如何进行定义的,只要使用自然语言即可。⑦包容性术语。包含 MeSH 中的所有术语,这样用户还可以使用这些术语进行搜索。

3. 期刊查询 Journal

在期刊查询页面,用户可根据期刊的名称浏览期刊,依次找卷、期、文章;也可根据期刊的主题或出版商信息浏览期刊以找到相应的期刊,再根据文章的所在卷和期刊号找到相应文章。

4. 作者检索 Authors

在作者检索页面,用户可根据作者名字来查找该作者的文献。当作者名称较长或不确定时,可检索前半部分主要词根以获得更多的检索结果。在检索框内输入作者名称,姓在前,名的缩写在后,如 Smith N,点击"find"即列出以这些字母开头的一览表,然后选取要检索的作者名称。

5. EMBASE.com 的检索算符

（1）截词符*和通配符?。在检索词的末尾加上星号（*），代表0个或若干个字符，表示检索词的派生检索或完全词检索。如 inflam * 可检出 inflamed、inflammation、inflammatory。在检索词的中间或末尾加上问号（?），代表一个字符，sulf? nyl 可检出 sulfonyl、sulfinyl 等，此功能最适合用于检索英式及美式等不同拼法的检索词。

（2）位置符。（*n）表示两个检索词之间可间隔词数。如"acute * 3 pancreatitis"可检出 acute pancreatitis、acute hemorrhagic pancreatitis 等，而且次序是固定的。

（3）布尔逻辑符。主要有 AND、OR、NOT。

三、检索结果处理

搜索结果可按相关性或出版年限排序，可选择简短记录和详细记录两种方式显示。简短信息包括相关文献、作者姓名、相关的 EMTREE 术语、作者的地址和邮箱（如图 2-34 所示）。详细记录还包括分子序列号、药物商标、药物厂商等。此外，EMBASE.com 还提供数据分析工具，显示每个时段出版物的数量。个人注册用户还可从检索记录中选择任意的检索策略作为每周电子邮件提示，以跟踪获得新的相关文献。

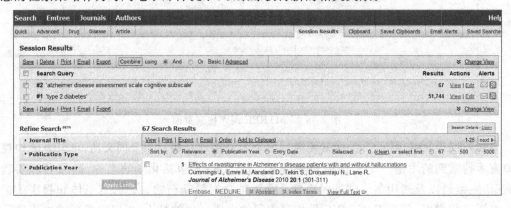

图 2-34　EMBASE 检索结果显示页面

1. 检索历史

在检索结果页面显示检索历史，包括检索式、命中的结果数、数据分析工具。可以对检索式进行编辑、打印、发送至 E-mail 邮箱或直接输出，也可以保存或删除检索式。注册用户可以设置电子通告，检索式之间可以运用"AND/OR/NOT"进行逻辑组合检索。

2. 检索结果的浏览

EMBASE 的检索结果记录的显示可按相关性或出版年限来排序，也可显示或关闭检索的具体信息。有四种不同的显示格式：仅显示题录信息、题录＋文摘、简短记录、详细记录。

3. 检索结果的输出

用户对需要的记录进行标记后，点击"View"可显示标记记录的信息。标记的记录还可以进行打印、输出、E-mail、原文订购、粘贴至剪贴板等处理。对有些标有全文链接的记录，可以点击"EMBASE Full Text from CrossRef"链接来获取全文。

四、EMBASE.com 的其他功能

1. 文献传递

可利用科学搜索引擎 Scirus 搜索整个网络,并且能够通过 Infotrieve 进行文献传递。

2. 连接功能

在检索结果后面有些标有全文链接,点击"FullText from?."可链接至 ScienceDirect、CrossRef、Springer 等,提供从分子序列号到 NCBI(美国国立生物技术研究中心)的信息链接。

3. EMBASE.com 个性化服务

用户需要个性化服务时,首先要注册一个账号,用已注册的用户名及密码登录后,就可以在检索结果页面的检索历史中保存检索策略、删除检索策略、创建检索结果以及更新电子通告。

(肖燕秋)

第四节 BIOSIS Previews

一、BIOSIS Previews 概述

BIOSIS Previews 数据库(简称 BP)是由美国生物科学信息服务社(BIOSIS)出版的大型生命科学文摘及索引数据库。该数据库对应的出版物是《生物学文摘》(Biological Abstracts)、《生物学文摘——综述、报告、会议》(Biological Abstracts/RRM)和《生物研究索引》(BioResearch Index)。BP 收录来世界上 100 多个国家和地区的 5500 多种期刊和 1650 多个会议的会议录和报告,数据每周更新,每年新增数据量超过 56 万条,数据最早回溯到 1926 年。数据库中的文献类型包括期刊论文、会议文献、专利文献、图书、报告等。报道的学科范围广泛,涵盖了所有生命科学内容,其中包括传统生物学,如动物学、分子生物学、植物学、生态与环境科学等;交叉学科如生物化学、生物医学、生物技术、药理学等;相关领域如仪器与实验方法等。内容偏重于基础和理论方法的研究。

BIOSIS Previews 可以与 ISI Web of Knowledge 平台上的其他多个数据库(如 Medline)建立动态连接,深入了解生命科学研究课题的基础与起源、发展与动态以及相关文献,并可以迅速与原始文献全文及其他学术信息资源建立连接,可以为研究人员提供更全面的生物医学信息。

二、检索方法

进入 BIOSIS Previews 主页后,点击"Search"即进入检索界面。BIOSIS Previews 提供两种检索方式:一般检索(General Search)和高级检索(Advanced Search)。

1. 一般检索(Search)

在一般检索中,提供三组检索词输入框,既可以执行单字段检索,也可以结合多字段组合检索,通过下拉菜单来限定检索词出现的字段。在同一检索字段内,各检索词之间可

选择下拉式布尔逻辑算符 AND、OR、NOT 进行组配。多个检索字段之间系统默认为 AND 的关系。通过"添加另一字段(Add Another Field)"可以增加检索词输入框。在执行检索前,还可以通过检索框下方指定时间段来限制检索结果,有"最近一期"、"最近二期"、"最近四期"、"所有年代"、"所选年代"五个选项。若选"所选年代"则又需在 1969 至 2011 年各年代的小方框中选择,可选某一年或多个年代。这里所说的年代是指文献被 BIOSIS Previews 收录的年代,而不是文献出版年代。然后点击"Search"进入检索式输入界面(如图 2-35 所示)。

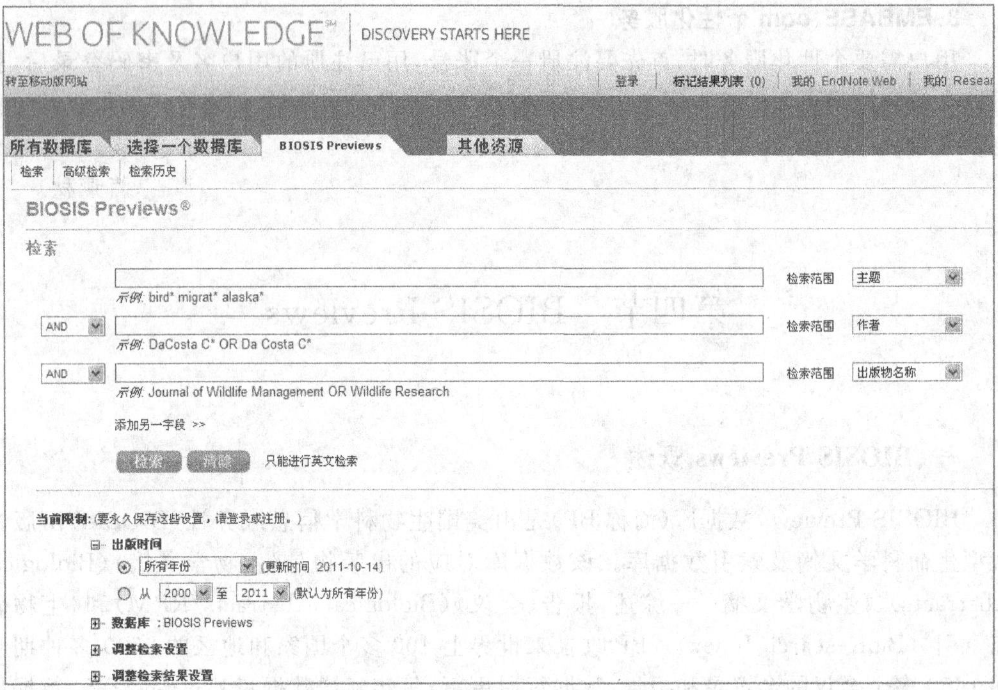

图 2-35 一般检索(Search)界面

可检字段:

(1) 主题(Topic)。在字段选择下拉菜单中选中"Topic",在主题字段输入的检索词可以来自:文献篇名(Title)、文摘(Abstract)、生物组织(Organisms)、主概念(Major Concepts)、生物物种分类(Supor Taxa)、分类俗名(Taxa Notes)、生物组织的部分结构(Parts,Structures & Systems of Organisms)、疾病名称(Diseases)、化学和生物化学名称(Chemicals & Biochemicals)、化学物质登记号(Registry Numbers)、基因和蛋白质序列数据(Sequence Data)、实验方法和设备(Methods & Equipment)、地理位置(Geopolitical Locations)、年代(Time)、工业名称(Industry)、机构名称和组织名称(Institutions & Organizations)、文献中提到的人名(Persons)、由 BIOSIS 索引者设定并添加的主题词(Miscellaneous Descriptors)、其他索引(Alternate Indexing)(如 MeSH 叙词)等众多字段。

(2) 篇名(Title)。在字段选择下拉菜单中选中"Title",在检索式输入框里的词将在文章、图书、专利或者系列图书卷名的标题中检索。在 1992 年之前的文献,只采用美式拼写,为了使结果更加准确,在检索时需使用英式拼写和美式拼写两种方法。另外 BIOSIS 对非英语标题均提供了美式英语译文。

(3) 作者(Author)。通过输入来源文献的作者/发明者/书的编者的姓名进行检索。输入格式为"姓"在前,空一格,然后输入"名"的首字母缩写。对于不确定的姓名,可使用"*",如:Mohamed *,Karlsson T * 等。

(4) 出版物名称(Publication Name)。在这个字段中应输入刊名的全称。注意不能用刊名/书名缩写查询。如果记不全刊名的名称,可以输入刊名的前几个单词和通配符来检索,或者点击该字段右面的 source index 链接,查阅它的准确名称,选择并添加到检索输入框中。

(5) 地址(Address)。可以在该字段中输入来源出版物中的作者、编者、发明者的地址进行检索。由于地址中经常包含多个作者的地址,所以欲查单一作者地址,可使用 SAME 连接各词。如:Harvard SAME Med *。在地址字段可使用截词符,但不可包含禁用词;著者地址包括通讯地址、E-mail 地址和 Web 网站。可以输入地址的一部分或关键词进行查询。

(6) 出版年(PUBLICATION YEAR)。在该检索框输入的检索词表示文献出版时间或时间段。

(7) 分类(Taxonomic Data)。在该检索框输入的检索词可以在 Supor Taxa、Taxa Notes、Super Taxa、Taxa Notes、Organism Classifier、Organism Name 等字段中检索。

(8) 主概念(Major Concepts)。输入宽泛的主题词,系统将提供词表供用户选择、粘贴。

(9) 学科编码/名称(Concept Code/Heading)。选择此字段后,系统将提供词表供用户选择、粘贴。

(10) 化学和生物化学名称(CHEMICAL AND BIOCHEMICAL)。化学名称、序列号或 CAS 登记号。

(11) 会议信息(Meeting Info.)。输入会议名称、会议地点、主办者、会议召开日期等进行检索。在该字段可以使用 AND 运算符。

(12) 标志码(IDENTIFYING CODES)。包括入藏号、国际标准统一刊号(书号)、专利号、美国专利分类号、专利授予日期等。

(13) 其他。语种(Language)、出版类型(Document Type)、文献类型(Literature Type)、分类注释(Taxa Notes)字段供用户选择使用。

2. 高级检索(Advanced Search)

点击页面上的"Advanced Search"按钮进入高级检索页面(如图 2-36 所示)。

该方式可直接在检索输入框中输入带字段标志的布尔逻辑检索式进行检索;不熟悉的用户也可参照页面右边上方显示的可采用的字段标志符和布尔逻辑算符构造检索式。需要注意的是:输入带有字段的检索词,应先输入检索字段代码,然后在其后的等号后输入检索词。也可在"Search History"显示框中选择不同的检索步号,选中上方的"AND"、"OR"组配检索。使用字段标志(例如:so= Prostate Cancer)、检索式组配(例如:♯1 AND ♯2)或二者的组配(♯1 and so= Prostate Cancer)来检索记录。允许使用布尔运算符和通配符。检索框下方提供了入库时间(Timespan)、语种(languages)、文献类型(document types)、文献处理类型(literature types)、分类注释(Taxa Notes)的限制。如要检索期刊 Prostate Cancer 上发表的篇名涉及 small cell carcinomas(小细胞癌)的论文,则可在检索框中输入如下检索式:so＝Prostate Cancer and ti＝(small cell carcinomas)。执行检索命令就可得到检索结果,结果显示在页面底部的"检索历史"中,点击 Results 栏中的命中记录数,即显示检索结果列表。

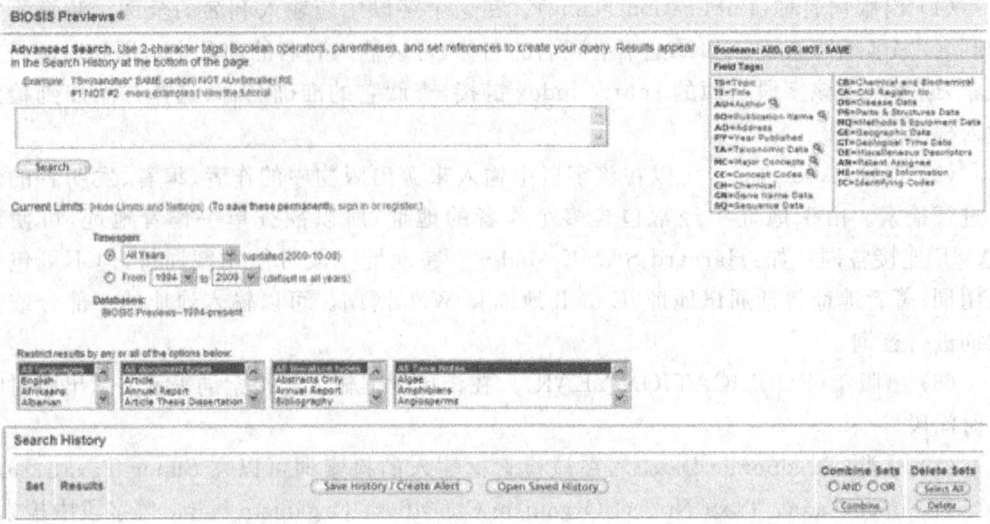

图 2-36　高级检索(Advanced Search)界面

3.检索算符

(1) 布尔逻辑运算符。在同一检索字段,检索词之间可使用布尔逻辑运算符 AND、OR、NOT 和 SAME 进行组配检索,从而扩大或缩小检索范围。使用 SAME 可查找被该运算符分开的检索词出现在同一个句子中的记录。同一个句子为:文献题名、摘要中的句子或者单个作者地址。使用 SAME 运算符(而非 AND 运算符)是缩小检索范围的好方法。逻辑算符执行的先后顺序为:SAME＞NOT＞AND＞OR,利用()可限定优先执行顺序。

(2) 通配符"＊"。所有可以使用单词和短语的检索字段均可以使用通配符,用来查找前端一致的词。星号"＊"代替 0～n 个字母。截词符"?"表示要查找拼法不同的词,问号(?)表示任意一个字符。"＊"和"?"只能用在检索词中或词尾,不能用在词首。例如:输入"sul＊ur"、"Radiat＊"允许,"＊term"不允许;wom?n 可检出 woman,women。

(3) 精确检索。检索精确短语使用引号("")括住短语。如"Radiation therapy",检索结果为包含 Radiation therapy,而不是 Radiation、therapy 或 radiotherapy 的文献。

三、检索结果的分析及处理

在检索结果页面,系统默认 Summary 状态,记录显示题名、作者和来源三个字段,点击题名可以连接到全字段页面。

(1) 检索结果的排序。命令中的检索结果可按更新日期、相关性、第一作者、来源出版物、会议标题、出版年六种排序方式进行显示浏览。

(2) 结果内检索(Search within results for)。要缩小检索结果范围,在"结果内检索"文本框中输入主题(Topic)检索式,然后单击检索,此检索将只返回原始检索式中包含所输入的主题词的记录。

(3) 精炼检索结果(Refine Results)。选中复选框可显示从"检索结果"页面的记录中摘录的项目的分级列表。最常出现的项目显示在列表顶部。括号中的数字表示包含该项目的"检索结果"页面的记录数量。选中一个或多个复选框,然后单击精炼,可以仅显示包含所选项目的记录。

(4) 分析检索结果(Analyze Results)。根据题录中的某些字段(如作者、文献类型、语种、来源出版物、学科类别等)生成一份报告,按分级顺序显示这些值。从而可以分析出某一研究的核心研究人员、研究的分布情况、多以什么语种发表、涉及哪些领域、发展趋势、通常发表在哪些期刊上等。

(5) 检索结果标记、输出。①标记记录(Marked Records):可以将记录添加到标记结果列表中(Marked List),以便今后从"标记结果列表"页面中打印、保存、通过电子邮件发送、订购或导出记录。②输出记录(Output Records):第一步,选择要包括在输出中的记录;第二步,选择要包括在每条记录中的字段数据;第三步,选择输出方式,可以打印、电子邮件、保存到 EndNote Web、保存到 EndNote、RefMan、ProCite、保存到其他参考文献软件。

(6) 检索历史。在高级检索页面和检索历史页面中均可浏览检索历史,用户可以进行 AND 或 OR 的检索式逻辑组配或删除检索式。

(肖燕秋)

第五节　SciFinder Web

一、概述

SciFinder(简称 SF)是美国化学文摘社 CAS(Chemical Abstract Service)自行设计开发的最先进的科技文献检索和研究工具软件,可以检索世界上众多的有关生物化学、化学、化学工程、医药等化学相关学科的信息。SciFinder Scholar(简称 SFS)为其专供学术研究使用的网络检索版本,2012 年起全面更换为 SciFinder Web 版本,整合了 Medline 医学数据库、欧洲和美国等超过 50 家专利机构的全文专利资料,以及化学文摘 1907 年至今的所有内容。它涵盖的学科除包括有机化学、材料化学、生命化学、药理学、医学学科外,还包括催化作用、植物分析化学、废物整治和处理等共 80 余小类学科领域。它可以透过网络直接查看"化学文摘"1907 年以来的所有期刊文献和专利摘要。1969 年它合并了具有 140 年历史的德国《化学文摘》。

二、SciFinder 可检索数据库

SciFinder 文献覆盖面广,包括的内容几乎涉及了化学家和生物学家感兴趣的所有领域,涵盖了六大数据库:两个文摘数据库(CAplus 和 MEDLINE),三个物质数据库(REGISTRY—化合物信息数据库、CHEMCATS—化学品商业信息数据库和 CHEMLIST—管制化学品物质数据库),一个化学反应数据库(CASREACT),其中 CAplus、REGISTRY 是主要数据库。

1. Patent and Journal References——CAplus

包含了 CAS 所出版的《Chemical Abstract》(CA)纸本版和光盘版的全部内容。"化学文摘"是化学和生命科学研究领域中不可或缺的参考和研究工具,也是资料量最大、最具权威的出版物。收录的文献资料来自全球 200 多个国家和地区的 60 多种语言,种类超过 1 万种,摘录了世界范围约 98% 的化学化工文献,所报道的内容几乎涉及化学家感兴趣的所有领域。目前有化学及相关学科的文献记录 3000 多万条,包括 1907 年以来的源自 1 万多种期刊论文(以及 4 万多篇 1907 年之前的回溯论文)、61 个现行专利授权机构的期刊、专利、评论、会议录、论文、技术报告和图书中的各种化学研究成果,除可查询数据回溯至 1907 年外,更提供读者自行以图形结构式检索。它是全世界最大、最全面的化学和科学信息数据库。

数据每日更新,每日约增加 3000 条以上记录。对于 9 个主要专利机构发行的专利说明书,保证在 2 天之内收入数据库。可以用研究主题、著者姓名、机构名称、文献标志号进行检索。

2. Substance Information——CAS REGISTRY

世界上最大、最全面的化合物信息数据库,是查找结构图示、CAS 化学物质登记号和特定化学物质名称的工具。数据库中包含 1.1 亿个多化合物及序列,包括合金、络合物、矿物、混合物、聚合物、盐,以及相关的计算性质和实验数据。数据每日更新,每日约新增 1.2 万个新物质记录,每种化学物质有唯一对应的 CAS 注册号,始自 1957 年,即每一个号码代表一种物质。一种化学物质不管有几个名称,只有一个登记号;化合物的同分异构体,虽然组成相同,但结构不同,它们的登记号也不同。登记号由三部分数字组成,之间用短线连接,如 76309-45-0。第一部分为 2~6 位数,第二部分为 2 位数,第三部分为 1 位数。登记号没有化学意义,不过数字大小可看出某一化学物质被收录的新旧,一般数字越大,表示该化学物质越新。可以用化学名称、CAS 化学物质登记号或结构式检索。

3. Regulated Chemicals——CHEMLIST

关于管控化学品信息的数据库,包括物质的保存和管理信息,是查询全球重要市场被管控化学品信息(化学名称、别名、库存状态等)的工具。数据库目前收录超过 25 万种备案/被管控物质的详细清单,来自 19 个国家和国际性组织,每周新增约 50 条记录。可以用结构式、CAS 化学物质登记号、化学名称(包括商品名、俗名等同义词)和分子式进行检索。

4. Chemical Reactions——CASREACT

化学反应数据库,利用 CASREACT 用户可以了解反应是如何进行的。目前收录了 1840 年以来的 2000 多万个单步或多步反应,包括有机反应、有机金属反应、无机反应、生化反应等。记录内容包括反应物和产物的结构图,反应物、产物、试剂、溶剂、催化剂的化学物质登记号,反应产率,反应说明。每周新增 3 万至 5 万个新反应。可以用结构式、CAS 化学物质登记号、化学名称(包括商品名、俗名等同义词)和分子式进行检索。

5. Chemical Supplier Information——CHEMCATS

化学品商业信息数据库,目前有 3000 多万个化学品商业信息,来自 900 多家供应商的 1000 多种目录,帮助用户查询化学品提供商的联系信息、价格情况、运送方式,或了解物质的安全和操作注意事项等信息,记录内容还包括目录名称、定购号、化学名称和商品名、化学物质登记号、结构式、质量等级等。用户可以用结构式、CAS 化学物质登记号、化学名称(包括商品名、俗名等同义词)和分子式进行检索。

6. National Library of Medicine—MEDLINE

MEDLINE 是美国国家医学图书馆(NLM)建立的书目型数据库,主要收录 1946 年以来与生物医学相关的 5000 余种期刊文献和文摘,收录范围包括人类医学、兽医学及其他学科,内容涉及基础医学、临床医学、环境医学、营养卫生学、职业病学、卫生管理、卫生保健和信息科学等。此数据库检索时可选作者、主题、组织名称等查询方式检索。目前共有记录 1800 多万条,数据库免费使用,每日更新。

三、检索方式

SciFinder 有多种先进的检索方式,比如化学结构式(其中的亚结构模组对研发工作极具帮助)和化学反应式检索等。可通过 eScience 服务选择 Google、Chemindustry.com、ChemGuide 等检索引擎进一步链接相关网络资源,它还可以通过 Chemport 链接到全文资料库以及进行引文链接。其强大的检索和服务功能可以让用户了解最新的科研动态,帮助用户确认最佳的资源投入和研究方向。根据统计,全球 95% 以上的科学家对 SciFinder 给予了高度评价,认为它加快了研究进程,并在使用过程中得到了很多启示和创意。

美国化学文摘社将于 2012 年逐渐取消 SciFinder Scholar,而完全过渡到 SciFinder Web 版本。SciFinder Web 在网页浏览器上运行,无需下载软件,读者在使用 Web 版之前必须先进行注册,且用于注册的邮箱后缀必须带有学校域名,注册后系统将自动发送一个链接到用户所填写的 E-mail 邮箱中,激活即可完成注册。注册完成之后,进入 https://scifinder.cas.org/,登录完成后即可进行检索。

检索方法主要分为 Explore References(文献检索)、Explore Substances(物质检索)和 Explore Reactions(反应检索)三种检索方式,系统默认为文献检索方式(如图 2-37 所示)。

图 2-37　SciFinder 检索首页面

1. Explore References(文献检索)

通过主题、作者名、机构名、期刊和专利进行查找文献。检索相关数据库为 CAplus、MEDLINE。

(1) Research Topic(研究主题)。可以让用户通过英文短语或者句子来检索某一领域的研究文献,也可利用词之间的关系来快速获得用户感兴趣领域的参考文献。在检索框里可以使用简单的英语输入 2~3 个概念,最多输入 5 个,不同概念之间使用介词或者冠词连接,如 of,with,beyond,in,on,as 等,介词没有实质意义,只起到间隔作用;将概念的同义词写在括号内,使用 Not 或者 Except 去除一个特定的字段,使用一些限制去减少结果集中的记录数。输入一个感兴趣的主题可以使用出版年限或者文献类型来提前限定,点击"Search",然后根据检索者的需求选择相应的选项"concept",意思是 SciFinder 的智能检索系统会自动把关键词的名词单复数、英美文法上的差异、单词的动词、形容词、副词、名词形式都囊括进来,让检索结果更加全面。"Closed associated with one another"表示同时出现在一个句子中;"Were present anywhere in the reference"表示出现在同一段话中。然后点击"Get References"(获取参考文献)就可以得到相关主题的文献,在结果页面可以看到文献记录数,通过快速阅读每条记录刷选感兴趣的文献,对检索结果进行分析、限定、分类、获取全文及引文,储存、打印或导出结果。

(2) Author Name(作者姓名)。在 Explore References 界面下,点击"Author Name"就可以切换到作者姓名检索界面。如要查某作者发表文章情况,输入作者的姓氏和名字的首个字母,如果不知道哪个是姓,哪个是名,最好两个都试一下,点击"Search",选取所有感兴趣相关的名字,通过分析功能选择作者工作学习过的单位即可。

(3) Company Name(单位名称)。在 Explore References 界面下,点击"Company Name"就可以切换到单位名称检索界面。输入要查询的机构,输入的机构名称单词多查询结果多,反之亦然。SciFinder 系统检索时自动考虑到了不同拼写、首字母缩写以及全称缩写等情况,并自动检索有关词条,可以通过机构名称的分析结果分析名称变化情况。查找该机构是否对相关主题进行了研究,可以使用"Refine"工具,然后单击"Research Topic",输入主题,单击"SEARCH"进行检索。通过"Analyze"工具,进一步确定该组织中是否已有人拥有相关主题的专利,选择"Document Type",单击"SEARCH",SciFinder 将提供与相关组织关联的所有文档类型。

(4) Journal(期刊检索)。在 Explore References 界面下,点击"Journal"就可以切换到期刊称检索界面。知道期刊的名称、卷期号、题目、作者姓名可以用"Journal"途径查找文献。

(5) Patent(专利检索)。在 Explore References 界面下,要查看专利参考信息的详情,选择"Patent"就可以切换到专利检索界面,然后单击"Get Reference",可以使用任何 SciFinder 选项,查看不同类型的参考文献。知道专利号、专利权人的姓名以及发明人姓名,可以用"Patent"途径查找专利。

2. Explore Substances(物质检索)

点击"Explore Substances"就可以切换到物质检索界面。可以通过物质名称、CAS 登记号检索,也可通过画出 Chemical Structure(化学结构)或输入 Molecular Formular(分子式)来查找化学物质(如图 2-38 所示)。可以进行化学结构查新,获取物质物性、谱图、商业来源等信息,查询物质专利状态;物质检索相关检索数据库为 REGISTRY、CHEMLIST、CHEMCATS。

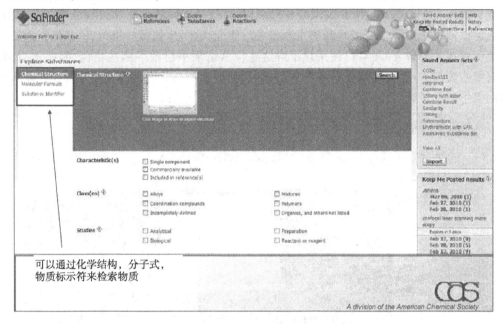

图 2-38　Explore Substances(物质检索)

Chemical Structure 检索。按化学结构检索,用户只需使用结构绘图窗口绘制、导入或者粘贴要查找的化学结构,选择确切的匹配项或相关结构,点击"确定"即可得到检索结果。在主页面上可以看到输入的结构和检索方式,然后根据需要对结果进行分析、限定。Chemical Structure 检索有三种方式:精确结构检索、亚结构检索、相似结构检索。通过 Chemical Structure 检索,用户可以得到物质的 CAS 号、分子式、分子结构、名称,物质相关的文献、实验信息,全球供应商及管制品信息,不同 CAS 号出现在各类文献中的信息,相关反应、相关图谱信息以及数据出处文献等。

3. Explore Reactions(搜索反应)

可通过画出反应途径查找特定的反应过程。反映检索相关数据库为 CASREACT。在 SciFinder Web 主页面上,点击"Explore Reactions"进入反应检索界面(如图 2-39 所示)。使用结构绘图板绘制要查询的反应式。添加反应箭头,指定反应参与项的作用,然后单击"确定"。可以检索特定物质之间的反应,单击任何反应参与项,获得该物质的更多详情。要确认该物质是否已经投入市场、购买地点、销售价格,单击"Commericial Sources(商业资源)"将看到供应商列表。再单击"显微镜"图标,屏幕将提供有关供应商的详细信息,包括地址、电话、传真号码、电子邮件地址等联络信息。

四、检索结果处理

1. Refine(限定)

在文献检索结果页面,通过 Refine(限定)能有效地缩小检索结果,点击"Refine"便会出现对话框,用户可以选择需要的选项进行限定。

2. Analyze(分析检索结果)

SciFinder Scholar 为用户设计了分析检索结果的功能,也可以缩小检索范围,在检索结果页面点击"Analyze",便会出现分析对话框,可选择不同的分析项进行分析。Analyze 不仅可以使用户更清晰地了解和该主题相关的研究状况,比如哪些机构、哪些研究人员在从事哪些相关的研究,还可以使用户了解这些检索结果中出现了哪些物质、哪些索引词、来自哪些数据库,这些文献在哪些期刊上出版、何时出版等。用户根据统计表,可以从检索结果中挑选最满足检索需求的文献,进一步查看详细信息。

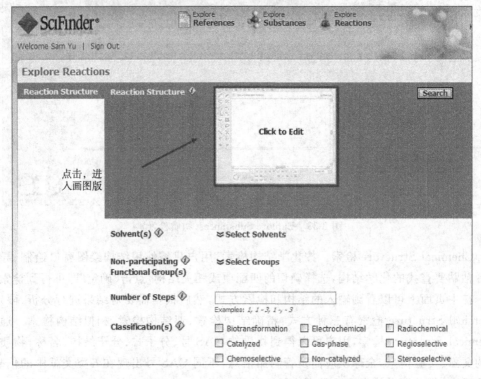

图 2-39 Explore Reactions(搜索反应)

Refine(限定)和 Analyze(分析检索结果)的应用使得检索结果控制在更精确、更合适的范围内。

3. SciFinder 新功能—Sciplanner

Sciplanner 是 SciFinder 新增的一个特定的工作区域,在结果页面的右上角。用户在这个特定区域里可以用一种更加直接的方式去组织管理结果。选中感兴趣的文献检索、物质检索、反应检索的结果,点击"Send to Sciplanner",相应的文献就可以传送到 Sciplanner,用户在其内按照需要的方式,对检索结果进行自由组织,从而增强可视化效果。Sciplanner 还可以辅助进行制定逆合成路线以及对多个文件中的物质、反应、实验步骤以及参考文献进行整合,提高用户的工作效率。

(徐 奎 肖燕秋)

【思考题】

1. 进行 CBM 检索时,请确定下列课题的检索词及逻辑关系:用硝吡乙甲酯(Nitrendipine)预防(Prevention)整形(Plastic)后软组织瓣坏死(Soft tissue flap necrosis)。

2. 试用 CBM 从主题途径检索食管癌早期诊断方面的文献,有哪些主要步骤?

3. 利用 PubMed 的 Limits 检索 2005 年以后发表的有关高血压(hypertension)的综述性文章。

4. 利用 PubMed 的主题检索途径检索有关维生素 C(vitamin C 见 ascorbic acid)的治疗应用(therapeutic use)方面的文章。

5. 利用 PubMed 的 clinical query 检索有关鼻咽癌(nasophyngeal cancer)的系统综述(systematic review)。

6. 利用 PubMed 检索有关肺癌(lung cancer)与吸烟(smoke)关系的文章。

7. 简要论述 PubMed 主题词(MeSH)检索的主要步骤。

8. 在 EMBASE.com 中查找中草药(herbal medicine)治疗肾功能衰竭(renal failure)的综述文献(review)。

9. 在 Biosis Previews 中检索 2007 年以来关于药物上瘾(drug addiction、drug dependence)治疗(therapy、treatment)方法的研究。

10. 在 Scifinder 数据库中进行检索"抗癌药长春碱的结构修饰和药效的关系",对检索结果进行分析,按文章出版年代和研究机构进行分析,了解该研究的发展趋势和知名研究单位,以利于对该课题进行追踪。

第三章 全文数据库

第一节 中国知网(CNKI)

一、概况

中国知网,即中国知识基础设施工程(China National Knowledge Infrastructure, CNKI),由世界银行于1998年提出。CNKI工程是以实现全社会知识资源传播共享与增值利用为目标的信息化建设项目,由清华大学、清华同方发起,始建于1999年6月。在党和国家领导以及教育部、中宣部、科技部、新闻出版总署、国家版权局、国家计委的大力支持下,在全国学术界、教育界、出版界、图书情报界等社会各界的密切配合和清华大学的直接领导下,CNKI工程集团经过多年努力,采用自主开发并具有国际领先水平的数字图书馆技术,建成了世界上全文信息量规模最大的"CNKI数字图书馆",并正式启动建设《中国知识资源总库》及CNKI网络资源共享平台,通过产业化运作,为全社会知识资源高效共享提供最丰富的知识信息资源和最有效的知识传播与数字化学习平台。网址为www.cnki.net。

CNKI工程的具体目标:一是大规模集成整合知识信息资源,整体提高资源的综合和增值利用价值;二是建设知识资源互联网传播扩散与增值服务平台,为全社会提供资源共享、数字化学习、知识创新信息化条件;三是建设知识资源的深度开发利用平台,为社会各方面提供知识管理与知识服务的信息化手段;四是为知识资源生产出版部门创造互联网出版发行的市场环境与商业机制,大力促进文化出版事业、产业的现代化建设与跨越式发展。

通过与期刊界、出版界及各内容提供商达成合作,中国知网已经发展成为集期刊杂志、博士论文、硕士论文、会议论文、报纸、工具书、年鉴、专利、标准、国学、海外文献资源为一体的、具有国际领先水平的网络出版平台。目前收录期刊9924种,1365556期,共45848527篇,中心网站的日更新文献量达5万篇以上。

基于海量的内容资源的增值服务平台,任何人、任何机构都可以在中国知网建立自己的个人数字图书馆,定制自己需要的内容。越来越多的读者将中国知网作为日常工作和学习的平台。

二、检索体系

2012年9月,CNKI首页改版成知识发现网络平台(Knowledge Discovery Network,KND),KDN不同于传统的搜索引擎,它利用知识管理的理念,实现了知识汇聚与知识发现,结合搜索引擎、全文检索、数据库等相关技术达到知识发现的目的,可在海量知识及信息中发现和获取所需信息,简洁高效、快速准确。KDN的主要目标是更好地理解用户需求,提供更简单的用户操作,实现更准确的查询结果。KDN着重优化页面结构,提高用户体验,实现平台的易用性和实用性;实现检索输入页面、检索结果页面的流畅操作,减少迷失度和页面噪声干扰;提供标准化、风格统一的检索模式,提供多角度、多维度的检索方式,帮助用户快速定位文献。

新版的KDN知识发现网络平台的新特性有:一框式检索;智能输入提示;CNKI指数分析;智能检索VS智能排序;文献分析;订阅推送;多次查询结果一次性存盘导出;平面式分类导航;个性资源分类导航;在线阅读;组合在线阅读;跨平台文献分享。

(一)一框式检索

在首页一框式检索(如图3-1所示)中,选择数据源为"文献"进行检索时,是指在期刊、博硕士、会议、报纸、年鉴库中进行检索。选择数据源为"期刊"是指在学术期刊范围内进行检索,非学术类期刊(是指党建期刊,基础教育、高等教育期刊,科普、文艺、文化期刊等)在这里检索不到,可以进入期刊大全导航或者在资源总库中选择相应的非学术类期刊单库检索。选择检索项为"主题"途径进行检索是同时在题名、关键词、摘要三个字段中检索。在一框式检索时不支持OR、AND等逻辑检索式。

图3-1 CNKI一框式检索界面

在一框式检索中可以通过点击"跨库选择"来选择多个数据库进行组合检索;也可以通过点击检索项的下拉框来选择不同的检索项,如"全文、主题、关键词、摘要、作者"等,不同的数据库检索项不同(如图3-2所示)。

图3-2 CNKI跨库选择界面

（二）文献分类

中国知网为突出学术文献的检索优势，启用了文献分类目录导航，"文献全部分类"导航采用鼠标滑动式展现的方式，无需用户点击更多的操作，只需要轻轻滑动鼠标即可找到分类，点击实现快速检索（如图3-3所示）。

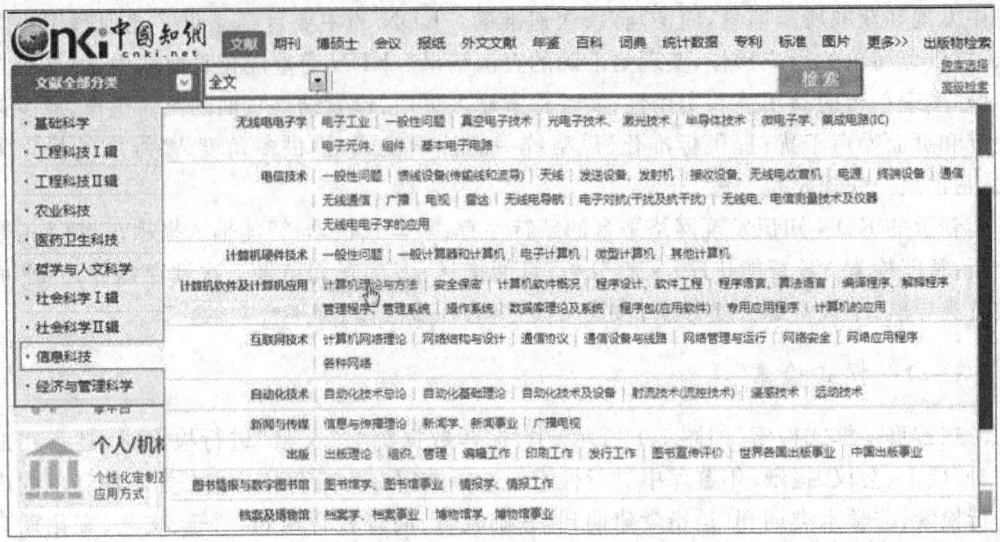

图3-3 文献分类导航

文献分类导航的特点是分类详细、减少检索范围，滑动展开，操作方便。文献主要分为10个专辑，约168个专题，详见表3-1。

表3-1 中国知网文献分类

专辑	所含专题
基础科学	自然科学理论与方法，数学，非线性科学与系统科学，力学，物理学，生物学，天文学，自然地理学和测绘学，气象学，海洋学，地质学，地球物理学，资源科学
工程科技Ⅰ	化学，无机化工，有机化工，燃料化工，一般化学工业，石油天然气工业，材料科学，矿业工程，金属学及金属工艺，冶金工业，轻工业手工业，一般服务业，安全科学与灾害防治，环境科学与资源利用
工程科技Ⅱ	工业通用技术及设备，机械工业，仪器仪表工业，航空航天科学与工程，武器工业与军事技术，铁路运输，公路与水路运输，汽车工业，船舶工业，水利水电工程，建筑科学与工程，动力工程，核科学技术，新能源，电力工业
农业科技	农业基础科学，农业工程，农艺学，植物保护，农作物，园艺，林业，畜牧与动物医学，蚕蜂与野生动物保护，水产和渔业
医药卫生科技	医药卫生方针政策与法律法规研究，医学教育与医学边缘学科，预防医学与卫生学，中医学，中药学，中西医结合，基础医学，临床医学，感染性疾病及传染病，心血管系统疾病，呼吸系统疾病，消化系统疾病，内分泌腺及全身性疾病，外科学，泌尿科学，妇产科学，儿科学，神经病学，精神病学，肿瘤学，眼科与耳鼻咽喉科，口腔科学，皮肤病与性病，特种医学，急救医学，军事医学与卫生，药学，生物医学工程

续表

专辑	所含专题
哲学与人文科学	文艺理论,世界文学,中国文学,中国语言文字,外国语言文字,音乐舞蹈,戏剧电影与电视艺术,美术书法雕塑与摄影,地理,文化,史学理论,世界历史,中国通史,中国民族与地方史志,中国古代史,中国近现代史,考古,人物传记,哲学,逻辑学,伦理学,心理学,美学,宗教
社会科学Ⅰ	马克思主义,中国共产党,政治学,中国政治与国际政治,思想政治教育,行政学及国家行政管理,政党及群众组织,军事,公安,法理、法史,宪法,行政法及地方法制,民商法,刑法,经济法,诉讼法与司法制度,国际法
社会科学Ⅱ	社会科学理论与方法,社会学及统计学,民族学,人口学与计划生育,人才学与劳动科学,教育理论与教育管理,学前教育,初等教育,中等教育,高等教育,职业教育,成人教育与特殊教育,体育
信息科技	无线电电子学,电信技术,计算机硬件技术,计算机软件及计算机应用,互联网技术,自动化技术,新闻与传媒,出版,图书情报与数字图书馆,档案及博物馆
经济与管理科学	宏观经济管理与可持续发展,经济理论及经济思想史,经济体制改革,经济统计,农业经济,工业经济,交通运输经济,企业经济,旅游,文化经济,信息经济与邮政经济,服务业经济,贸易经济,财政与税收,金融,证券,保险,投资,会计,审计,市场研究与信息,管理学,领导学与决策学,科学研究管理

（三）出版物检索

在KDN首页点击出版物检索进入导航首页（如图3-4所示），在该页中有字母导航和分类导航。左侧文献分类目录帮助用户快速定位导航的分类；导航首页有推送的栏目，是当前热门的期刊论文等文献；下面是一些热门的特色导航的推荐文献：期刊、会议、年鉴、工具书、报纸、博士学位授予单位、硕士学位授予单位。

图3-4 出版物导航

(四)高级检索

在一框式检索页面,点击"高级检索"进入以下页面(如图3-5所示)。在"文献"高级检索界面,主要检索途径有高级检索、专业检索、作者发文检索、科研基金检索、句子检索和文献来源检索等六种。

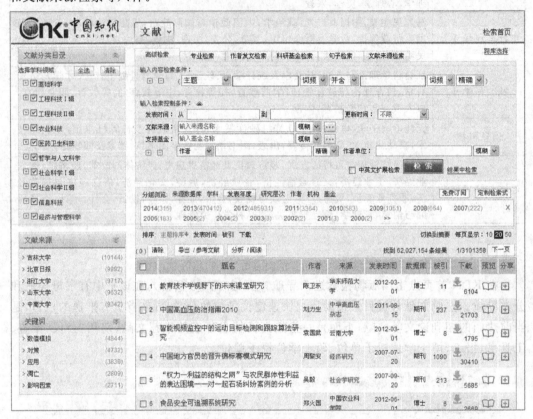

图3-5 "文献"的高级检索界面

下面以"期刊"为例,着重介绍高级检索,将鼠标滑到"文献",选择"期刊"进入中国学术期刊网络出版总库检索界面(如图3-6所示)。

在中国学术期刊网络出版总库主要检索途径有检索、高级检索、专业检索、作者发文检索、科研基金检索、句子检索、来源期刊检索等七种方式。系统默认为检索。

1. 检索

检索功能实现了简单的组合检索。图中+和-按钮,用来添加或者减少检索条件,可以选择年限和期刊的来源类别进行组合检索,同时也提供了精确和模糊的选项,满足用户的需求。根据检索需求,从下拉列表选择合适的检索项(即检索字段),系统提供主题、篇名、关键词、作者、单位、刊名、ISSN、CN、期、基金、摘要、全文、参考文献、中图分类号等14个常用选择,这里"主题"实际包含"篇名"、"关键词"、"摘要"三个字段。精确匹配是指检索结果完全等同或包含与检索字/词完全相同的词语,模糊匹配是指检索结果包含检索字/词或检索词中的词素。检索词之间有"并含"、"或含"、"不含"(即 AND、OR、NOT)

三种方式匹配。

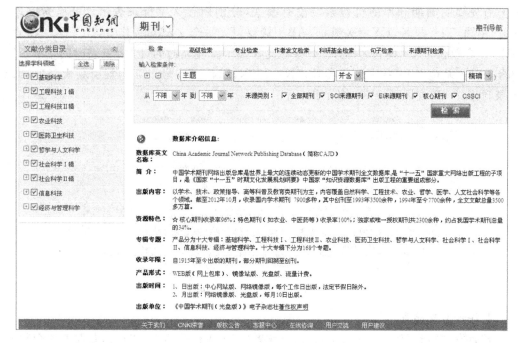

图 3-6 "期刊"的高级检索界面

2. 高级检索

高级检索如图 3-7 所示，其中 + 和 - 按钮用来增加和减少检索条件，"词频"表示该检索词在文中出现的频次。词频为空，表示在选择的检索项中至少出现 1 次检索词。在高级检索中，还提供了更多的组合条件，如来源、基金、作者以及作者单位等。中英文扩展是由所输入的中文检索词自动扩展检索相应检索项中英文语词的一项检索控制功能。仅在选择"匹配"中的"精确"时，"中英文扩展"功能才可用。

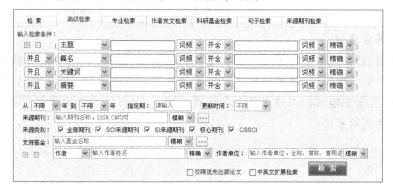

图 3-7 期刊高级检索界面

3. 专业检索

专业检索（如图 3-8 所示）用于图书情报专业人员查新、信息分析等工作，使用逻辑运算符和关键词构造检索式进行检索。专业检索需要用户自己输入检索式来检索，并且确保所输入的检索式语法正确，这样才能检索到想要的结果。每个库的专业检索都有说明,详细语法可以点击右侧"检索表达式语法"参看详细的语法说明。例如:在期刊库中,用户首先要明确期刊库的可检索字段有哪些,分别用什么字母来表示。可检索字段:SU=主题,TI=题名,KY=关键词,AB=摘要,FT=全文,AU=作者,FI=第一作者,AF=作者单位,JN=期刊名称,RF=参考文献,RT= 更新时间,PT=发表时间,YE=期刊年,FU=基金,CLC=中图分类号,SN=ISSN,CN=CN 号,CF=被引频次,SI=SCI收录刊,EI=EI 收录刊,HX=核心期刊。

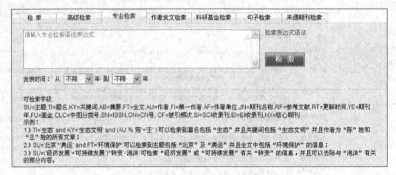

图 3-8　期刊专业检索界面

4.作者发文检索

作者发文检索(如图 3-9 所示)是通过作者姓名、单位等信息,查找作者发表的全部文献及被引下载情况。通过作者发文检索不仅能找到某一作者发表的文献,还可以通过对结果的分组筛选情况全方位地了解作者主要研究领域、研究成果等情况。

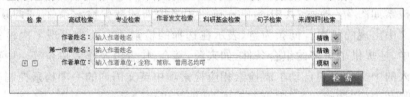

图 3-9　期刊作者发文检索界面

5.科研基金检索

科研基金检索(如图 3-10 所示)是通过科研基金名称查找科研基金资助的文献。通过对检索结果的分组筛选,还可全面了解科研基金资助学科范围、科研主题领域等信息。在检索中,可直接在检索框中输入基金名称的关键词,也可以点击检索框后的按钮,选择支持基金输入检索框中。

图 3-10　科研基金检索界面

6.句子检索

句子检索(如图 3-11 所示)是通过用户输入的两个关键词,查找同时包含这两个词的句子。由于句子中包含了大量的事实信息,通过检索句子可以为用户提供有关事实问题的答案。可在全文的同一段或同一句话中进行检索。同句指两个标点符号之间,同段指五句之内。

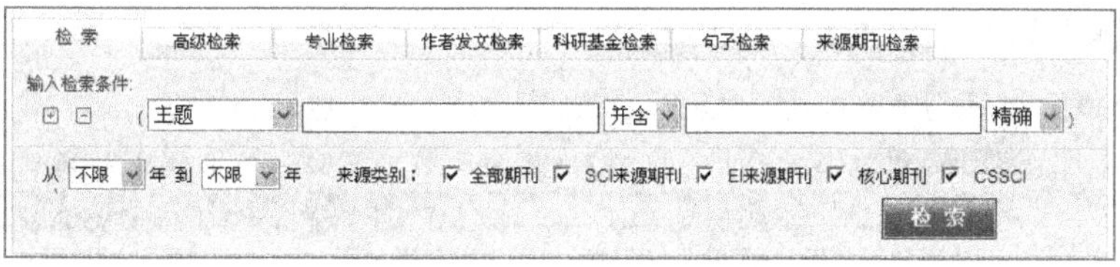

图 3-11 句子检索界面

7. 来源期刊检索

来源期刊检索(如图 3-12 所示)是通过输入来源期刊的名称、类别和年期等信息,来查找包含相关信息的期刊。

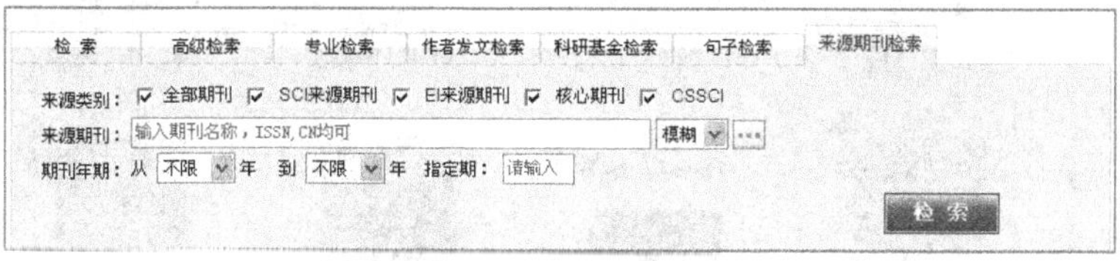

图 3-12 来源期刊检索界面

(五)期刊导航

在中国知网首页左侧的"特色导航"中,点击"期刊大全"即进入期刊导航页面(如图 3-13 所示)。期刊导航是将期刊作为研究对象,从各种角度对期刊进行分类,供检索特定期刊的信息和特定期刊上发表的文献。可直接在期刊检索项的下拉菜单中选择"期刊名称(含曾用名)、ISSN、CN"后,在检索框中输入相应的检索词进行检索。期刊导航按期刊的不同属性对期刊分类,包括如下内容。

首字母导航:按刊名首字母顺序查找期刊。

专辑导航:以学科分类为基础,将期刊进行分类,分为 10 个专辑 168 专题。点击任何专辑(专题)的名称,可以显示该专辑(专题)下所有期刊。

优先出版期刊导航:以数字出版方式提前出版印刷版期刊内容,内容是各期刊在印刷出版前的定稿论文。CNKI 目前有 700 种期刊优先数字出版,按照 10 个专辑进行分类。

独家授权期刊导航:指中国知网取得期刊编辑部在一定时间内数字出版的独家授权的期刊,目前独家授权学术期刊约 1300 种。

总库收录期刊导航:含中国学术文献网络出版总库、中国高等教育文献总库、中国基础教育文献总库、中国经济信息文献总库、中国政报公报文献总库、中国党建文献总库、中国精品文化文献总库、中国精品文艺文献总库、中国精品科普文献总库、中国学术辑刊全文数据库。

数据库刊源导航:按被收录到国内外常用的数据库或索引的情况进行分类。包括 CA 化学文摘、SA 科学文摘、SCI 科学引文索引、JST 日本科学技术振兴机构数据库、Рж(AJ)文摘杂志、EI 工程索引、中国科学引文数据库(CSCD)和中国人文社会科学引文数据库(CHSSCD)。

刊期导航：按期刊出版周期对期刊分类。期刊出版周期有如下几类：年刊、半年刊、季刊、双月刊、月刊、半月刊、旬刊、周刊。

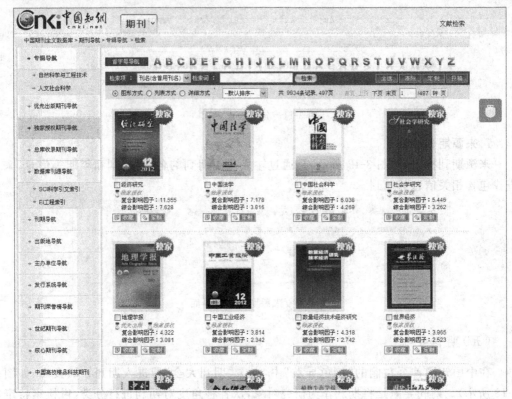

图 3-13　期刊导航

出版地导航：按期刊的出版地分类。所在区域有华北、华东、华南、东北、西南、西北和华中。

主办单位导航：根据期刊主办单位对期刊分类。期刊主办单位按单位性质分类显示。单位性质有学会、出版社、大学、科研院所。

发行系统导航：根据是否由邮局发行对期刊分类。包括邮发期刊、非邮发期刊和国际发行期刊。

期刊荣誉榜导航：按期刊的获奖情况对期刊分类。包括百种重点期刊、第三届（2005）国家期刊奖获奖期刊、第三届（2005）国家期刊提名奖期刊、第二届全国优秀科技期刊、首届全国优秀社科期刊、中国期刊方阵和 Caj-cd 规范获奖期刊。

世纪期刊导航：按期刊的知识内容分类，只包括 1994 年之前出版的期刊。世纪期刊也是按照期刊的专辑与专题分类体系（10 专辑 168 专题）进行分类的。

核心期刊导航：核心期刊的收录是根据北京大学出版社《中文核心期刊要目总览》（4 年评定一次核心期刊）划分的，分为哲学、社会学、政治、法律、军事、经济、文化、教育、历史、自然科学、医药、卫生、农业科学和工业技术七大类。

2006 年中国高校精品科技期刊导航获教育部"中国高校精品科技期刊奖"荣誉的期刊包括北京大学学报（医学版）、清华大学学报（自然科学版）、武汉理工大学学报、哈尔滨工业大学学报等期刊。

三、检索结果处理

（一）检索结果分组

《中国学术期刊网络出版总库》检索结果页面将通过检索平台检索得到的检索结果以列表形式展示出来，并提供对检索结果进行分组分析、排序分析的方法，来准确查找文献。检索结果分组类型包括：学科类别、期刊名称、研究资助基金、研究层次、文献作者、作者单位、中文关键词。

1. 学科类别分组

将检索结果按照168专辑分类下级的4000多个学科类目进行分组。按学科类别分组可以查看检索结果所属的更细的学科专业，进一步进行筛选，找到所关注文献。分组过程如下：①点击文献分组浏览中的"学科类别"项，分组浏览下方显示分组得到的学科类别。②点击其中的某个学科类别项，检索结果则根据该分组项进行筛选得出相应结果。

2. 期刊名称分组

可以帮助科研人员查到好的刊物，因为好文献大部分都发表在好刊上，可以从总体上判断这一领域期刊的质量，对学者投稿也是很有帮助的。分组过程如下：①点击检索结果分组筛选中"期刊名称"项，分组浏览下方将出现分组后的期刊名称。②点击其中的某一期刊名称，检索结果则筛选出该期刊收录的文献。

3. 研究资助基金分组

指将研究过程中获得国家基金资助的文献按资助基金进行分组。通过分析按"研究资助基金"分组，用户可以了解国家对这一领域的科研投入情况，研究人员可以对口申请课题，国家科研管理人员也可以对某个基金支持科研的效果进行定量分析、评价和跟踪。分组过程如下：①点击检索结果分组筛选中的"研究资助基金"项，分组浏览下方将出现分组得到的研究获得资助基金。②点击其中的某一资助基金，检索结果则筛选出该基金资助项目发表的相关文献。

4. 研究层次分组

学术文献总库中，每篇文献还按研究层次和读者类型分为自然科学和社会科学两大类，每一类下再分为理论研究、工程技术、政策指导等多种类型。用户通过分组可以查到相关的国家政策研究、工程技术应用成果、行业技术指导等，实现对整个学科领域全局的了解。分组过程如下：①点击检索结果分组筛选中的"研究层次"项，分组浏览下方将出现分组后得到的研究层次。②点击其中的某个研究层次，检索结果则筛选出该研究层次的文章。

5. 文献作者分组

帮助研究者找到学术专家、学术榜样；帮助研究人员跟踪某学者的发文情况，发现未知的有潜力学者。分组过程如下：①点击检索结果分组筛选中的"文献作者"项，分组浏览下方将出现分组的作者名及其机构，以及作者发文数。②点击其中的某一作者，检索结果则筛选出该作者发表的文献。

6. 作者单位分组

帮助学者找出有价值的研究单位,全面了解研究成果在全国的全局分布,跟踪重要研究机构的成果,也是选择文献的重要手段。分组过程如下:①点击检索结果分组筛选中的"作者单位"项,分组浏览下方将出现分组的作者单位名称以及该单位的所有员工的发文数。②点击其中的某一作者单位,检索结果则筛选出该单位的所有员工发表的文献。

中文关键词分组展示了知识系统,帮助学习者获得领域的全局知识结构;关键词将文献/知识进行聚类,把知识组织成簇,揭示了知识的背景,方便学习和研究。分组过程如下:①点击检索结果分组筛选中的"中文关键词"项,分组浏览下方将出现分组得到的中文关键词。②点击其中的某一中文关键词,检索结果则筛选出含有该关键词的文献。

(二)检索结果排序

除了分组筛选,《中国学术期刊网络出版总库》还为检索结果提供了发表时间、相关度、被引频次、下载频次、浏览频次等排序方式。

发表时间:根据文献发表的时间先后排序。

相关度:根据检索结果与检索词相关程度进行排序。

下载频次:根据文献被下载次数进行排序。

被引频次:根据文献被引用次数进行排序。

浏览频次:根据文献被浏览次数进行排序。

(三)知网节

提供单篇文献的详细信息和扩展信息浏览的页面被称为"知网节"。知网节是知识网络节点的简称。知网节以一篇文献作为其节点文献,知识网络的内容包括节点文献的题录摘要和相关文献链接。题录摘要在显示节点文献题录信息的同时,也提供了相关内容的链接。相关文献是与节点文献具有一定关系(如引证关系)的文献,知识节显示这些文献的篇名、出处,并提供这些文献知网节的链接。

知网节中的各项信息(包括题录摘要信息和相关文献信息)具有相应的链接意义或与节点文献的关系、研究功能和文献互动传播功能。链接意义说明了链接所指向的内容,研究功能说明了各项信息如何增强期刊的研究学习功能,文献互动传播功能描述了作者之间、期刊文献之间、读者之间的互动传播作用。

节点文献信息:包括篇名(中文/英文)、作者、作者单位、摘要(中文/英文)、关键词(中文/英文)、基金、文献出处、DOI、节点文献全文搜索、知网节下载,其中文献出处显示内容为刊名(中文/英文)、编辑部邮箱、年期。

知网节下载:点击后,生成的页面以题录的方式显示参考文献、引证文献、二级引证文献、共引文献、同被引文献、相似文献、文献分类导航等文献内容,点击打印,即打印当前页内容。

参考文献:反映本文研究工作的背景和依据。

引证文献:引用本文的文献,是本文研究工作的继续、应用、发展或评价。

共引文献:与本文有相同参考文献的文献,与本文有共同研究背景或依据。

同被引文献:与本文同时被作为参考文献引用的文献,与本文同时作为进一步研究的基础。

相似文献：与本文内容上较为接近的文献。

同行关注文献：与本文同时被多数读者关注的文献。同行关注较多的一批文献具有科学研究上的较强关联性。

文献分类导航：从导航的最底层可以看到与本文研究领域相同的文献，从上层导航可以浏览更多相关领域的文献。

本文链接的文献网络图示：包含本文的引文网络、本文的其他相关文献两部分，并以图形、题录的形式显示出来。

(四) 在线预览

知识发现网络平台（KDN）检索平台提供了原文的在线预览功能，极大地满足了读者的需求，由原来的"检索－下载－预览"三步走，变成"检索－预览"两步走，节省了读者的宝贵时间，让读者第一时间预览到原文，快捷方便。

单篇预览：在检索结果页面中，图标表示预览全文，点击之后即进入预览页面。在原文浏览页面中，点击左侧的会在页面的左侧显示了该篇文献所在的期刊以及年和期。点击期刊名则进入期刊导航功能。左侧的目录树显示了该期的所有文献，选中的文献则以红色标注，如果要浏览该期其他文献，直接点击目录即可。在页面的下方显示了该篇文献的相似文献和引证文献（期刊只显示期刊的相似和引证文献）等，点击文献名称则进入该篇文献的预览。

组合预览：在检索结果页面选中所需的文献（不超过 50 篇），点击"分析/阅读"，进入"文献管理中心－分析"页面，在此选中所需预览的文献，点击"阅读"便进入组合预览页面。组合预览仅支持期刊、博士、硕士、会议和年鉴等文献的组合。在组合预览的页面里，以目录的形式显示，对同一类型的文献进行了归类。

(五) 文献导出与全文下载

在检索结果页面选中所需文献（不超过 500 篇），点击"导出/参考文献"，进入"文献管理中心－导出"页面，点击"导出/参考文献"，进入"存盘"页面，选择对应的文献管理软件格式（如：CAJ-CD 格式引文、查新、CNKI E-Learning、Refworks、EndNote、NoteExpress、NoteFirst 及自定义等），导出相关文献的题录。在检索结果页面可以切换"切换到摘要"或"切换到列表"来阅读有关文献的摘要。

提供两种全文格式：CAJ 和 PDF，分别用 CAJViewer 和 Acrobat Reader 阅读器阅读。在检索结果页面点击即可下载 CAJ 格式的全文，也可以点击题名进入知网节页面选择 CAJ 或 PDF 格式全文。

(六) CNKI E-Learning 与 CNKI 学术趋势

CNKI E-Learning 数字化学习与研究平台，通过科学、高效地研读和管理文献（支持常用的文献格式，如 CAJ 文件（*.caj）、KDH 文件（*.kdh）、NH 文件（*.nh）、PDF 文件（*.pdf）、和 TEB 文件（*.teb），还可以将 Word 文件（*.doc，*.docx，*.dot，*.docm，*.rtf，*.dotx）、PowerPoint 文件（*.ppt，*.pptx）、Excel 文件（*.xls，*.xlsx）和文本文件（*.txt）自动转换为 PDF 文件阅读），以文献为出发点，厘清知识脉络、

探索未知领域、管理学习过程,最终实现探究式的终生学习。CNKI E-Learning 基于全球学术成果,为读者提供面向研究领域或课题收集、管理学术资料,深入研读文献,记录数字笔记等功能,实现面向研究主题的文献管理和知识管理,实现在线写作、求证引用、格式排版、选刊投稿等功能。

CNKI 学术趋势(如图 3-14 所示)是依据 CNKI 中国知识资源总库的海量文献及用户的使用情况提供的学术趋势分析。通过输入关键词检索,在"学术关注度"可以了解某研究领域随着时间的推移被学术界所关注的情况和某些经典文献在影响学术发展的潮流,在"用户关注度"可以了解一段时间内相关领域热门下载的文献。

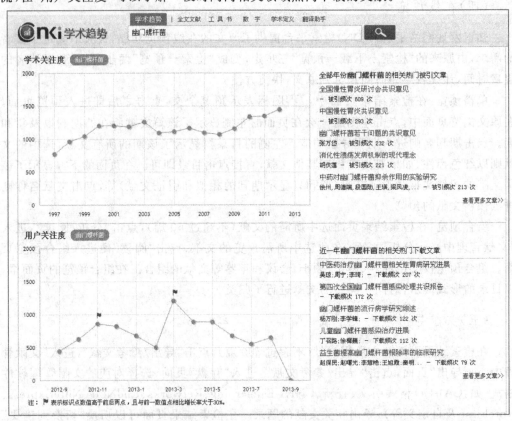

图 3-14 CNKI 学术趋势搜索

(吴义苗)

第二节 维普资讯

一、简介

重庆维普资讯有限公司(Vipinfo)是国内著名的科技资讯类软件企业,全文数据库提供商,隶属科学技术部西南信息中心。自1989年以来,致力于国内信息产业的发展,对期刊、报纸等文献进行科学严谨的研究,致力于信息资讯服务的深度开发和推广应用。主要产品有《中文科技期刊数据库》——全文版、文摘版、引文版、《外文科技期刊数据库》、《中国科技经济新闻数据库》、行业信息资源系统等。迄今为止,维普公司收录有中文报纸400种、中文期刊12000余种、外文期刊5000种;知识文章记录超过1500万篇,在教育、科研、生产领域有极其广泛的用户市场,在国内同行中处领先地位。维普数据库已成为我国图书情报、教育机构、科研院所等系统必不可少的基本工具和获取资料的重要来源。公司网站维普资讯网(http://www.cqvip.com;http://www.vipinfo.com.cn)已经成为国内科技资讯的专业门户服务网站。

《中文科技期刊数据库》(CSTJ)源于重庆维普资讯有限公司1989年创建的《中文科技期刊篇名数据库》,是全国最大的综合性文献数据库,其全文和题录文摘版一一对应,包含了1989年至今的12000余种期刊刊载的1200余万篇文献,并以每年150万篇的速度递增。按照《中国图书馆分类法》进行分类,所有文献被分为8个专辑:社会科学、自然科学、工程技术、农业科学、医药卫生、经济管理、教育科学和图书情报。8大专辑又细分为35个专题,见表3-2。

表3-2 中文科技期刊数据库专题分类

马克思主义、列宁主义、毛泽东思想、邓小平理论	哲学、宗教	社会科学	政治、法律
军事	语言、文字	文学、艺术	历史、地理
数理科学	化学	天文和地球科学	生物科学
金属学与金属工艺	机械和仪表工业	经济管理	一般工业技术
矿业工程	石油和天然气工业	冶金工业	能源与动力工程
原子能技术	教育科学	电器和电工技术	电子学和电信技术
自动化和计算机	化学工业	轻工业和手工业	建筑科学与工程
图书情报	航空航天	环境和安全科学	水利工程
交通运输	农业科学	医药卫生	

维普期刊资源整合服务平台,是中文科技期刊资源一站式检索及提供深度服务的平台,是一个由单纯提供原始文献信息服务过渡延伸到提供深层次知识服务的整合服务系统。维普期刊资源整合服务平台包含六个功能模块:期刊文献检索、文献引证追踪、科学指标分析、高被引析出文献、搜索引擎服务和论文检测。

二、检索途径及检索方法

(一)期刊文献检索

期刊文献检索功能模块是对原有《中文科技期刊数据库》(收录期刊总数12000余种,其中核心期刊1966种,全文保障文献3800余万篇,收录时间从1989年至今)检索查新及全文保障功能的有效继承,并进行检索流程梳理和功能优化,新增文献传递、检索历史、参考文献、基金资助、期刊被知名国内外数据库收录的最新情况查询、查询主题学科选择、在线阅读、全文快照、相似文献展示等功能。

期刊文献检索模块提供的检索方式有基本检索、传统检索、高级检索、期刊导航以及检索历史。

1. 基本检索

维普期刊资源整合服务平台首页默认功能模块为期刊文献检索的基本检索。检索方便快捷，可以对时间范围、期刊范围、学科范围等进行限定，可以选择包括任意字段、题名或关键词、题名、关键词、文摘、作者、第一作者、机构、刊名、分类号、参考文献、作者简介、基金资助、栏目信息等 14 个检索途径，如图 3-15 所示。

图 3-15 维普整合平台基本检索界面

2. 传统检索

指原网站的《中文科技期刊数据库》检索模式，经常使用本网站的老用户可以点击此链接进入检索界面进行检索操作，可进行中刊文章题录文摘浏览、下载及全文下载，如图 3-16 所示。

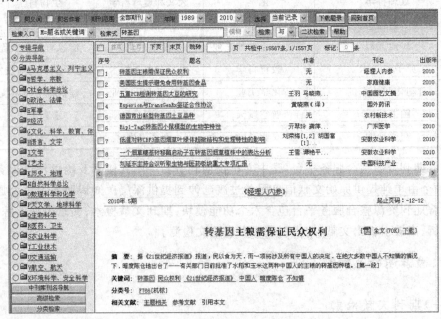

图 3-16 传统检索界面

3. 高级检索

提供向导式检索和直接输入检索式检索两种方式。运用逻辑组配关系，查找同时满足几个检索条件的中刊文章（如图3-17所示）。

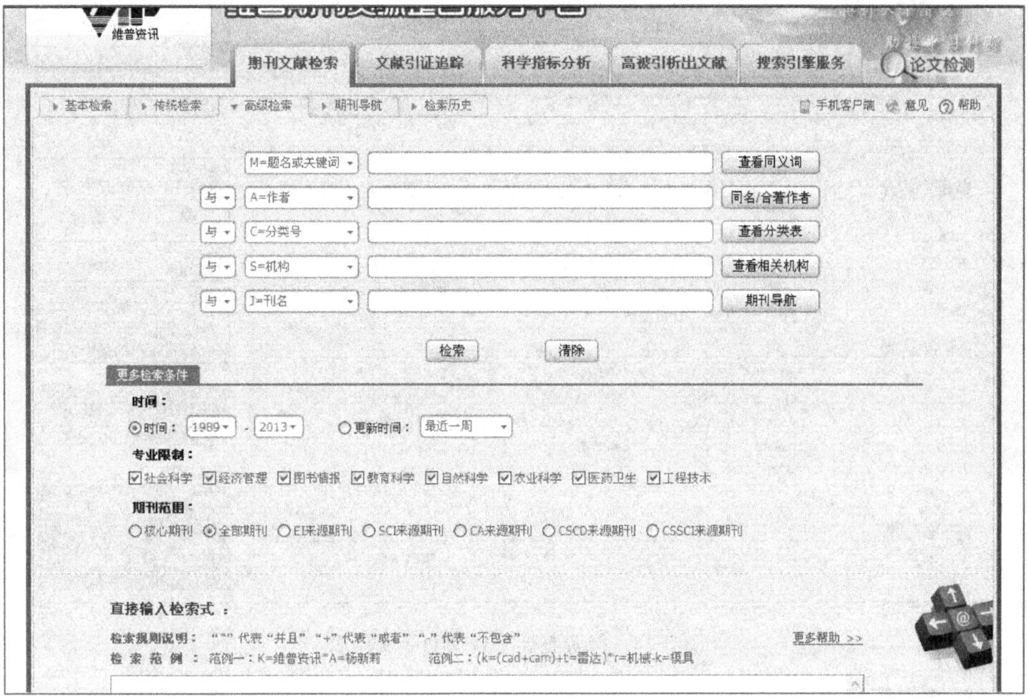

图 3-17 高级检索界面

4. 期刊导航

期刊导航分检索和浏览两种方式（如图3-18所示），检索方式提供刊名检索、ISSN号检索查找某一特定刊，按期次查看该刊的收录文章，可实现刊内文献检索、题录文摘或全文的下载功能，同时可以查看期刊评价报告；浏览方式提供按刊名字顺浏览、期刊学科分类导航、核心期刊导航、国内外数据库收录导航、期刊地区分布导航，其中新增核心期刊导航（按北大2004版核心期刊、北大2008版核心期刊、北大2011版核心期刊、中文社会科学引文索引、中国科学引文数据库、中国科技论文统计源期刊（中国科技核心期刊）、中国人文科学核心期刊要览（2008年版）7种遴选方式统计和浏览期刊列表），反映最新核心期刊收录情况，同时更新最新国内外知名数据库收录期刊情况。

图 3-18　维普整合平台期刊导航界面

5. 检索历史

系统对用户检索历史做自动保存,点击保存的检索式进行该检索式的重新检索或者"与、或、非"逻辑组配,如图 3-19 所示。

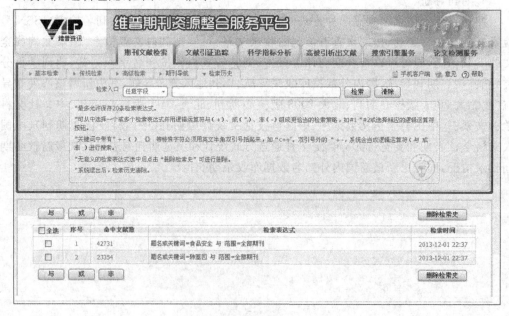

图 3-19　维普整合平台检索历史界面

(二)文献引证追踪

文献引证追踪维普期刊资源整合服务平台的重要组成部分,是目前国内规模最大的文摘和引文索引型数据库。该产品采用科学计量学中的引文分析方法,对文献之间的引证关系进行深度数据挖掘,除提供基本的引文检索功能外,还提供基于作者、机构、期刊的引用统计分析功能(见表3-3),广泛适用于教学、科研、情报分析等领域,如课题调研、科技查新、项目评估、成果申报、人才选拔、科研管理、期刊投稿等用途。该功能模块现包含维普所有的中文科技期刊数据,引文数据回溯加工至2000年,除帮助客户实现强大的引文分析功能外,还采用数据链接机制实现到维普资讯系列产品的功能对接,极大提高资源利用效率。

表3-3 文献引证追踪功能

用户类型	主要用途	具体方法
科研人员	开题调研 撰写论文 期刊投稿 科研交流 工作深造	• 以一个关键词、一篇文献、一位作者、一所机构、一本期刊为检索词,同时进行来源文献和被引文献的双重检索,全面获取研究思路,激发创新选题 • 对一组相关文献进行引用追踪,分析课题历年来的发展趋势 • 集成多种文献类型被引信息,只需一次检索即可获得来自期刊论文、图书专著、学位论文、专利、标准、会议论文的重要信息内容 • 作者索引定位查询,自我评估科研成果影响力 • 查看作者H指数图示是评价个人科研绩效的又一途径 • 按学科浏览作者,发现研究领域相关的合作者或竞争对手,进一步查看详细信息,可了解其过往发文和被引情况 • 按学科浏览期刊,比较各期刊发文范围和影响力情况,选择合适期刊进行投稿 • 按学科浏览机构,挑选深造或工作的机构
编辑出版人员	选题策划 邀稿审稿 期刊评价	• 基本检索获取刊物领域的出版信息和学术发展动态,调整选题策划 • 作者索引中按学科浏览核心专家群,帮助出版社有针对性地邀稿或遴选编委会 • 对来稿文章或主题进行参考文献汇总和引用追踪,辅助审稿人员判断稿件的价值 • 作者索引定位查询,快速、全面了解作者信息和学术背景 • 期刊索引获取所关注出版物及其载文的被引情况,有助期刊评价
科研管理人员	项目申请 资源配置 人才评价 合作研究	• 机构索引中定位查询机构档案,了解机构研究领域分布和影响力情况,优化资源配置,提高研究产出能力 • 通过对机构背景信息和科研产出的精心维护和统计,有助于机构展示科研成果,提升研究声誉 • 查看机构科研成果详细情况,为机构申请项目或评估项目提供更直接更客观的决策参考数据 • 按学科浏览核心专家群或查看机构内的作者数及详细情况,为科研管理人员引进人才和选拔人才提供参考 • 按学科浏览机构,发现潜在合作机构,开展研究合作
图书馆员	信息咨询 定题服务 科技查新 馆藏建设	• 向前向后的参考文献回溯和引证文献追踪,有助于图书馆开展深层次高质量的信息咨询服务、定题服务、科技查新服务 • 经整理与分析统计作者、机构、期刊索引,同时也帮助图书馆员提高服务效率 • 通过查看和对比各学科分类下期刊的科研产出与学术影响详细信息,有助于图书馆建设馆藏文献

文献引证追踪模块提供的检索方式有：基本检索、作者索引、机构索引、期刊索引。

1. 基本检索

文献引证追踪功能模块默认的检索方式，针对所有文献按被引情况进行检索，快速定位相关信息。基本检索步骤为：第一步，登录《期刊资源整合服务系统》登录系统后，选择文献引证追踪功能模块，默认检索方式为基本检索；第二步，检索条件限定，在基本检索首页使用下拉菜单选择时间范围、期刊范围、学科范围等检索限定条件；第三步，输入检索词，选择检索入口，输入题名、关键词、作者、刊名等检索内容条件，检索对象不区分源文献或参考文献；第四步，进行检索，点击"检索"进入检索结果页，查看检索结果题录列表，反复修正检索策略得到最终检索结果；第五步，检索结果操作，检索结果按文献被引量排序分析出有价值文献，勾选多篇文献同时查看"参考文献"、"引证文献"等引用追踪功能；第六步，查看引文文献细览页，从一篇高质量的文献出发通过"参考文献"或者"引证文献"抑或是"耦合文献"的查询来获取科学研究的发展脉络。

在基本检索首页可以进行如下操作，如图 3-20 所示。

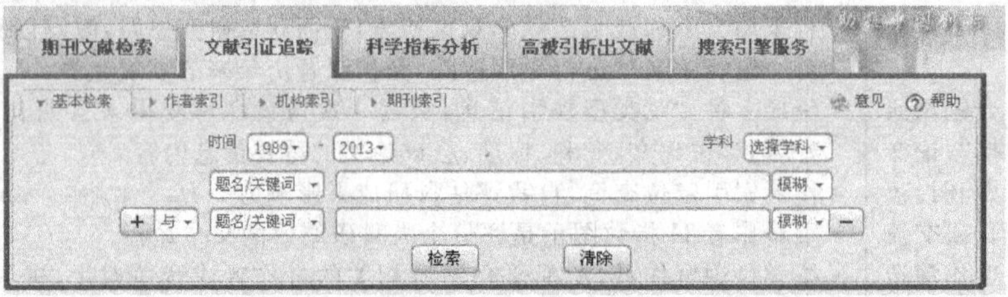

图 3-20 文献引证追踪界面

时间范围限定：使用下拉菜单的选择，时间范围是 1989-2010。

期刊范围限定：可选全部期刊、核心期刊、EI 来源期刊、CA 来源期刊、CSCD 来源期刊、CSSCI 来源期刊。

学科范围限定：包括管理学、经济学、图书情报学等 45 个学科，勾选复选框可进行多个学科的限定。

选择检索入口：任意字段、题名或关键词、题名、关键词、文摘、作者、第一作者、机构、刊名、分类号、参考文献、作者简介、基金资助、栏目信息 14 个检索入口。

逻辑组配：检索框默认为 2 行，点"＋、－"可增加或减少检索框，进行任意检索入口"与、或、非"的逻辑组配检索。

检索：点击检索按钮进行检索或点击清除按钮清除输入，进入检索结果页。

在检索结果页可以进行如下操作，如图 3-21 所示。

显示信息：检索结果记录数、检索式、默认显示被引期刊论文检索结果的题名、作者、年代、出处、被引量，其中检索结果排序方式按被引量倒排，点击"显示文摘"在当前页展开文摘信息。

引用追踪：选中检索结果题录列表前的复选框，可以对一篇或多篇文献同时查看"参考文献"、"引证文献"等引用追踪功能。

查看细览：点击文献题名进入引文文献细览页，查看该引文的详细信息和知识节点链接。

检索：可以进行重新检索，也可以在第一次的检索结果基础上进行二次检索（在结果中检索），按需缩小检索范围、精练检索结果。

图 3-21　文献引证追踪检索结果界面

页间跳转：检索结果每页默认显示 20 条，也可选择显示 50 条，如果想在页间进行跳转，可以点击页间跳转一行的相应链接，如首页、上一页、下一页、尾页，或直接输入页码点击"跳转"。

查看其他类型有价值文献：通过切换标签到"被引图书专著"、"被引学位论文"等，可以对其他类型的有价值文献做析出。

整合服务："期刊全文"标签链接到"期刊文献检索"相应检索结果页；题名下"高被引论文"标志可定位到"科学指标分析"模块的相应页面。

在引文文献细览页面（如图 3-22 所示）可以进行如下操作：

显示信息：题名、作者、机构地区、出处、基金、摘要、关键词、分类号、参考文献、引证文献、耦合文献。

节点链接：通过作者、机构地区、出处、关键词、分类号、参考文献、引证文献、耦合文献提供的链接可检索相关知识点的信息，其中从一篇高质量的文献出发查看参考文献、引证文献、耦合文献可以获取科学研究的发展脉络。

索引查询：作者、机构地区、出处字段有"索引"标志的可以链接到相应作者索引、机构索引、期刊索引的细览页，查看其详细信息。

整合服务："查看全文"按钮链接到"期刊文献检索"模块该文献细览页；"高影响力作者"、"高影响力机构"、"高影响力期刊"、"高被引论文"按钮链接"科学指标分析"模块的相应页面。

医学信息检索

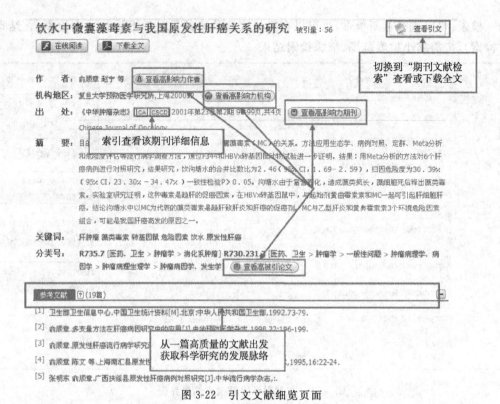

图 3-22 引文文献细览页面

2. 作者索引

提供关于作者的科研产出与引用分析统计,检索并查看作者的学术研究情况。作者索引(如图 3-23 所示)步骤为:第一步,登录《期刊资源整合服务系统》登录系统后,选择文献引证追踪功能模块,选择作者索引检索方式;第二步,检索或浏览,输入作者姓名进行检索或按拼音浏览、按学科浏览作者索引结果,列表按被引量倒序排列;第三步,选中特定作者查看详细信息,在作者索引结果页中选择感兴趣的作者,点击"详细信息"进入作者细览页;第四步,引文分析,在特定作者细览页查看发文量、被引次数及引用追踪、查看 H 指数可以进行基于作者的引文分析。

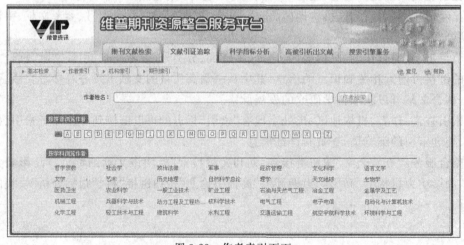

图 3-23 作者索引页面

3. 机构索引

提供关于机构的科研产出与引用分析统计，全面了解机构的科研实力。机构索引（如图 3-24 所示）步骤为：第一步，登录《期刊资源整合服务系统》登录系统后，选择文献引证追踪功能模块，选择机构索引检索方式；第二步，检索或浏览，输入机构名称进行检索或按拼音浏览、按学科浏览机构索引结果，列表按被引量倒序排列；第三步，选中特定机构查看详细信息，在机构索引结果页中选择感兴趣的机构，点击"详细信息"进入机构细览页；第四步，统计分析，在特定机构细览页查看发文量、作者数统计及对发表论文做细分导读、发文学科分布等。

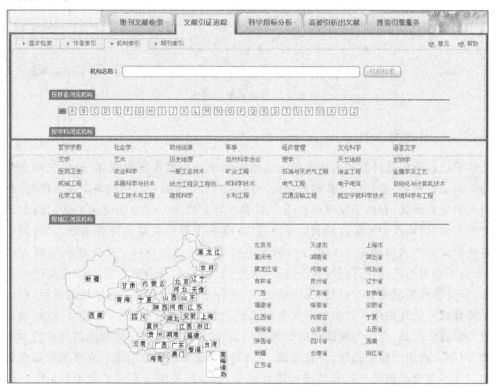

图 3-24　机构索引界面

4. 期刊索引

提供关于期刊的科研产出与引用分析统计，全面展示期刊的学术贡献与影响力。期刊索引（如图 3-25 所示）步骤为：第一步，登录《期刊资源整合服务系统》登录系统后，选择文献引证追踪功能模块，选择期刊索引检索方式；第二步，检索或浏览，输入期刊姓名进行检索或按拼音浏览、按学科浏览期刊索引结果，列表按被引量倒序排列；第三步，选中特定期刊查看详细信息，在期刊索引结果页中选择感兴趣的期刊，点击"详细信息"进入期刊细览页；第四步，引文分析，在特定期刊细览页查看期刊每一年的发文量和被引量，按期刊出版年代对文章做引用追踪。

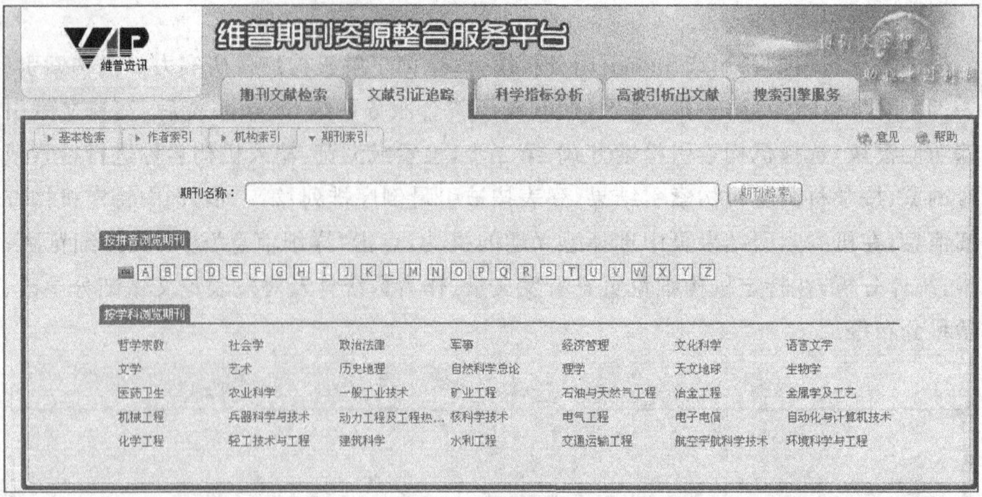

图 3-25 期刊索引界面

(三)科学指标分析

科学指标分析是目前国内规模最大的动态连续分析型事实数据库,提供三次文献情报加工的知识服务,通过引文数据分析揭示国内近 200 个细分学科的科学发展趋势,衡量国内科学研究绩效,有助于显著提高用户的学习研究效率。该功能模块是运用科学计量学有关方法,以维普中文科技期刊数据库近 10 年的千万篇文献为计算基础,对我国近年来科技论文的产出和影响力及其分布情况进行客观描述和统计。从宏观到微观逐层展开,分析了省市地区、高等院校、科研院所、医疗机构、各学科专家学者等的论文产出和影响力,并以学科领域为引导,展示我国最近 10 年各学科领域最受关注的研究成果,揭示不同学科领域中研究机构的分布状态及重要文献产出,是致力于为用户提供具有高端分析价值的精细化产品,专门为辅助科研管理部门、科研研究人员等了解我国的科技发展动态而倾力打造,适用于课题调研、科技查新、项目评估、成果申报等用途。同样采用数据链接机制实现维普资讯系列产品的功能对接及定位,显著提高资源利用的效率(如图 3-26 至图 3-31 所示)。主要作用有:①学科发展的趋势动态信息;②学科领域里被高度关注的发展方向和前沿研究;③研究机构的重要研究成果和研究产出效益分析;④各研究领域的专家团队和重要研究成果;⑤各学科专业期刊的贡献分析和高影响力论文汇总;⑥各地区科研产出成果和产出投资回报效益分析。

(四)高被引析出文献

高被引析出文献是一个基于期刊参考文献筛选出的一次文献资源产品模块。从国内出版的 12000 多本期刊,近 20 年的 9000 余万条参考文献中,解析出 800 万篇各个领域中高被引量的文献资源,并提供这些文献的全文资源保障,包括学位论文、会议论文、标准、专利、图书等,以帮助用户更便捷地利用这些被其他研究者高度关注的析出文献资源。主要特点有:(1)全覆盖。覆盖中国出版期刊近 20 年的高质量参考文献,反证数据最早回溯到 1963 年。(2)多类型。涉及学位论文、会议论文、标准、专利、图书多种类型的析出文献资源。(3)高质量。精心梳理,关键词、出处、学科等多个方面重点展现,突出高关注度的析出文献的科研价值。(4)高时效。数据每双月更新,及时提供最新文后参考文献析出资源。

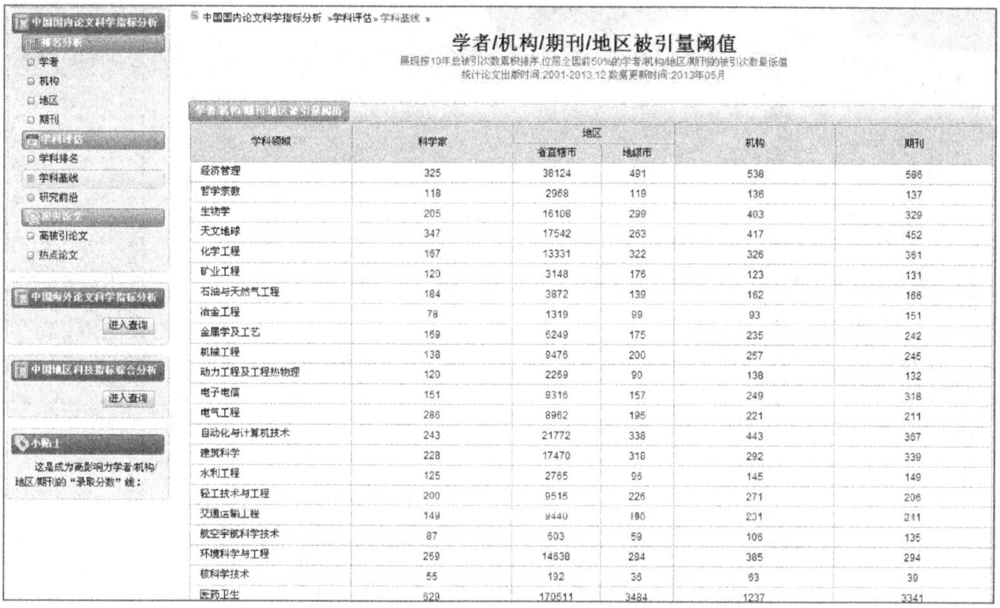

学科领域	科学家	地区		机构	期刊
		省直辖市	地级市		
经济管理	325	38124	491	538	586
哲学宗教	118	2968	119	136	137
生物学	205	16108	299	403	329
天文地球	347	17542	263	417	452
化学工程	167	13331	322	326	361
矿业工程	120	3148	176	123	131
石油与天然气工程	184	3872	139	162	166
冶金工程	78	1319	99	93	151
金属学及工艺	169	6249	175	235	242
机械工程	138	9476	200	257	245
动力工程及工程热物理	120	2269	90	138	132
电子电信	151	9316	157	249	318
电气工程	286	8962	195	221	211
自动化与计算机技术	243	21772	338	443	367
建筑科学	228	17470	318	292	339
水利工程	125	2765	96	145	149
轻工技术与工程	200	9515	226	271	206
交通运输工程	149	9440	180	231	211
航空宇航科学技术	87	603	59	106	135
环境科学与工程	269	14638	284	385	294
核科学技术	55	192	36	63	39
医药卫生	629	170511	3484	1237	3341

图 3-26 科学指标分析之被引量阈值

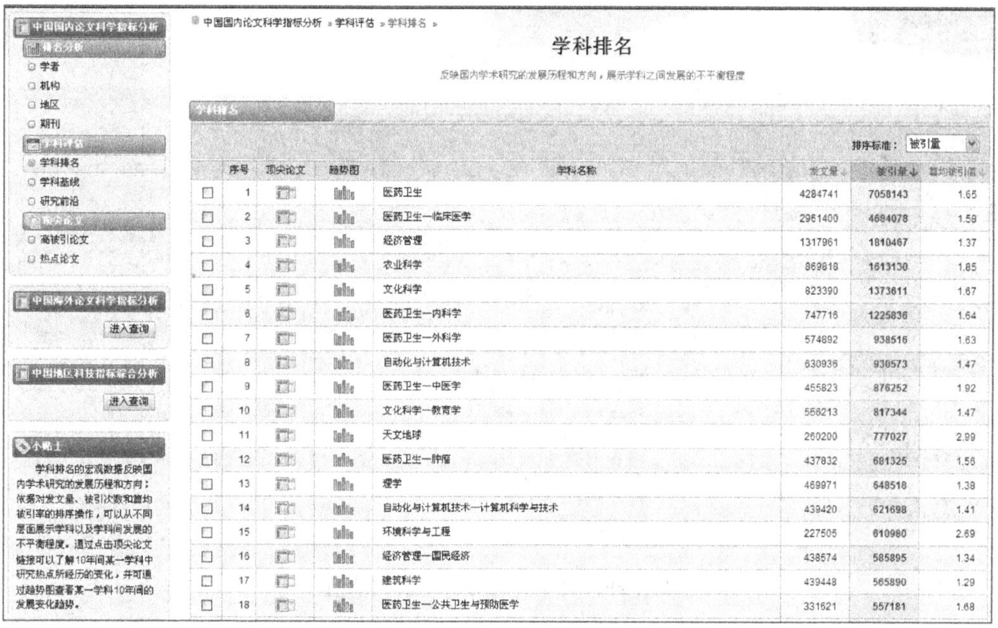

	序号	顶尖论文	趋势图	学科名称	发文量	被引量	篇均被引值
□	1			医药卫生	4284741	7058143	1.65
□	2			医药卫生—临床医学	2961400	4684078	1.58
□	3			经济管理	1317961	1810467	1.37
□	4			农业科学	869818	1613130	1.85
□	5			文化科学	823390	1373611	1.67
□	6			医药卫生—内科学	747716	1225836	1.64
□	7			医药卫生—外科学	574892	938516	1.63
□	8			自动化与计算机技术	630936	930573	1.47
□	9			医药卫生—中医学	455823	876252	1.92
□	10			文化科学—教育学	556213	817344	1.47
□	11			天文地球	260200	777027	2.99
□	12			医药卫生—肿瘤	437832	681325	1.56
□	13			理学	469971	648518	1.38
□	14			自动化与计算机技术—计算机科学与技术	439420	621698	1.41
□	15			环境科学与工程	227505	610980	2.69
□	16			经济管理—国民经济	438574	585895	1.34
□	17			建筑科学	439448	565890	1.29
□	18			医药卫生—公共卫生与预防医学	331621	557181	1.68

图 3-27 科学指标分析之学科排名

图 3-28 科学指标分析之学科平均被引值基线

图 3-29 科学指标分析之研究前沿

图 3-30　科学指标分析之高被引论文

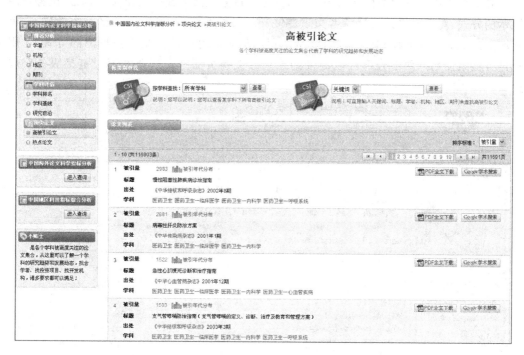

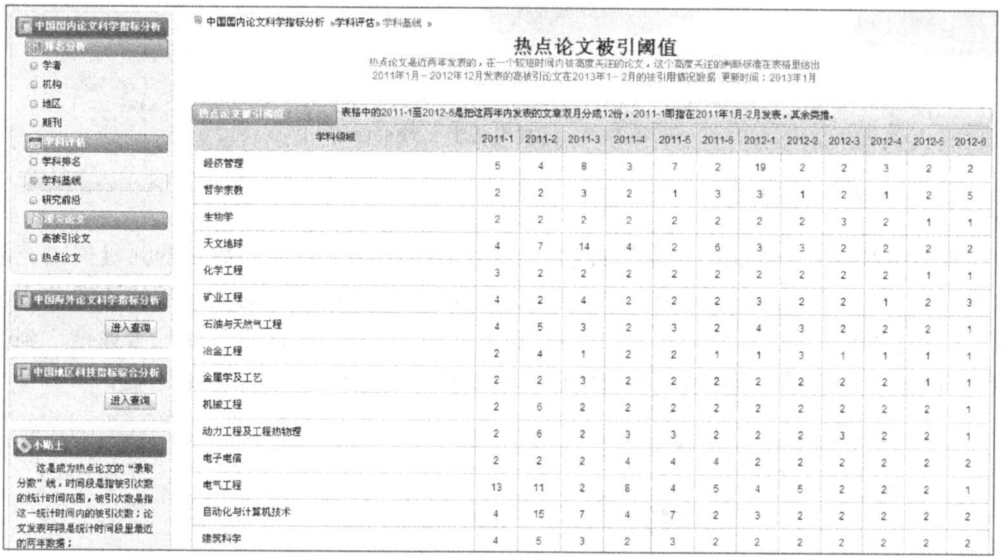

学科领域	2011-1	2011-2	2011-3	2011-4	2011-5	2011-6	2012-1	2012-2	2012-3	2012-4	2012-5	2012-6
经济管理	5	4	8	3	7	2	19	2	2	3	2	2
哲学宗教	2	2	3	2	1	3	3	1	2	1	2	5
生物学	2	2	2	2	2	2	2	2	3	2	1	1
天文地球	4	7	14	4	2	6	3	3	2	2	2	2
化学工程	3	2	2	2	2	2	2	2	2	2	1	1
矿业工程	4	2	4	2	2	2	3	2	2	1	2	3
石油与天然气工程	4	5	3	2	3	2	4	3	2	2	2	1
冶金工程	2	4	1	2	2	1	1	3	1	1	1	1
金属学及工艺	2	2	3	2	2	2	2	2	2	2	1	1
机械工程	2	6	2	2	2	2	2	2	2	2	2	1
动力工程及工程热物理	2	6	2	3	3	2	2	2	3	2	2	1
电子电信	2	2	2	4	4	4	2	2	2	2	2	2
电气工程	13	11	2	8	4	5	4	5	2	2	2	1
自动化与计算机技术	4	15	7	4	7	2	3	2	2	2	2	2
建筑科学	4	5	3	2	3	2	2	2	2	2	2	2

图 3-31　科学指标分析之热点论文被引阈值

高被引析出文献分为两个部分,一部分是经过整理的高被引析出文献,通过优势资源展示的方式,对千万级的文后参考文献提供资源引导性服务,尽可能地将一个学科、一个领域的最受关注的非期刊内参考文献资源展示出来。另一部分是以数据库的方式,供用户进行检索使用。两部分都可以链接到独立的文摘页面查看摘要及通过链接服务获取全文。

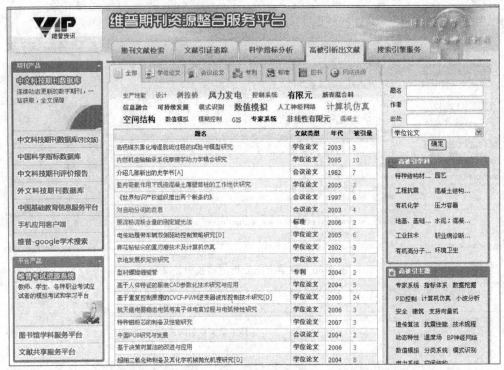

图 3-32　高被引析出文献页面

（五）搜索引擎服务

搜索引擎服务为机构用户基于谷歌、百度搜索引擎与维普期刊数据的无缝嵌入产品解决方案,面向机构用户提供扩充"云服务"的辐射范围的工具,既是灵活的资源使用模式,也是图书馆服务的有力交互推广渠道;通过开通该服务,可以使图书馆服务推广到读者环境中去——读者在哪里,图书馆的服务就在哪里,让图书馆服务无处不在。

图 3-33　搜索引擎服务

(吴义苗)

第三节 万方医学网

一、概况

万方医学网(http://med.wanfangdata.com.cn/)是万方数据秉承开放联合、专业精深的理念,联合国内权威医学机构、医学期刊编辑部、医学专家,采用先进的信息技术对各类信息进行有效整合,推出的旨在关注医学发展,关注全民健康,面向广大医院、医学院校、科研机构、药械企业及医疗卫生从业人员的医学信息整合服务平台。

万方医学网主要收录中文医学期刊全文资源,内容覆盖医学各个分支领域,且独家收录中华医学会系列期刊和中国医师协会的系列期刊全文资源;此外还收录有大量的医学学位和会议论文资源(见表3-4)。万方医学网可在线检索4000余种NSTL(国家科技图书文献中心)外文医学期刊资源,并提供1000余种国外医学OA期刊的链接。

表3-4 万方医学网收录资源分类

资源类型	资源种类	资源数量
期刊论文	中文期刊论文	380余万篇
	外文期刊论文	455余万篇
	中文合作期刊	1000余种
	外文合作期刊	4000余种
	中华医学会、中医师协会等独家合作期刊	220余种
学位、会议论文	学位论文题录	约30万条
	学位论文全文	14余万篇
	会议论文题录	20余万条
	会议论文全文	20余万篇
视频	医学相关视频	930部,约700小时
学术空间	作者学术空间(发文量>=5的作者)	49余万个
	机构学术空间(发文量>=5的机构)	7余万个
DOI	DOI注册量	30余万条
	DOI链接量	400余万条

二、检索途径、方法与结果处理

万方医学网的首页(http://med.wanfangdata.com.cn)各部分介绍(如图3-34所示)如下。

万方医学网提供了快速检索、论文检索、期刊检索与导航、关键词检索与导航、作者检索与导航、机构检索与导航以及基金检索与导航七种类型的检索功能,并提供中华医学会和中国医师协会检索专区。

图 3-34　万方医学网首页

（一）快速检索

快速检索是专为普通用户提供的检索方式，使用检索词检索。万方医学网的一框式快速检索区可以检索包括论文、期刊、关键词、作者、机构、基金、DOI 在内的七个检索字段，用户可以根据自己的需求选择相应的方式进行检索。一框式快速检索区如图 3-35 所示。

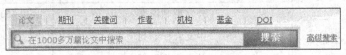

图 3-35　快速检索界面

论文检索：默认为论文检索中的中外文论文混合检索。
期刊检索：默认为期刊检索中的中文期刊检索。
关键词检索：默认为进行以输入的字段为关键词的中外文检索。
作者检索：默认为作者导航中的作者检索。
机构检索：默认为机构导航中的机构检索。
基金检索：默认为基金导航中的基金检索。
DOI 检索：默认为进行 DOI 检索。

（二）论文检索

论文检索提供包括中文期刊论文、学位论文、会议论文、NSTL 论文和 MeSH 的检索，万方医学网提供六种检索方式，分别是：跨库检索、期刊检索、学位检索、会议检索、外文检索和 MeSH 检索，如图 3-36 所示。本节主要要以论文检索为例介绍。

期刊检索主要在万方医学网收录的中文期刊论文中进行检索，主要步骤是：

1. 选择检索文献范围

数据库列表中包含中文期刊论文、中文学位论文、中文会议论文、NSTL 外文生物医学论文、PubMed 生物医学论文、OA 期刊论文（PMC、BMC、DOIA）和图书馆馆藏论文七大数据库,读者可根据需求筛选数据库类型。在检索选择区选择所检文献的类型,点击期刊检索。

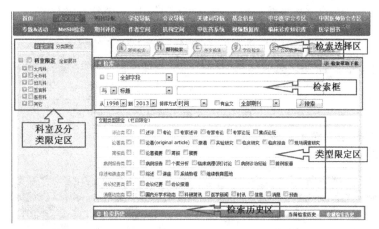

图 3-36　论文检索页面

2. 确定检索词和检索式

以"肝炎"为例,在检索框中输入"肝炎",检索支持布尔逻辑检索,可将多个检索词用"与、或、非"三个逻辑连接词连接起来一起检索,以达到更高的检准率。

3. 检索结果限定

在期刊检索中可以对检索结果进行限定,这些限定主要有六种:①结果所属科室限定;②结果所属分类限定;③检出论文所属期刊限定;④结果列表排列方式限定;⑤检出文献类型限定;⑥时间范围限定,如图 3-37 至图 3-39 所示。

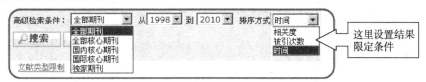

图 3-37　期刊类型、时间范围及排列方式限定

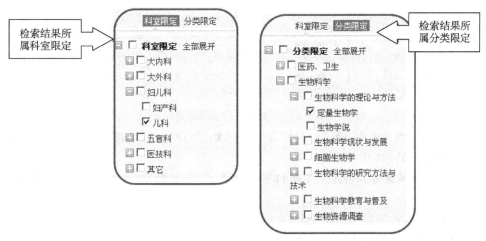

图 3-38　所属科室和分类限定

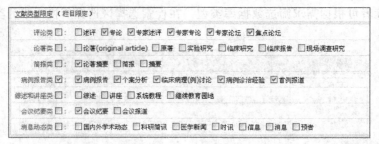

图 3-39　文献类型限定

4. 点击检索,进入结果列表界面

检索结果列表界面如图 3-40 所示。

图 3-40　期刊论文检索结果页面

在结果列表的界面中,除了检索结果列表之外,还有"文献结果聚类分析区"和"相关检索区"功能区,具体功能如下:

(1) 文献结果聚类分析区。主要包括论文类型、科室聚类、分类聚类、刊名聚类和时间聚类。

①论文类型:按照论文类型(期刊、学会、会议)进行归类统计。

②科室聚类:将检出的所有论文按照科室进行数据统计。

③分类聚类:将检出的所有论文按照事先规定好的分类方式进行数据统计。

④刊名聚类:按照论文所属刊物进行归类统计,从高到低排列。

⑤时间聚类:按照论文发表时间归类统计在本区中,点击相应的选项,如年份、刊物名等,可以直接查看相应类别中的论文结果。

(2)相关检索区。主要包括四块:相关主题词、相关检索词、相关专家、相关机构。

①相关主题词:即与用户检索词相匹配的 MeSH 主题词列表。

②相关检索词:即用户所检索关键词的下一级词或同义词或标准用法(主题词),如本例中"肝炎"的下级词"乙型肝炎"等。

③相关专家:主要是列举出所检出的论文中出现次数比较多的相关领域专家。

④相关机构:列举所检出论文中发文次数较多的相关领域研究机构。

5. 论文信息页面

论文信息页面如图 3-41 所示,各块功能介绍如下。

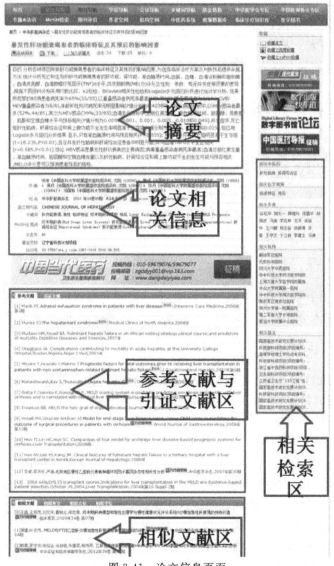

图 3-41 论文信息页面

(1)论文摘要。介绍该篇论文的主要内容,主要包括研究目的、方法、结果等内容。

(2)论文相关信息。列举论文作者、论文发表的刊名、英文期刊名、论文关键词等论文相关信息。

(3)参考文献与引证文献区。列举论文所有的参考文献和引证文献。

(4)相似文献、相似外文、相似会议、相似学位。列举相似的中外文文献、会议报告、学位论文。

(5)相关检索区:本区包括了相关作者、相关机构、相关基金三块。各块功能如下:

①相关作者:列举该论文所研究范围内部分相关专家,方便查找。

②相关机构:论文研究领域发文量较大的机构列举。

③相关基金:论文所研究的领域内相关基金课题。

(三)期刊导航与检索

期刊导航设有期刊搜索、国外期刊导航和中国期刊导航三种方式。

期刊搜索。在输入框内输入中英文刊名、ISSN、CN、或主办单位,选择中国期刊或国外期刊,进行查找该刊上发表的文献。

国外期刊导航。分学科分类、国外数据库收录和刊名首字母三种方式查找。

中国期刊导航。分学科分类、国外数据库收录、国内收录评价、主管单位分类、主办单位分类、编辑部所在地和刊名首字母多种方式查找。

(四)学位导航与检索

学位导航设有学位搜索、论文学科导航、院校所在地导航和机构类别导航四种方式。学位搜索方式为:在输入框内输入学位论文的标题、作者、导师、专业或关键词,查找所需的学位论文。

(五)会议导航

会议导航设有会议搜索、会议主办单位、会议时间和会议地点四种查找方式。会议搜索:在输入框内输入会议论文的标题、作者、会议名称或关键词,查找所需的会议论文。

(六)MeSH 主题检索

读者对课题进行详尽分析,完全理解课题研究内容,确定检索策略与检索词后,即可通过 MeSH 主题词检索(如图 3-42 所示),对符合 MeSH 主题词表的检索词进行初检及正式检索工作。

点击登录,输入正确的用户名与密码,进入 MeSH 检索的首页。如图 3-43 所示。

主题词是经过规范化处理并记录在词表中,用于表达文献主题的词。相比自由词检索,主题词检索文献的结果更具有针对性。MeSH 主题检索利用检索框检索主要步骤有:

①在检索框中输入 MeSH 主题词进行检索。

②点击查看相关论文,进入论文列表界面。

③勾选副主题词,缩小检索范围,再次进入论文列表界面。

④选择论文,点击标题进入论文信息页面并阅读下载。

第三章　全文数据库

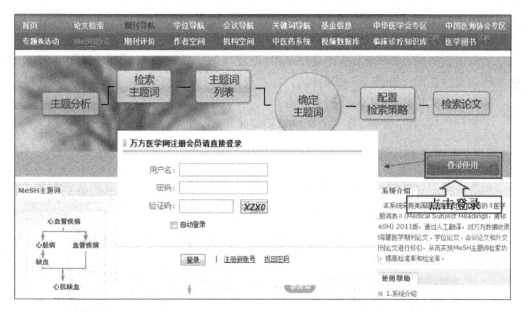

图 3-42　MeSH 主题检索

图 3-43　MeSH 主题检索界面

MeSH 主题检索利用利用主题词树检索主要步骤有：

①根据树状结构的上下位隶属关系，确定主题词。

②点击主题词，进入副主题词选择界面，设置与该主题词搭配的副主题词，扩大文献的主题词表述范围。选择是否扩展检索后，可直接进行论文检索。

③点击论文检索，进入论文列表界面。

④选择论文，点击标题，进入论文信息页面并阅读下载。

（七）临床诊疗知识库

临床诊疗知识库（如图 3-44 所示）是以疾病、症状、检查、药品、指南和病例报告为基础，通过整合设计关联知识点，方便医生查找相关知识及病例报告，辅助医生临床诊断。

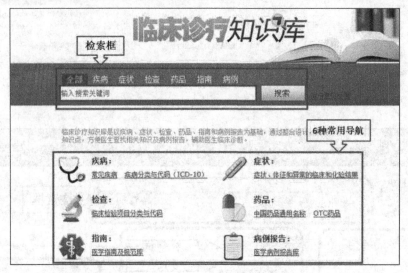

图 3-44　临床诊疗知识库

临床诊疗系统的一框式快速检索区可以检索包括疾病、症状、检查、药品、指南、病例在内的六个检索字段，用户可以根据自己的需求选择相应的方式进行检索。一框式快速检索区如图 3-45 所示。

图 3-45　临床诊疗系统一框式检索

其中，各选项卡所对应的检索方式如下：

全部：默认为所有数据信息的混合检索。

疾病：默认为在常见疾病、疾病分类与代码（ICD-10）中检索。

病症：默认为在症状、体征和异常的临床和化验结果中检索。

检查：默认为在临床检验项目分类与代码中检索。

药品：默认为在中国药品通用名称与 OTC 药品中检索。

指南：默认为在医学指南及规范库中检索。

病例:默认为在医学病例报告库中检索。

以输入某种疾病进入检索页面,该页面有如下功能:

①疾病导航:直接在该疾病的疾病知识、指南规范及病理报告中跳转。

②疾病知识:详尽介绍了该疾病的概述、病因病机、临床表现、临床检查、鉴别诊断、常见并发症、临床治疗、疾病护理及预防方案,每个项目都可以在界面上展开或收起。

③指南及规范:显示疾病对应的指南及规范。

④病例报告:显示疾病对应的病例报告。

⑤相关知识:与该疾病相关的症状、检查及药品方面的知识。

此外还有作者导航与检索、关键词导航与检索、基金信息导航与检索、中华医学会专区、中国医师协会专区以及期刊评价系统。检索方法类似,在此不一一累述。

(吴义苗)

第四节　EBSCO 全文数据库

一、概述

EBSCOhost 是 EBSCO 公司 1994 年推出的多学科数据库检索系统,网址为 http://search.ebscohost.com/(如图 3-46 所示)。目前 EBSCOhost 中的子数据库(如图 3-47 所示)主要有:

图 3-46　EBSCOhost 数据库首页

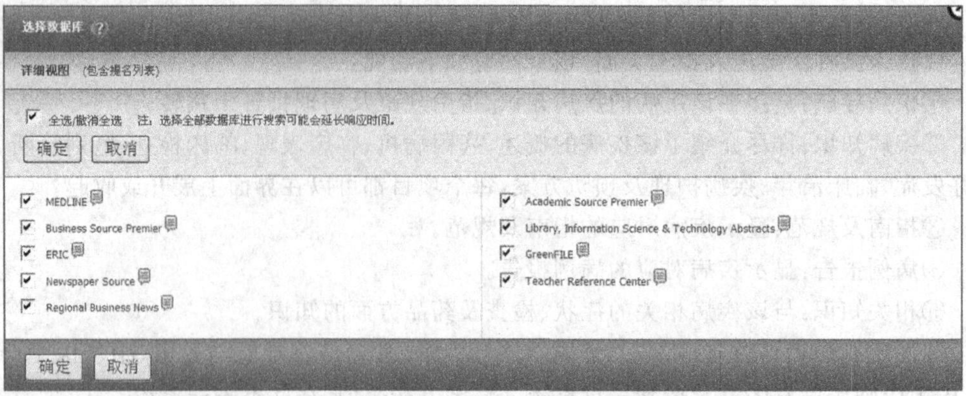

图 3-47　EBSCOhost 数据库选择界面

1. Academic Source Priemer(ASP)

学术参考类(商学除外)全文数据库,涵盖学术研究领域包括政治、信息科学、物理、化学、科技、工程、教育、艺术、文学、语言学、医药学及妇女研究、护理、人文社会研究等刊物。共计逾 8400 种期刊的索引及摘要,逾 4500 种的全文期刊(最早回溯至 1975 年),其中同行评价(peer-reviewed)全文期刊逾 3745 种,逾 1500 种全文期刊同时收录在 ISI 的 Web of Science,每月更新。

2. Business Source Premier(BSP)

商业资源数据库,涵盖商业相关领域的议题,如财务金融、经济、银行、国际贸易、管理、业务营销、商业理论与实务、房地产、产业报导等。收录 9680 种以上刊物的索引及摘要,逾 8770 种的出版品有全文资料,其中全文期刊 2300 余种,部分全文期刊可回溯至 1965 年或更早,其中包括 Harvard Business Review(回溯至 1922 年)及 Quarterly Journal of Economics(回溯至 1886 年)。EBSCO Publishing 出版的商学数据库近几年开始成为欧美各商管财经学院教授及研究学者指定必备的商管财经全文数据库。

3. MEDLINE

MEDLINE 提供了有关医学、护理、牙科、兽医、医疗保健制度、临床前科学及其他方面的权威医学信息。MEDLINE 由 National Library of Medicine 创建,采用了包含树、树层次结构、副标题及激增功能的 MeSH(医学主题词表)索引方法,可从 4800 多种当前生物医学期刊中检索引文。

4. Education Resource Information Center(ERIC)

教育资源信息中心,包含超过 1300000 条记录和 323000 多篇全文文档的链接,时间可追溯至 1966 年。

5. Library, Information Science & Technology Abstracts(LISTA,图书馆学、信息科学与技术文摘)

提供 20 世纪 60 年代中期至今的超过 560 种核心期刊、近 50 种优秀期刊、近 125 种精选期刊以及书籍、研究报告和记录的索引,主题涵盖图书馆、分类、编目、书目计量、在线信息检索和信息管理等。

6. GreenFILE(绿色文库)

GreenFILE 提供人类对环境所产生的各方面影响的深入研究信息。其学术、政府及关系到公众利益的标题包括全球变暖、绿色建筑、污染、可持续农业、再生能源、资源回收等。本数据库提供近 384000 条记录的索引与摘要,以及 4700 多条记录的 Open Access 全文。

7. Newspaper Source(报纸集成)

Newspaper Source 完整收录了 40 多种美国和国际报纸以及精选的 389 种美国宗教报纸全文,此外,还提供电视和广播新闻脚本。

8. Teacher Reference Center(教师参考中心)

Teacher Reference Center 提供 280 多本最畅销的教师和管理员期刊和杂志的索引和摘要,旨在为职业教育者提供帮助。

二、检索途径与方法

EBSCOhost 主要提供基本检索、高级检索、视觉搜索三种检索界面,并提供关键词(Key word)、出版物(Publication)、科目术语(Subject Terms)、参考文献(References)、索引(Indexes)、图像(Images)六种检索途径(如图 3-48 所示)。

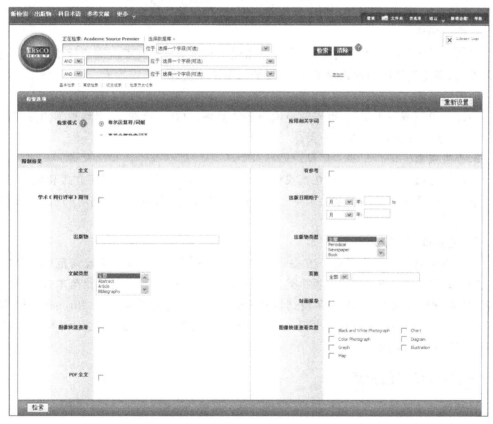

图 3-48　EBSCOhost 高级检索界面

1. 基本检索

系统默认的检索方式,对输入的检索词可使用截词符、位置算符、字段限定等进行检索,可以使用检索选项进行限定。

2. 关键词检索

基本检索和高级检索的默认检索方式。

3. 出版物检索

点击页面左上角检索功能指示区的"出版物"进入检索界面,提供"按字母顺序"、"按主题和说明"、"匹配任意关键词"及在文本框中输入特定刊物名称进行浏览的功能。

4. 科目术语检索

点击页面左上角检索功能指示区的"科目术语"进入检索界面,通过使用规范主题词来提高检索效率与准确性。

5. 参考文献检索

点击页面左上角检索功能指示区的"参考文献"进入检索界面,提供参考文献作者、篇名、出处、年份和字段 5 个输入框,在指定输入框内输入检索词进行检索。

6. 引证匹配检索

点击页面左上角检索功能指示区的"引证匹配"进入检索界面,提供出版物、日期、卷、发行、开始页面、作者、标题、入藏编号等输入框,在指定输入框中输入检索词进行检索。

7. 索引检索

只能对单个数据库检索时使用,在浏览索引下拉菜单中选择要查询的领域,再输入检索关键词,浏览选择后加入到检索词中,可加入多个字段进行限定检索。

8. 图像检索

通过关键词或逻辑组配,可限制检索图像的类别,包括人物图片、自然科学图片、地点图片、历史图片、地图和国旗等 6 类。

9. 视觉搜索

点击视觉搜索进入该界面,在查找框中输入检索词,选择结果的排序方式和显示方式进行检索。界面中有 4 个检索结果排序选项栏:结果分组、结果排序、用时间进行过滤和显示方式。

10. 检索选项的限定

在基本检索和高级检索的下方提供了多个限定检索选项,以缩小检索范围。如"全文"、"有参考"、"学术期刊"、"出版物类型"等;在高级检索界面,字段下拉菜单提供全文、题名、著者、摘要、来源等 17 个字段选项;EBSCOhost 中位置算符采用 Nn(near)和 Wn(within),前者表示检索词间可出现 n 个词,顺序可以颠倒,后者表示检索词间可出现 n 个词,顺序不可以颠倒。

三、检索结果的处理

1. 检索结果显示

在检索结果页面左侧有"精确检索结果"、"资源类型"、"主题"、"出版物"等分类统计模块。全文有 PDF 和 HTML 两种不同的显示格式。

2. 检索结果处理

系统提供"打印"、"电子邮件"、"保存"、"共享"、"添加至文件夹"、"创建快讯"等功能,需注册。

(吴义苗)

第五节　Elsevier 全文数据库

一、概述

Elsevier(爱思唯尔)公司是一家经营科学、技术和医学信息产品及出版服务的世界著名出版公司,隶属于 ReedElsevier 集团。Elsevier 公司每年出版 2200 多种学术期刊和 1900 种新书,以及一系列的电子产品,如 ScienceDirect、Scopus、MDConsult、在线参考书目等。

Elsevier 公司出版的图书期刊是业界公认的高质量学术出版物,期刊内容涉及四大学科领域:物理学与工程、生命科学、健康科学、社会科学与人文科学。

1997 年,Elsevier 公司将其 1995 年以来出版的所有期刊及图书系列转化为电子版,推出了 ScienceDirect 全文数据库。通过 ScienceDirect 可以链接到 Elsevier 出版社丰富的电子资源,包括期刊全文、单行本电子书、参考工具书、手册以及图书系列等。访问地址为 http://www.sciencedirect.com。

二、检索方法与技巧

SDOL 数据库主要提供浏览(Browse)和检索(Search)两种文献查询方法(如图 3-49 所示)。其中,检索又包括快速检索(Quick Search)、高级检索(Advanced Search)和专家检索(Expert Search)三种检索方式。

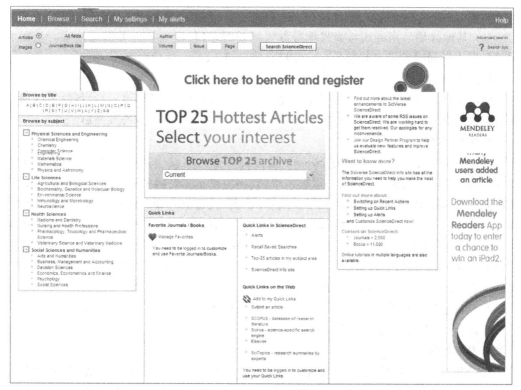

图 3-49　SDOL 数据库主页

(一) 浏览 (Browse)

点击数据库主页工具栏上的"Browse"链接即可进入期刊浏览界面。SDOL 期刊浏览提供按刊名字顺 (Journals Alphabetically)、学科主题 (Journals by Subject) 和喜好期刊 (Favorite Journals) 三种方式浏览期刊及其内容。在期刊列表中,每种刊名的序号前有一图标 (绿色或白色),绿色标志代表机构用户所在单位已订购该刊,可以浏览全文;白色标志为尚未订购,只能浏览摘要。

(二) 检索 (Search)

SDOL 数据库主要提供快速检索、高级检索和专家检索三种检索方式。另外,在检索结果界面提供二次检索的功能。

1. 检索运算符及运算规则

SDOL 数据库规定了多种检索运算符和检索规则,编制检索策略时应正确运用这些运算符和运算规则。

(1) 布尔逻辑运算符。包括 AND、OR、NOT。

(2) 截词符。"*"表示零个或多个字符,可进行词根检索。"?"表示一个字符。

(3) 位置算符。使用位置算符 W/n 或 PRE/n 连接的两个词,词与词之间间隔不超过 n 个词,PRE/n 要求两词前后顺序固定。在一个复合检索式中,系统按照 OR、W/n 或 PRE/n、AND、ANDNOT 的优先级顺序来执行多个算符的运算,可通过括号来改变这个顺序。

(4) 短语检索。如果要检索两个或两个以上的单词组成的短语 (phrase),必须使用引号检索。

(5) 其他规则。当英式与美式拼写方式不同时,可使用任何一种形式检索。使用名词单数形式可同时检索出复数形式。支持希腊字母 α、β、γ、Ω 检索。

2. 快速检索

SDOL 数据库所有界面上方都设有快速检索区 (如图 3-50 所示),通过将输入的检索词限定在题名、摘要、关键词、作者、刊名及卷期、页码等字段来快速查找文献。

3. 高级检索

点击数据库主页工具栏上的"Search"链接即可进入高级检索界面 (如图 3-50 所示)。高级检索提供两个检索输入框,可以输入单词、词组或布尔逻辑检索表达式。输入框后的字段限制选项默认为 AllFields,还可对文摘/题名/关键词 (Abstract, Title, Keywords)、作者 (Authors)、特定作者 (Specific Author)、期刊名称 (Journal Name)、论文题名 (Title)、关键词 (Keywords)、文摘 (Abstract)、参考文献 (References)、ISSN、机构名称 (Affiliation) 和全文 (FullText) 等多个检索字段进行限制选择。资源类型可选择"All Sources"、"Journals"、"Books"、"Images"。

高级检索同时还提供文献来源、学科主题、文献类型、出版时间、卷、期和页码等限定条件供选择,以获得更精确的检索结果。

4. 专家检索

点击高级检索界面右上角的"Expert Search"链接即可进入专家检索界面 (如图 3-51 所示)。专家检索需要利用运算符和检索字段组合构建表达式,输入到检索框进行检索。

该检索模式适合于熟悉检索式构造、对所检文献有特殊需求的专业科研工作者。

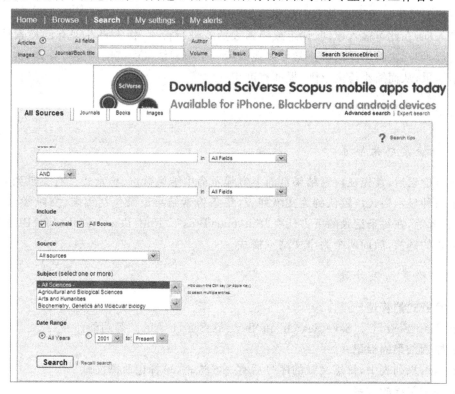

图 3-50　SDOL 高级检索界面

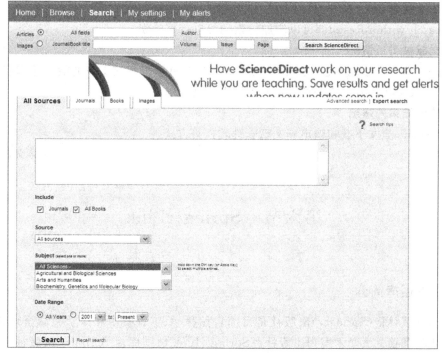

图 3-51　SDOL 专家检索界面

5. 二次检索

在检索结果显示页面左上方提供有"Search within Results"（在检出结果中检索）的检索输入框，在此可输入单词、词组或检索表达式进行检索，检索将在现有的检索结果范围内进行，即二次检索。二次检索可以在最后一个检索结果的范围内进行查询，进一步限制检索结果，从而缩小检索范围，提高查准率。

三、检索结果的处理

（一）检索结果显示

执行检索后，首先在检索结果页面上方显示命中结果数量、检索式。有文献列表和文摘列表两种显示格式。默认的为文献列表，每条检索结果记录包括篇名、文献类型、文献出处、著者等，在每条记录的下方还有"SummaryPlus"、"Full Text+Links"和"PDF"三种浏览格式的链接，后面两个为全文浏览格式。

（二）检索结果处理

1. 检索式的管理

有"Edit Search"、"Save Search"和"Save as Search Alert"等功能。

2. 检索结果的标记

检索结果列表中，每篇文献的序号后有一复选框，可标记所需文献。

3. 检索结果的排序

可以根据相关度和出版时间进行排序。

4. 二次检索

"Search within Results"可以增加检索词等进行再检索。

5. 文献被引用情况

"Cited By"在文摘列表显示页面中出现，通过它可以了解该文献的被引用情况；也可以通过"Save as Citation Alert"设置文献被引用情况通报。

6. 检索结果的输出

有 E-mail、全文下载和输出到文献管理软件等方式。

（吴义苗）

第六节　SpringerLink

一、数据库简介

德国施普林格（Springer）出版社是目前自然科学、工程技术和医学领域全球最大的图书出版社和第二大学术期刊出版社。SpringerLink 数据库由 Springer 出版社开放，提供期刊、图书、科技丛书及参考书的在线服务。目前 Springer 收录回溯至 1996 年的全文电子期刊2700余种，SpringerLink数据库中的大多数全文电子期刊属于国际重要期刊，是科研人员的重要信息来源。

SpringerLink数据库采用MetaPress检索平台，通过该平台可实现期刊、图书、丛书、工具书、实验室指南等不同文献类型的统一检索。国内用户可登录清华大学镜像站或国外网站(http://springerlink.com)访问。SpringerLink通过IP地址自动认证，登录后显示用户所在机构名称(如图3-52所示)。

图3-52　SpringerLink主页

二、检索方法

SpringerLink提供了浏览、简单检索和高级检索等检索方法。

1. 浏览

(1) 按出版物类型浏览。包括期刊、图书、丛书、参考工具书、协议书(Protocols)等多种类型。Springer Protocols是经同行评审的在线实验室指南数据库，收集25000余条标准化的实验室操作记录，学科领域主要包括生物化学、分子生物学、生物医学等。

(2) 按学科分类浏览。包括生物医学和生命科学、医学、工程学、人文社科和法律等13个学科。学科浏览适用于浏览某一专业方向的出版物。

(3) 按特色图书馆浏览：包括中国、俄罗斯在线科学图书馆，主要提供SpringerLink收录的中国与俄罗斯出版的英文学术期刊，如Science in China Series、Chinese Science Bulletin等，其中收录中国期刊90余种，俄罗斯期刊210余种。

2. 简单检索

SpringerLink默认检索方式为关键词检索。可以直接输入检索词在全文中进行查找。检索词可以是一个词或一个词组，也可以是逻辑运算符AND、OR、NOT组成的检索式；字符"*"表示词根检索。

3. 高级检索

在高级检索界面（如图 3-53 所示）可以实现文献的精确查找。高级检索提供全文、标题、摘要、作者、ISSN、ISBN、DOI 等字段检索，各字段之间为"AND"关系，还可以对出版时间进行限定，对检索结果可以按相关性、出版时间和标题等排序。

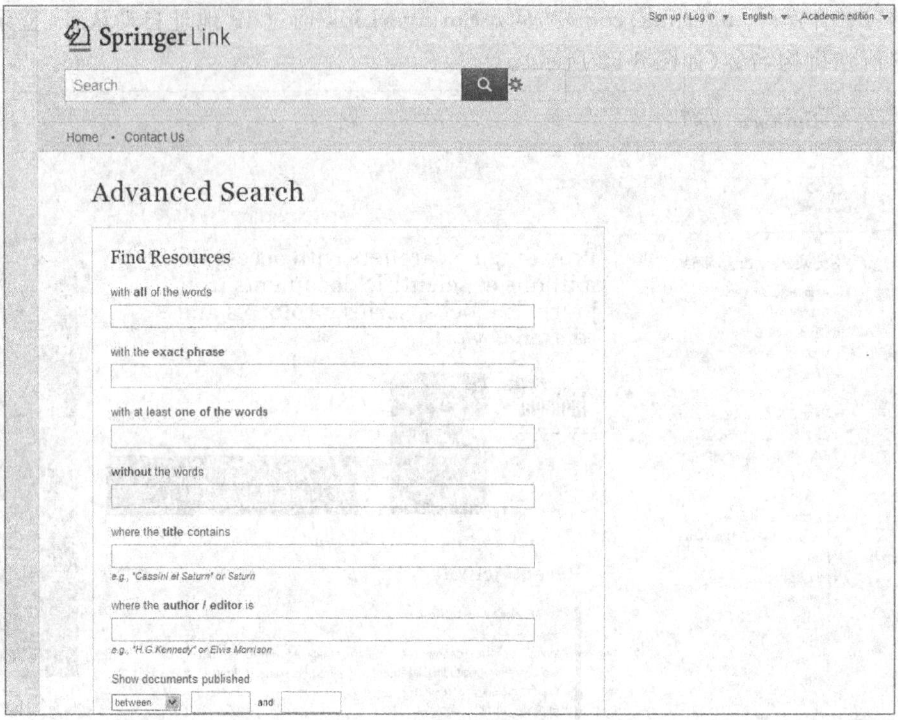

图 3-53 SpringerLink 高级检索界面

三、检索结果处理

SpringerLink 提供多种输出方式，如联机打印、下载、发送至 E-mail 等。可以对检索结果进行排序、标记及设置输出格式，输出 txt、RIS 格式引文，直接导入有关文献管理软件进行文献管理。可以免费订阅基于关键词、学科、作者等最新信息的提示邮件（Alert 服务），可以根据需要通过 RSS 定制某一刊物以及检索表达式等。

（吴义苗）

第七节 本地 PubMed 数据库

一、本地 PubMed 数据库简介

（一）数据库简介

PubMed/Medline 由美国国立医学图书馆（NLM）、国际 MEDLARS 成员（中国为第

16个成员国)及合作的专业组织共同研制开发,是目前国际上公认的检索生物医学文献最具权威、利用率最高、影响最广的数据库,也是我国卫生部认定的科技查新必须检索的国外医学数据库、科技部认定的国际五大权威数据库之一。

本地 PubMed 检索系统是华中科技大学同济医学院医药卫生管理学院与济南泉方科技有限公司合作开发的本地化数据库产品,本系统是在外网 PubMed 的基础上,完善了 PubMed 与本单位图书馆订购的电子资源与 PubMed 检索结果的关联及整合;增加了基于文献计量学的 PubMed/SCI 投稿指南;集成了简单的文献管理和全文在线申请等功能。本地 PubMed 网址为 www.bdpubmed.com。

(二)登陆和注册

使用济南泉方本地 PubMed 检索系统的读者,需要在本系统注册一个邮箱,此邮箱将作为你的专用的账号,记录并保存你在本系统的检索结果,以及你加入个人文件夹中的文献等,注册的方法主要有 2 种。

1.方法一:在 IP 允许的范围内(即校内)进行注册

如果你所在的单位开通了允许读者在 IP 允许的范围内自己注册的功能,那么在访问本地 PubMed 检索系统时,可以看到一个注册新用户的按钮,可以在 IP 允许的范围内(即校内)进行注册(如图 3-54 所示)。

图 3-54 本地 PubMed 用户注册页面

点击"注册新用户",可以弹出读者注册的界面(如图 3-55 所示)。

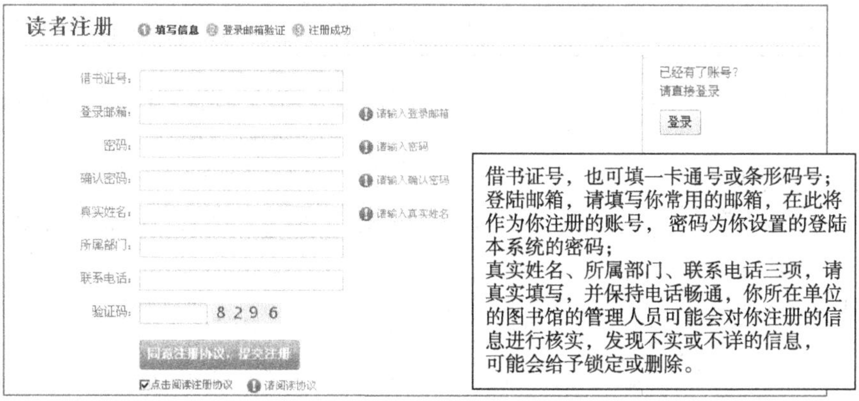

图 3-55 本地 PubMed 读者注册页面

注册信息填写完毕后,点击"同意注册协议,提交注册",系统将发送一个激活的链接,发送至你的邮箱中,点击超链接完成邮箱验证。

2. 方法二:使用本单位的公共账号注册

如果你所在的单位开通的是公共账号,那么你在访问本地 PubMed 检索系统时,先凭此公共账号以及密码登录,登录成功后,也可以看到读者注册的界面,也可以注册,注册成功后,再以注册的用户名和密码登录。

二、检索途径和检索方法

1. 基本检索

本地 PubMed 支持外网 PubMed 的检索策略和语法,并与外网 PubMed 保持同步更新。在任一时刻,在相同的检索策略下,检索结果的数量及内容保持与外网 PubMed 相同。支持外网 PubMed 的功能有基本检索、Limits 限定、单篇引文匹配、临床查询、高级检索等。

外网 PubMed 中的字段限定在本地 PubMed 中均可以应用,常用的字段限定见表3-5。

表 3-5 基本限定字段对照表

常用字段	含义	外网 PubMed	本地 PubMed
Title[TI]	篇名	√	√
Abstract[AB]	摘要	√	√
Affiliation[AD]	著者地址	√	√
Author name[AU]	文章的作者(检索格式:姓+名)	√	√
Journal title[TA]	期刊名称	√	√
Language[LA]	论文出版语种	√	√
Publication date[DP]	出版日期	√	√
Publication type[PT]	出版类型	√	√
MeSH terms[MH]	主题词	√	√
Subheadings[SH]	副主题词,与主题词组配检索	√	√

范例:检索 2010 年到 2012 年出版的关于高血压方面的且标题中含有高血压的综述性中文文献。

检索表达式为:

hypertension[MH] AND 2010/01:2012/12[DP] AND review[PT] AND hypertension[TI]

AND chi[LA]

输入上述检索表达式,得到的本地 PubMed 与外网 PubMed 的检索结果如图 3-56 所示:

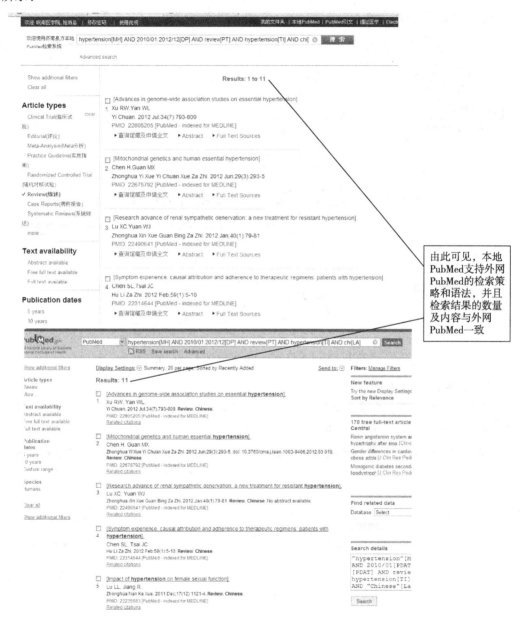

图 3-56 本地 PubMed 与外网 PubMed 检索结果比较

本地 PubMed 支持自动词汇转换,比如检索"cancer",系统自动转换为:
"neoplasms"[MeSH Terms] OR "neoplasms"[All Fields] OR "cancer"[All Fields]

本地 PubMed 的 Limits 限定也与外网 PubMed 一致，比如限定为可以免费获取的 RCT（随机对照试验）文献，如图 3-57 所示。

图 3-57　本地 PubMed 支持外网 PubMed 的 Limits 限定结果一致

2. PubMed 引文检索

本地 PubMed 还提供了 PubMed 引文检索功能，此功能在外网 PubMed 是没有的。以先兆子痫 preeclampsia 为例，得到结果如图 3-58 所示。

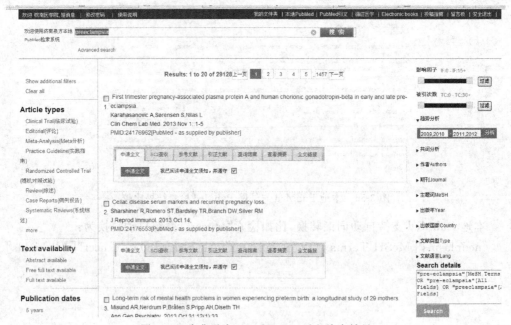

图 3-58　先兆子痫 preeclampsia 引文检索结果

通过选择右侧的影响因子滑块可以查找到影响因子比较高的论文；选择被引次数滑块，可以查找到被引用次数比较高的论文。

通过右侧的趋势分析，可以得到关于先兆子痫 preeclampsia 的主题词分析，我们可以清楚的看到，与先兆子痫相关的主题词在 PubMed 中的上升和下降趋势。如图 3-59 所示。

主题词	开始年次数	结束年次数	比率
Real-Time Polymerase Chain Reaction	0	22	∞
Cell Movement	0	12	∞
Human Umbilical Vein Endothelial Cells	0	7	∞
Type="Geographic">Spain/epidemiology	0	7	∞
*Nurse's Role	0	6	∞
*Proteomics	0	6	∞
Arterial Pressure	0	6	∞
Trophoblasts/metabolism/pathology	1	13	1200.00%
*Pregnancy, Twin	1	10	900.00%
Obstetric Labor, Premature	1	10	900.00%
*Maternal Nutritional Physiological Phenomena	2	12	500.00%
Mass Screening/*methods	2	10	400.00%
*Genetic Predisposition to Disease	6	29	383.33%
Premature Birth/*etiology	4	18	350.00%
Fetal Development/*physiology	3	13	333.33%
Fetal Growth Retardation/*blood	3	13	333.33%
Pre-Eclampsia/epidemiology/etiology	4	15	275.00%
Cell Proliferation	5	18	260.00%
Gene Expression Profiling	7	25	257.14%
Placenta/*metabolism/pathology	8	27	237.50%

图 3-59　先兆子痫相关主题词在 PubMed 中的上升和下降趋势

本地 PubMed 的引文检索同时还提供了期刊趋势分析和作者趋势分析。趋势分析下面还提供了共词分析、作者分析 Authors、期刊 Journal、主题词 MeSH、出版年 Year、出版国家 Country、文献类型 Type、文献语言 Language 等相关分析，可以供用户进行更加详细的分析查找。

3.循证医学检索

本地 PubMed 还提供了循证医学检索功能。循证医学临床参考数据库是华中科技大学同济医学院医药卫生管理学院与济南泉方科技有限公司合作开发的数据库产品。该库是在 PubMed 的基础上，参考美国国立医学图书馆运用 PICO 设计的检索模式开发而成，主要整合了以下内容：

(1) The Cochrane Library。主要包括 Cochrane 系统评价资料库(CDSR)、疗效评价文摘库(DARE)、Cochrane 临床对照试验注册资料库(CENTRAL)等。

(2) OVID EBM Reviews。OVID 循证医学数据库，主要包括 ACP Journal Club 及 Evidence-Based Medicine 两种循证医学刊物。

(3) ACP Journal Club。美国医师协会杂志俱乐部，由美国内科医师协会(ACP)和美国内科协会(ASIM)联合主办，主要包括协会出版的网络版循证医学刊物等。

循证医学检索界面如图 3-60 所示。

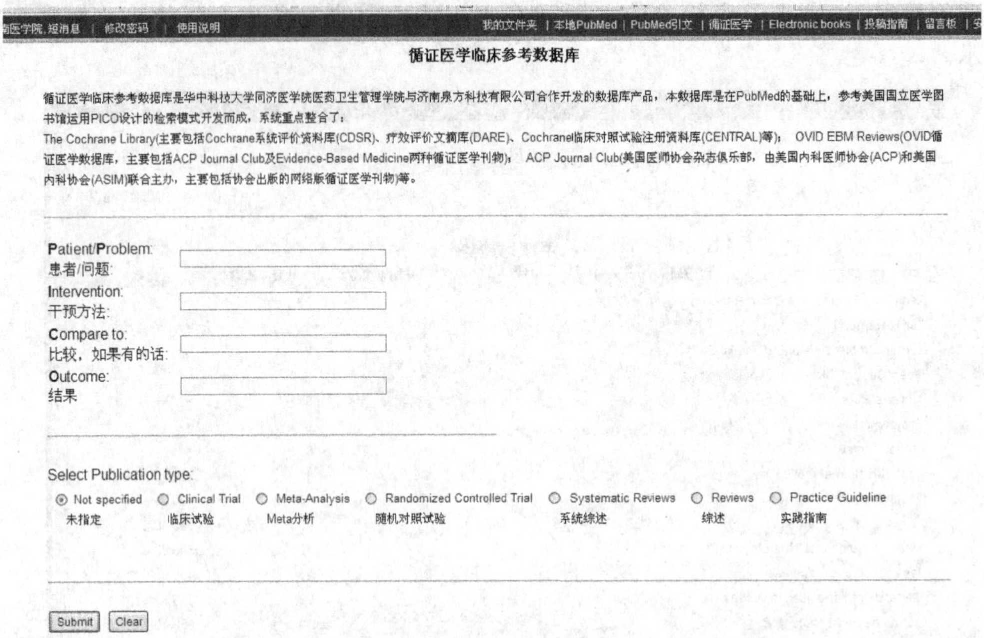

图 3-60 本地 PubMed 循证医学临床参考数据库

在检索时，我们输入患者问题、干预方法、比较、结果，选择我们需要的子集临床试验、Meta 分析、随机对照试验、系统综述、综述、实践指南等，再进行检索，就能得到我们需要的检索结果。该检索可为临床医生和病人提供最佳的治疗方案的证据。

4. 投稿指南

本地 PubMed 提供了一项最佳拟投稿期刊遴选系统，以帮助用户查找到最合适的拟投稿期刊，帮助用户节省大量的时间和精力，提高科研效率。

文献计量学是借助文献的各种特征的数量，采用数学与统计学方法来描述、评价和预测科学技术的现状与发展趋势的图书情报学分支学科。通过文献计量学可以帮助我们来分析某本期刊在某一阶段重点刊载的对象，再以此分析结果与拟投稿论文的研究方向相匹配，匹配度越高，说明拟投稿论文的研究方向与该刊的重点刊载对象越接近，拟投稿论文投向该刊越容易被录用。

遴选系统分为按科目分类浏览期刊和按拟投稿论文中的关键词查找最佳拟投稿期刊。其中按科目分类浏览期刊是目前最常用的的方法，该系统罗列了某一学科下所有的期刊（在本系统中科目分类参考了 PubMed 数据库中的期刊分类），并提供简单的期刊简介、办刊宗旨、收录范围和投稿须知等，供读者浏览和遴选。按拟投稿论文中的关键词查找最佳拟投稿期刊是本系统的重点，它利用文献计量学的方法，将拟投稿论文中的关键词作为该篇论文的研究方向，在 PubMed 数据库收录的每一本期刊中进行检索，最终分析出每一本期刊刊载与拟投稿论文相匹配的篇数，并将出现相匹配篇数最多的期刊推荐给读者。

系统支持关键词检索，并可限定在某学科内，也可查看某学科 Medline 收录的期刊清单及部分期刊的简介，系统推荐的拟投期刊仅供参考。

本地 PubMed 投稿指南页面如图 3-61 所示。

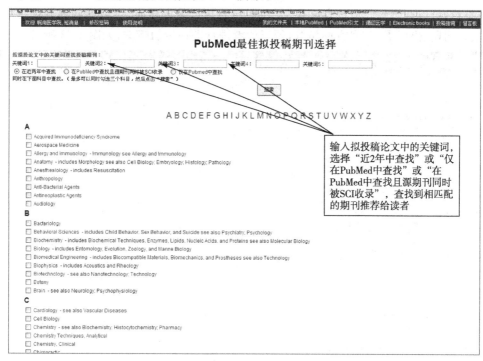

图 3-61 本地 PubMed 最佳拟投稿期刊选择界面

应用举例：某篇拟投稿论文重点论述的是高血脂饮食治疗方面的综述类文章，作者期望的最佳拟投稿期刊在 Cardiology（心血管病）和 Nutritional Sciences（营养科学）科目中以英文出版的期刊，且拟投稿的源期刊被 PubMed 收录的同时也被 SCI 收录。

根据读者的要求，制定的几个关键词为：

关键词 1：High cholesterol　　　关键词 2：Diet therapy

关键词 3：Review[ptyp]　　　关键词 4：English[lang]

并勾选：在 PubMed 中查找且源期刊同时被 SCI 收录

同时勾选下面的 Cardiology（心血管病）和 Nutritional Sciences（营养科学）科目，最后点击搜索，如图 3-62 所示是搜索结果的界面。

PubMed最佳拟投稿期刊选择

显示或隐藏搜索条件

序号	拟投稿期刊	参考说明	ISSN	推荐度	影响因子	期刊信息（投稿须知）
1.	Am J Cardiol		0002-9149	1	3.575	查看
2.	Nutr Metab Cardiovasc Dis		0939-4753	1	3.517	查看
3.	Br J Nutr		0007-1145	1	3.446	查看
4.	Am J Clin Nutr		0002-9165	1	6.307	查看
5.	Mol Nutr Food Res		1613-4125	1	4.356	查看
6.	Proc Nutr Soc		0029-6651	1	4.321	查看
7.	Eur J Clin Nutr		0954-3007	1	3.072	查看
8.	Public Health Nutr		1368-9800	1	2.749	查看

说明：推荐度指的是用户输入的拟投稿论文的关键词在该刊的出现次数，根据文献计量学的原理，出现的次数越多，说明该方面是该刊刊载的重点，比较适合作为拟投稿目标期刊。

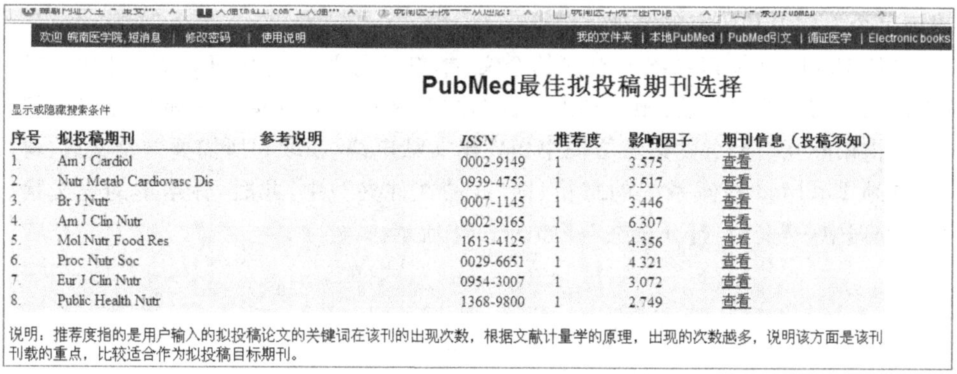

图 3-62 最佳拟投稿期刊检索结果页面

推荐度指的是用户输入的拟投稿论文的关键词在该刊的出现次数,根据文献计量学的原理,出现的次数越多,说明该方面是该刊刊载的重点,比较适合作为拟投稿目标期刊。点击查看,可以查看到相应的期刊信息,在期刊的基本信息界面,可以看到该刊的出版国家、出版周期、出版语言、官方网站等,便于读者进行进一步的筛选,如图 3-63 所示。

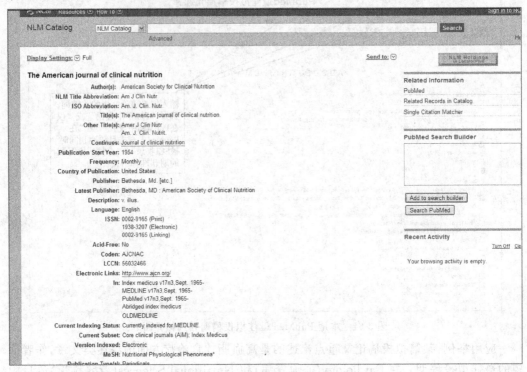

图 3-63　某本期刊的详细信息页面

三、检索结果的处理

1. 全文申请

如果本馆与国家科学图书馆、中国医学科学院图书馆、国家科技图书文献中心或上海生命科学信息中心生命科学图书馆等提供馆际互借服务,签署有馆际互借或文献传递服务的相关协议或申请有账号,当查询本馆无馆藏后,我们可以在本地 PubMed 中申请全文,以满足个人学习和研究的需要。

在本地 PubMed 检索系统上申请的全文,本馆的相关部门将可以看到你的申请,当查询本馆无所需要的文献后,根据情况将向与之签署有馆际互借或文献传递服务相关协议的可提供馆际互借服务的第三方图书馆发出文献申请,获取到所需要的全文后,再发送到你在本地 PubMed 检索系统的邮箱(即"我的文件夹")中,此时,你申请的全文状态将由"全文处理中…"变为"打开全文"。如图 3-64 所示。

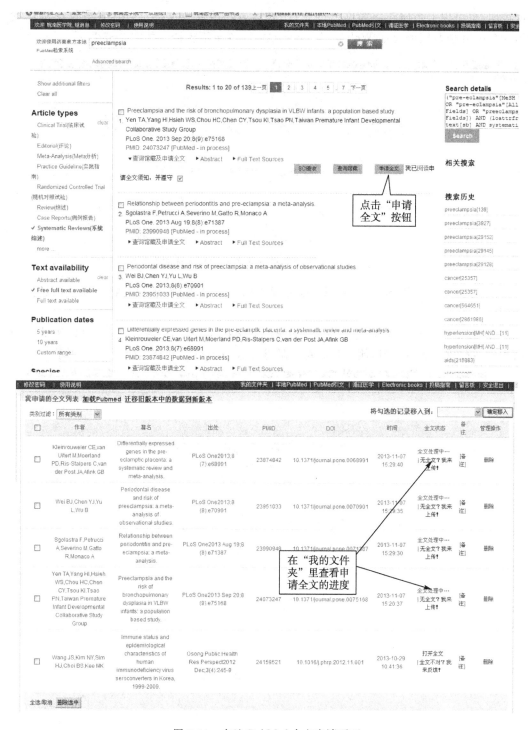

图 3-64 本地 PubMed 全文申请页面

2. 文献类别管理

在我的文件夹内,点击左上角"文献类别管理"可以创建新的虚拟文件夹,用于将个人的文献资料分门别类存放于不同的文件夹中。对于每一篇文献,用户可以对其添加备注或说明,也可以上传属于该篇文献的附件、实验方法或其全文等。目前系统仅支持加载 PubMed,其他数据源比如 Web of Science、CNKI 等暂不支持。如图 3-65 所示。

图 3-65 本地 PubMed 文献类别管理页面

点击"添加类别",输入分类名称,建立虚拟的子文件夹,便于我们将个人文献做分类管理。

在"我申请的全文列表"中,选择不同命名的虚拟文件夹,即类别过滤,可以浏览不同的文件夹存放的文献资料,便于我们对文献进行分门别类的浏览。如图 3-66 所示。

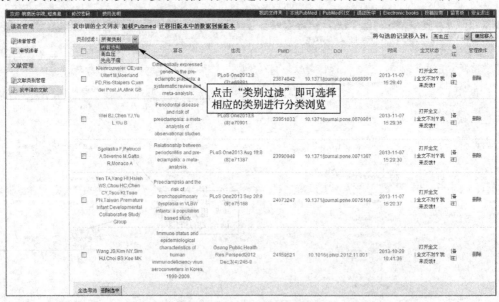

图 3-66 文献类别浏览页面

(刘　浏)

【思考题】

1. 在 CAJD 中查找自 2008 年以来"脑梗死合并心肌梗死的溶栓治疗"方面的文献。

2. 在 CAJD 中检索最近 5 年发表的关于冠状病毒与重症急性呼吸道综合征关系的文献,检索词出现在关键词中,结果按相关度排序并写出第一条检索结果。

3. 在维普资讯中查找题名为"慢性乙肝的综合治疗方案"的文献,了解相关高影响力作者、高影响力机构、高影响力期刊以及高被引论文。

4. 在万方医学网中检索 2006 年以来有关呋塞米治疗心力衰竭方面的文献,要求检索词出现在关键词中;根据相关度排序,写出第一条检索记录;其中发表在中华医学会专区的文献数量。

5. 在万方医学网中检索有关"登革病毒疫苗"的文献,并了解该研究领域有哪些影响力的学者和高影响力的期刊。

6. 在 EBSCO 数据库中查找有关"6～12 岁儿童湿疹护理"方面(湿疹:eczema,护理:nursing)的文献。

7. 在 EBSCO 数据库中利用参考文献途径查询著者 Hamptom,Tracy 2000—2005 年间发表在 JAMA 杂志上的文章被引用情况,分别写出被引用文献和引用文献的题目、刊源和发表时间。

8. 通过 Elsevier 的高级检索途径查找"婴儿(inflaut)哮喘(asthma)"的综述文献(2007 年至今)。

9. 利用本地 PubMed 的循证医学检索查找脑卒中(Stroke)的临床试验文献。

10. 利用本地 PubMed 的投稿指南功能,查找重点论述慢性肾衰竭(chronic renal failure)的药物治疗方面的拟投稿综述类文章,作者期望的最佳拟投稿期刊为在 Nephrology(肾脏学)和 Drug Therapy(药物治疗)科目中以英文出版的期刊,且拟投稿的源期刊被 PubMed 收录的同时也被 SCI 收录。

(吴义苗)

第四章　数字图书馆

电子图书(Electronic Book,简称 E-book)是一种基于网络的、以数字代码为存储形式将图、文、声、像等信息存储在磁、电子、光等介质上,通过信息网络为流通渠道,在计算机或专门阅读器上阅读并可复制发行的出版物。随着计算机技术和信息技术的快速发展以及信息载体形式的多样化,图书馆发展的历程从最初的传统图书馆到纸质型图书馆逐步到 20 世纪 80 年代末 90 年代初的自动化图书馆(电子图书馆),已经步入网络图书馆发展阶段。网络图书馆(Network Library)又称数字图书馆(Digitary Library),是将图书馆资源以数字化资源形式存储并通过网络提供给分散在世界各地的用户查询、浏览、共享的新型图书馆。

电子图书作为纸质型图书数字化的表现形式,与印刷型图书相比具有一些新特点:①信息量大,图文声并茂;②体积小,阅读方式改变,必须借助计算机等电子设备;③发行周期缩短,传播速度快,便于复制;④检索功能加强,检索效率增高;⑤图书重复使用,无折旧老化之忧。电子图书主要有三种形式:一是印刷版图书的网络版;二是已有电子版图书的上网;三是直接在网络上编辑出版发行的图书。电子图书的文件格式有多种,常见的主要有:TXT、EXE、PDF、HLP、CHM、WDL、HTML 等,一些文件格式有通用的浏览器即能阅读,如 HTML 和文本文件格式,但有的文件格式必须安装专用阅读器才可浏览,如 PDF 格式。

目前国内外的电子图书馆有超星数字图书馆、方正 Apabi 数字资源平台、书生之家数字图书馆、NetLibrary、Ebrary 等,而这类数字图书馆的电子图书是由网络公司运作出版的,它是将多个出版社的电子图书整合在同一个数据库中,由电子图书集成服务商为用户提供服务。这类数字图书馆的电子图书具有品种多、数量大、学科领域覆盖面广的特点,但是其所收录的电子图书并不专属于该集成商,从而一本图书可以被多个同类数据库所收录。这类数据库存在着图书作者和出版社向图书集成商授权图书电子版权的问题,因而有些数据库有并发用户或打印、下载图书量的限制。另一类电子图书数据库是出版社自行制作出版的、电子图书集成在该出版社的网络平台上,能同时检索不同类型的专著、丛书、参考工具书等图书,且图书中的参考文献可以互相链接。该类图书数据库的数据都来源于该出版社,所以该电子图书就不存在版权归属问题。国内生物医学领域出版社目前尚未推出该类电子图书数据库,国外发行这类电子图书数据库有 Springer、Wiley、Elsevier 等知名出版社。本章节主要介绍超星数字图书馆、方正 Apabi 数字资源平台、书生数字图书馆、NetLibrary 电子图书。

第一节　超星数字图书馆

超星数字图书馆（www.ssreader.com）是北京超星公司利用超星 PDG 数字化技术制作开发、应用，与国内各大图书馆、出版社合作的图文资料图书馆，于 2000 年 1 月在互联网上正式开通。目前收录了数字图书 100 万种，藏书量涵盖文学、经济、计算机、工业等多个大类，以工具书、文献类、资料类、学术类图书为主，现在以平均每天上千册的速度递增，是国内数字图书资源最丰富的数字图书馆。

数字图书馆对中文电子书提供免费和收费的阅读、下载、打印等服务，同时还向所有用户、作者提供原创作品发布平台、读书社区、博客等服务，会员图书馆提供了数十万种图书的在线阅读、借阅下载服务。

一、检索过程及方法

1. 进入首页

在 IE 地址栏中输入 http：//cxserver.mlpla.org.cn 或在会员图书馆主页电子资源中点击"超星数字图书馆"进入（如图 4-1 所示）。

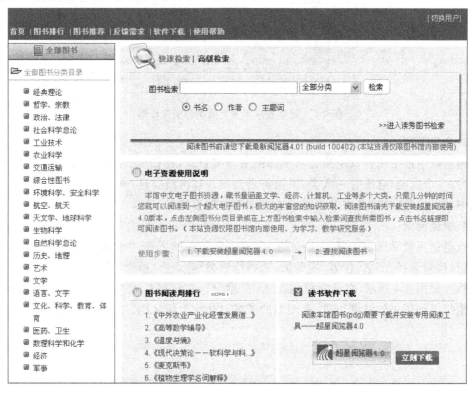

图 4-1　超星数字图书馆首页

2. 下载、安装超星图书阅读器

阅读电子图书时要先安装最新的超星图书阅读器,目前最新阅读器版本为"超星阅览器 4.0 图书馆版",阅览器的安装按系统提示、确认即可(如图 4-2 所示)。

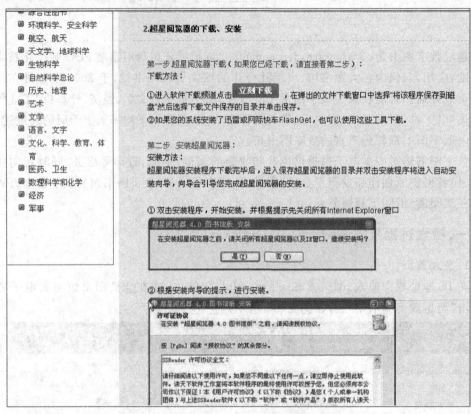

图 4-2　超星数字图书馆阅览器安装步骤

3. 分类浏览

超星数字图书馆首页左侧显示全部图书分类目录,是按照《中国图书馆分类法》将图书分为 22 个大类,点击每一大类,系统将自动展开其次级类目,直至右侧出现需要类目下的图书书目信息,单击图书书名就可进入该书的阅读状态。

4. 快速检索

点击超星数字图书馆首页上方的"快速检索",在输入框中输入检索词,如图 4-3 所示,选择检索途径:书名、作者、主题词,选择检索类别,点击"检索"按钮就可进行图书的快速查找。如图 4-4 所示,在检索框内输入"药理学",选择好检索类别,在页面中间部分显示检索结果即图书的详细信息,有图书的书名、作者、出版日期、主题词及所属分类等。

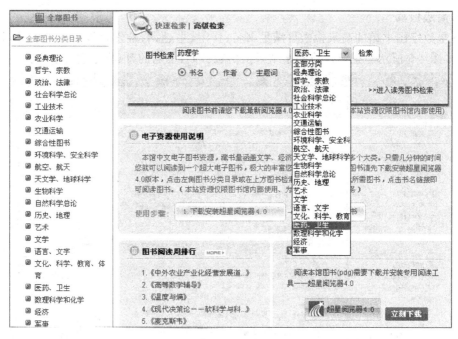

图 4-3　超星数字图书馆快速检索页面

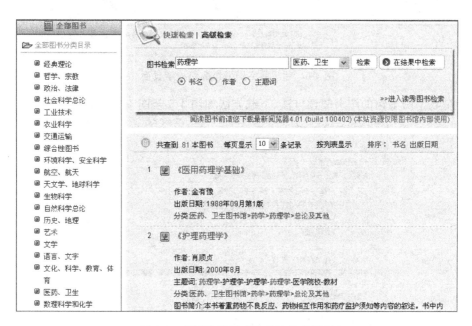

图 4-4　超星数字图书馆快速检索举例

5. 高级检索

超星数字图书馆的高级检索可满足书名、作者、主题词、检索范围等条件的逻辑组合检索,如图 4-5 所示。也可以将检索结果按出版日期,书名的升、降序进行排序。

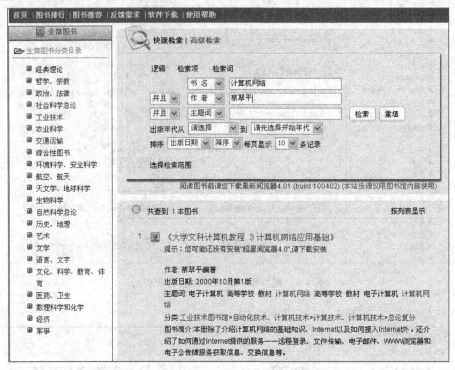

图 4-5　超星数字图书馆高级检索页面

超星数字图书馆的图书阅读方法、下载方法如图 4-6 至图 4-9 所示。

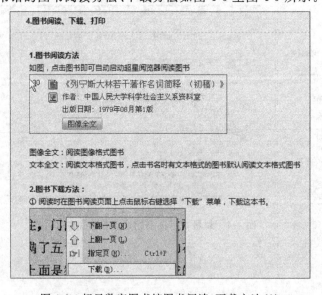

图 4-6　超星数字图书馆图书阅读、下载方法(1)

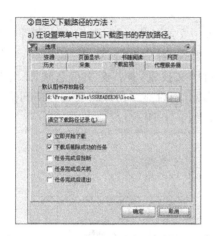 

图 4-7　超星数字图书馆图书阅读、下载方法(2)　　图 4-8　超星数字图书馆图书阅读、下载方法(3)

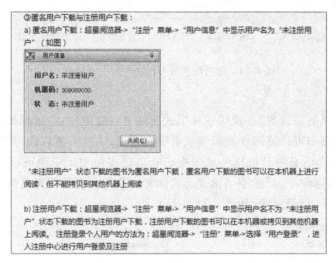

图 4-9　超星数字图书馆图书阅读、下载方法(4)

二、读秀知识库

"读秀"是在超星数字图书馆基础上开发的电子图书数据库产品,是能为用户提供深入图书内容和全文检索,由海量中文图书资源组成的庞大知识库及检索系统。通过这个知识、文献的搜索平台,可以通过自动的文献传递服务获得文献资源并可进行部分文献的全文试读(如图 4-10 所示)。

1. 概述

"读秀"通过与图书馆系统的挂接,实现了图书馆各种纸质、电子图书资源在"读秀"平台上的整合,提供了近 300 万种中文图书的题录检索及 200 万种中文图书的全文检索,每年以十几万种新书的速度递增。其特点为:读者通过"读秀"能一站式检索馆藏纸质图书、电子图书及其他学术文献资源,获取便捷;"读秀"提供图书的封面页、版权页、书名页、前言页、目次章节及全文的深度检索,使检索更深入。

2. 检索过程

进入"读秀"(生物医学专业版),在搜索框输入中文或外文检索词,可查找书目和全文信息。在系统检索时默认的是对所有文献形式的查找,有信息资讯、图书、期刊、学位论文、会议论文等。如果在检索框内输入"医学"进行中文搜索,查找全文信息时,系统会对该检索词进行期刊论文、图书等全文信息的模糊匹配,同时显示出该检索词在期刊论文或图书的具体定位页和其他文献形式的题录信息(如图 4-10 所示)。

图 4-10 超星数字图书馆读秀知识库首页

3. 检索结果

获得检索结果后,"读秀"会提供三种形式的图书获取信息:馆藏纸质本、电子全文、试读。获得授权的图书可以直接在线阅读或者下载阅读,未获得授权的可以试读,试读完成后如果想继续阅读该书的其他部分或者需要获得更多的文献资源可以通过文献互助平台、图书馆文献传递中心、其他图书馆或者打印复制获得需要的图书文献。试读包括试读页、版权页、前言页、目录页等(如图 4-11 所示)。

图 4-11 超星数字图书馆"读秀"图书搜索页面

第二节　方正 Apabi 数字资源平台

方正 Apabi 数字资源平台由北大方正电子有限公司创办,整合了全国 400 多家出版社的中文图书,自 2000 年 12 月开始提供服务,部分图书与纸质图书同步出版。根据图书内容划分为精品电子书库、高校教参电子书库两个子数据库。

Apabi(阿帕比)中的五个字母是 Author,Publisher,Artery,Buyer,Internet 的第一个字母,分别代表作者、出版社、分销渠道、读者(购买者)和因特网,可以理解为阿帕比(Apabi)数字资源平台是以网络为纽带,以电子图书为基本元素,将传统出版社和图书馆结合起来,在数字版权保护技术基础上发展而来的数字图书馆。阿帕比(Apabi)数字资源平台为电子图书全文数据库,对用户实行 IP 控制或用户密码限制,提供免费检索服务,网址为 http://ebook.lib.apabi.com。可根据用户需求订购部分图书,在本地服务器开通镜像服务,读者可在图书馆局域网内阅读。

阿帕比(Apabi)数字资源平台为综合数据库,其覆盖学科范围包括社会科学、政治、法律、军事、经济、文化、科学、教育、体育、语言、文字、艺术、历史、地理、数理科学、化学、天文学、地球科学、生物科学、医药、卫生、农业科学、工业技术、交通运输、航空、环境科学等等多个领域,还可检索 30 种年鉴。

一、检索方法和过程

1. 系统登录

在阅读全文之前首先需要到方正阿帕比(Apabi)主页(http://www.apabi.cn)或镜像站下载安装最新的 Apabi Reader。在主页上方点击"方正 Apabi Reader 下载",下载并安装最新的 Apabi Reader,用户首先点击首页面左边的"方正 Apabi Reader 下载安装阅读器"。在安装 Apabi Reader 过程中要注意下面两点:

(1) 安装程序前要关闭所有的 IE 窗口,这样安装完成后不用重新启动计算机。

(2) 安装完成后,如果提示"重新启动",请选择重新启动。用户登录后,可选择电子资源在线或下载阅读。

2. 登录方式

登录方式有"有用户名密码"和"无用户名密码"两种,如果是有用户名密码,输入用户名和密码,点击"登录";如果无用户名密码,点击"IP 用户登录",如果其 IP 地址属于无用户名密码,会提示登录成功(如图 4-12 所示)。

3. 分类浏览

点页面左上角的"显示分类",在下面的下拉列表框中选择按"常用分类"或"中国图书分类法"浏览图书。点"中国图书分类法"大类名称前带"+"的方框可逐级展开该类直至最小类目(如图 4-13 所示)。

4. 关键词检索

在主页界面中部上方的关键词检索区域,从下拉菜单中选择数字资源库,在检索框输入关键词,点击"检索"按钮,得到检索命中的书目信息。检索结果可以选择图文、列表或缩略图显示。

图 4-12　阿帕比(Apabi)数字资源平台首页

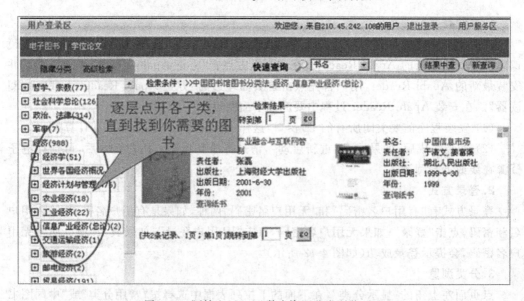

图 4-13　阿帕比(Apabi)数字资源分类浏览页面

5. 快速检索

在数字资源页面提供快速查询功能,用户可以书名、责任者、主题/关键词、摘要、出版社、年份等为单一检索条件,输入检索词,选择"结果中查",在当前结果中增加检索框中的条件后再进行检索;也可点击"新查询",使用检索框中的条件开始新的快速检索(如图 4-14 所示)。

图 4-14 阿帕比(Apabi)数字资源平台检索页面

6. 分类检索

在数字资源的页面左侧可直接进行分类浏览,可以查看常用分类和中国图书馆图书分类法。点击类名,页面会显示当前库该分类所有资源的检索结果。也可以点击"隐藏分类",不显示分类信息。

7. 高级检索

高级检索可以通过执行比较复杂的检索条件在一个或多个资源库中进行查找,最多时可对 5 个检索词进行逻辑组配检索。点击"高级检索",进入高级检索页面,高级检索分为"本库查询"和"跨库查询"两个方式。用户可在列出的项目中任选检索条件,但检索项之间的逻辑关系或全部是逻辑"与"或全部是逻辑"或"进行逻辑组配。跨库查询需要选择要查询的库,选择检索入口字段,输入检索词,确定检索词之间的逻辑运算关系,点击"查询"(如图 4-15 所示)。

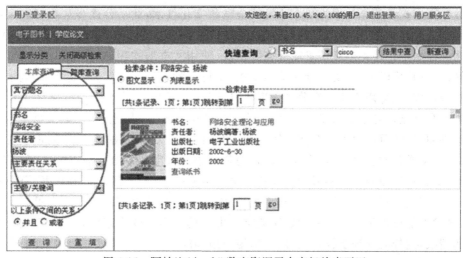

图 4-15 阿帕比(Apabi)数字资源平台高级检索页面

二、检索结果显示

1. 在线浏览

在检索结果中确定所需书籍，点击"在线浏览"，可以直接通过 Apabi Reader 在线阅览该书。

2. 借阅下载

在查询结果中标明"资源可借"的图书，点击"借阅"，将所选的电子图书下载保存在本机，在有效期内可以离线阅读并可提前归还。点击"下载"把电子书下载到用户的藏书阁中，在藏书阁中双击图书进行阅读。

3. 借阅规则

该系统对有用户名密码的用户有借阅时间和借阅图书数量的限制，具体借阅时间和借阅最大图书数量由系统管理员设置。

三、Apabi Reader

Apabi Reader 是集电子图书阅读、下载、收藏等功能为一体的电子图书阅读器。可支持 CEB、PDF、XEB、HTML、TXT 和 OEB 等多种格式的文件和电子图书。它在保留印本书籍阅读习惯如翻页、加批注、加化纤、加书签、查找的基础上，提供了一些阅读印刷图书无法实现的功能，如：搜索、字体缩放、导入导出注释信息等。方正 Apabi Reader 中设有阅读、菜单、藏书阁、书店四大功能模块。

第三节　书生之家数字图书馆

书生之家数字图书馆（http：// edu.21dmedia.com）是集支持普遍存取、分布式管理和提供集成服务于一身的基于 Intranet 和 Internet 环境下的数字图书馆系统平台。书生之家数字图书馆的核心技术为自主研发的全息数字化技术，此平台逐步解决了数字图书馆技术领域各项难题：图书信息的完整性、导航信息、海量储存、图书浏览、防下载盗版、防信息拷贝盗版等。使得原版信息能够完美重现、使用文本形式存储、图文并茂、文字部分可以摘录、图片可以下载、支持全文检索功能、支持多种类型资源转换（纸介质、电子档）、技术扩展性强，使得用户能够充分享受现代科技带来的优势。书生之家数字图书馆是由北京书生数字技术有限公司于 2000 年正式推出的中文图书、报刊网上开架交易平台。目前可提供超过 17 万种图书的全文在线阅读，图书内容涉及各学科领域，较侧重教材教参与考试类、文学艺术类、经济金融与工商管理类图书。数字图书馆目前有电子图书 50 万种，包含文、理、工以及科研和教学方面的图书。多数是 2000 年后出版的新书，资源持续更新。数字版权包括出版社及相关作者的双重授权，同时采用 TESDI（数字版权保护技术）从技术上加以保护。目前书生之家数字图书馆已获得 400 多家出版社的授权及相关作者的授权，这样既保证版权，又让图书馆用户用得放心。

书生之家数字图书馆资源的收录原则：政治性原则、学术性原则、实用性原则。尽可能相对符合图书馆需求；数据资源连续更新；不断更新的资源可以让图书馆连续获得最新的图书资料；有后继保证。

阅读"书生之家"电子图书全文之前需按照说明安装书生阅读器。一般需要安装阅读器最新版 7.1；Win98 系统用户则需安装 6.3 版本，并安装升级补丁（如图 4-16 所示）。

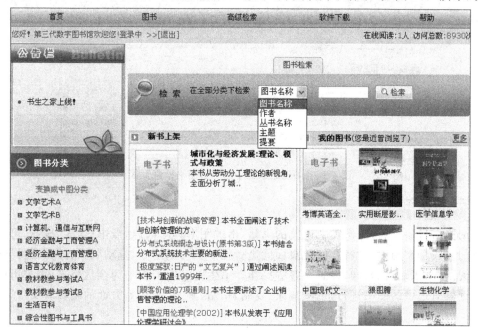

图 4-16　书生之家数字图书馆首页

一、数据库检索

系统提供分类浏览，也可按图书名称、出版机构、关键词、作者、ISBN 号、组合检索、全文检索等多种检索方式查阅图书。其"全文检索"功能可实现对所有图书中内容的检索。

检索查询支持书名、作者、出版商、ISBN、摘要、主题词、分类、二次等单项检索功能，可实现高级检索功能（或称组合检索、与或检索），"一站式检索"。全文检索技术实现检索定位到页，实现目次检索，读者能在最短的时间里查到自己想要的内容，集中体现数字图书馆优势（如图 4-17 所示）。

图 4-17　书生之家数字图书馆高级检索页面

二、图书检索

可以按照图书内容和目录根据查找图书的类别实现图书的全文检索，还可以将图书名称、作者、丛书名称、主题、提要这些检索字段使用逻辑运算符"与"、"或"进行组合检索。从分类中选择合适的专题，在"全文"或"目录"中进行"单词"、"多词"、"位置"、"范围"等方面的检索(如图4-18所示)。

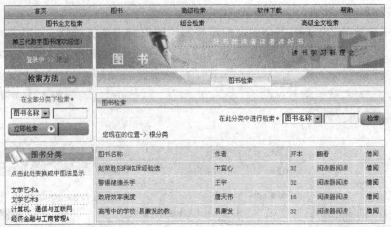

图4-18　书生之家数字图书馆图书检索页面

三、检索结果

浏览书目信息后,点击需要阅览的书籍,出现图书具体信息,点击"全文"按钮,可进行图书的在线全文阅读,读者在阅读页面能进行显示、放大、缩小、拖动版面、提供栏目导航、顺序阅读、热区跳转、打印、设置书签等操作。书生之家电子图书为全息格式,用户可以使用阅读器对选中的图书进行选择、摘录、复制、粘贴、画线、圈注等方面的编辑。

第四节　NetLibrary电子图书

NetLibrary是世界上电子图书的主要提供商之一,创建于1999年,总部设在美国科罗拉多州博尔德市。2002年1月,NetLibrary被联机计算机图书馆中心(OCLC)收购,成为OCLC最大的下属部门。NetLibrary现在提供来自全球500多家出版商的超过19万册高质量电子图书,这些电子图书的90%是1990年后出版的,每月新增加几千种。

NetLibrary对用户实行IP控制或用户密码限制,网址为http://library.netlibrary.com。NetLibrary中80%的电子图书面向大学读者,涉及自然科学和人文科学各个领域,不仅包含学术性强的专著,还收录最新出版的各类人文、社会科学图书,主要覆盖学科包括科学、技术、医学、生命科学、计算机学、经济、工商、文学、历史、艺术、社会与行为科学、哲学和教育学等。

图书馆订购NetLibrary电子图书后,IP开通范围内的用户可访问本馆订购的外文图书以及OCLC赠送的3400种无版权图书。该系统规定一册图书同时只能供一个用户阅读,如果购买的图书只有一个复本,而查阅的图书已经有人在线阅读,就需要等该读者离线后方能阅读。

一、检索方法和过程

1. 系统登录

在图书馆IP范围内直接登录http://library.netlibrary.com,或者通过超链接方式,由各图书馆主页上的NetLibrary栏目链接到NetLibrary即可访问（如图4-19所示）。

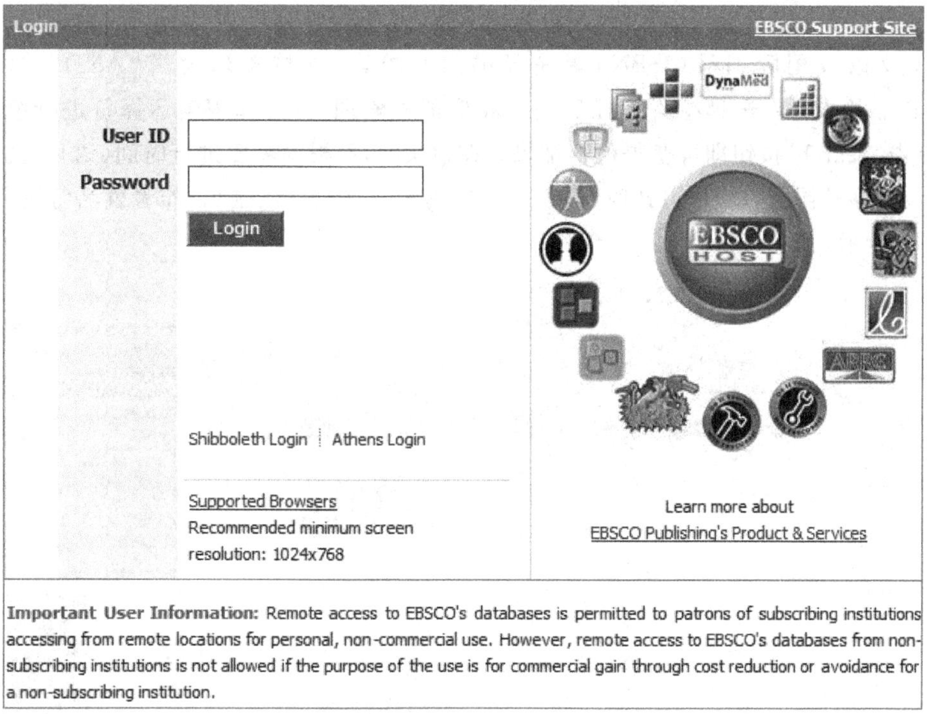

图 4-19 NetLibrary电子书查询页面

2.基本检索

进入NetLibrary页面，基本检索提供关键词、书名、作者、主题和全文五种检索途径。检索途径可通过点击检索下拉框进行选择，检索框中输入检索词后，点击"检索"按钮即可进行检索（如图4-20所示）。

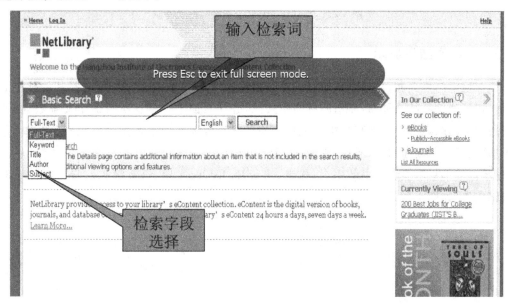

图 4-20 NetLibrary电子书基本检索界面

3. 高级检索

点击"Advanced Search"进入高级检索界面,高级检索提供题名、作者、主题词、关键词和全文以及国际书号(ISBN)等途径的组合检索,支持布尔逻辑"AND"、"OR"、"NOT"。检索时在选择检索途径后输入相应的检索词,并选择逻辑运算符进行组配检索,点击"Search"按钮即可获得检索结果。在检索时,可根据需要进行时间、语种、文献类型以及排序的限制。排序可按时间顺序、时间倒序、匹配程度、题名、作者姓名等进行(如图 4-21 所示)。

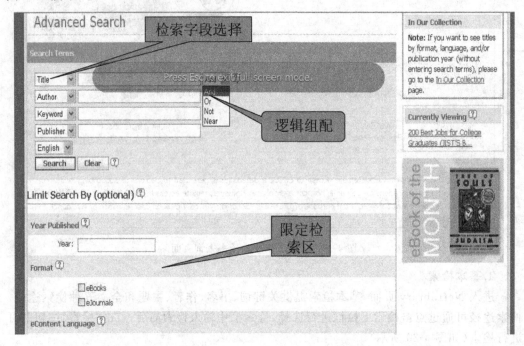

图 4-21　NetLibrary 电子书高级检索界面

二、检索结果显示

在检索结果页面,系统默认按相关度显示检索结果,用户可根据需要选择其他排序依据。在默认检索结果页面,显示所有命中文献,并在页面上方显示所有命中文献数、电子图书命中文献数和电子期刊命中文献数。如果选择阅读其中某本图书可点击"阅读本电子书"或者图书封面图标,通过"Acrobat Reader"直接在线阅览电子书全文;也可以点击"显示详细书目",显示该书的书名、作者、出版社、ISBN、主题、语言等进一步了解该书的详细信息(如图 4-22 所示)。

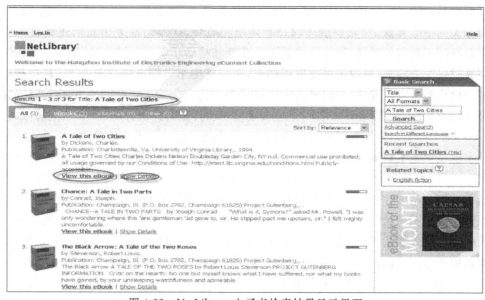

图 4-22　NetLibrary 电子书检索结果显示界面

第五节　移动数字图书馆

随着科技的发展,移动通信技术越来越多地应用在各个领域。另一方面,信息量的快速增长也使对内容管理的要求更为迫切。移动互联网改变了人们生活、学习及工作的方式,就连传统的图书馆服务也不例外。2001－2003 年,国外一些大学配合手持设备厂商进行产品推广的活动,把 PDA(Personal Digital Assistant,个人数字助理)等手持式智能终端设备引入校园,从而在一定程度上推进了信息服务在无线通信领域的应用和研究。正如同互联网时代带来了数字图书馆,移动互联网时代,移动数字图书馆应运而生,成为数字图书馆的一个发展方向。

一、数字图书馆和移动数字图书馆

何谓"数字图书馆"? 数字图书馆(Digital Library),即用数字技术处理和存储各种图文并茂的文献的图书馆,它实质上是一种多媒体制作的分布式信息系统,把各种不同载体、不同地理位置的信息资源用数字技术存储,以跨越区域面向对象的网络查询和传播的一个大型信息系统。何谓"移动数字图书馆"? 移动数字图书馆是指依托目前比较成熟的无线移动网络、国际互联网以及多媒体技术,使人们不受时间、地点和空间的限制,通过使用各种移动设备(如手机、掌上电脑、E-Book、平板电脑等)来方便灵活地进行图书馆各类数据信息的查询、浏览与获取的一种新兴的图书馆信息提供服务。随着移动互联网时代的到来,人们对包括数据库、电子图书、音像资料等在内的众多媒介的需求日益增大,传统图书馆服务更多地局限在为用户提供图书及内容检索等单一功能上。因此,图书馆数字化、移动化成为未来图书馆发展的一种必然趋势。

截止到2012年,我国手机上网用户已达4.2亿,利用手机上网用户增速达74.5%,国内三大电信运营商3G用户继续保持稳定增长态势,这一切都表明我们正处在一个移动互联网高速发展的时代;手持终端的迅速普及和移动互联网的快速发展,要求图书馆去适应新时代读者需求,适应图书馆发展潮流,由传统图书馆服务向兼具知识、科技双重内涵的现代化服务方向发展;由以书籍文献提供为主的一元服务向包括文化教育服务在内的多元服务拓展;由"管理读者"向"适应读者"转变;打破公共服务的时间、范围等限制。

事实上,图书馆从创立到今天已有几千年的历史,它一直担负着收集、整理和提供使用图书这三项基本职能。但在今天,图书馆的功能性却在逐渐被边缘化。随着信息时代的到来,无数的资讯、信息充斥着人们的生活,并由此带来了视觉和阅读疲劳,占据了人们大量的时间和精力,图书馆的时间和空间固定性也带来了不少人往返上的不便,林林总总的原因造成了图书馆在人们生活中的功能缺失。我们迫切需要一种顺应移动互联发展潮流的全新的服务模式,移动数字图书馆就是对图书馆服务概念进行了一次重新定义,通过全新的服务方式,极大扩展了现有图书馆的服务方式、服务范围和服务时间,读者可以通过手机、iPad、Kindle3、iPod等各种移动设备登录、使用移动数字图书馆,利用图书馆资源和服务,包括数据库资源的检索、下载以及馆藏书目的查询、预约等。

二、移动数据的业务发展

GPRS/CDMA(Genera Packet Radio Service 通用分组无线业务/Code Division Multiple Access 基于扩频技术的一种崭新而成熟的无线通信技术)技术的发展给移动数据业务提供了广阔的发展空间,GPRS/CDMA通道为各类应用系统真正达到与移动通信技术的结合打开了大门。以手机为终端承载体,通过在GPRS/CDMA通道上增加各类全新应用,以使Internet"移动"起来,应用系统"移动"起来的目的为人们随时享受咨询、接受信息提供了可能。

移动数字图书馆要达到应用要求,必须满足以下几种技术支撑。

1. 移动客户端技术

当前,移动设备访问互联网主要有以下几种技术:

(1)基于WAP的WML。Wireless Markup Language-WML是WAP中用来描述与展现资料用的语言,如同HTML与HTTP协定间的定位一样。

(2)基于Javade J2ME。Java 2 Micro Edtion-J2ME是JAVA在移动设备的微型设备上的JAVA平台,使Java代码能在这些设备上运行。

(3)基于C++的BREW。Binary Runtime Environment for Wireless™(BREW™)是高通(QUALCOMM)公司开发的在手持设备能运行C++代码的软件环境。

2. 内容管理技术

移动数字图书馆中的电子资源大部分是半结构化文本、音频和视频资源,对于它们的管理就要用到内容管理技术。

3. 元数据标准等其他技术

三、移动数字图书馆的电子资源

移动数字图书馆是将数字图书馆的业务应用领域拓展到移动通信领域的一种有益尝

试,它的主要目标是为了使图书馆的用户能够通过无线通讯网来访问数字图书馆,享受数字图书馆的各项服务。系统的主要用户为移动手持设备者,故系统要考虑到用户的设备和计算能力及访问速度,所以,移动数字图书馆要在内容采集、内容存储、内容发布等各方面适应移动用户的特殊要求,并提供方便的 WEB 访问方式。移动数字图书馆的电子资源和传统数字图书馆相同,有各种各样的图书音像资料,但又和传统数字图书馆不同,移动用户的浏览设备主要是手机、PDA 等手持设备,在这些设备上,对这些资源阅览的支持是不同的。因此,为了能够兼容大部分的移动设备,使用户都能浏览所有的图书馆资源,系统主要采集的是文本和某些格式的图片,且让这些图片格式和大小都能适应各种不同的手持设备。为了能让用户在移动数字图书馆的 WEB 界面上阅读和下载图书资料,移动数字图书馆在采集文本资源的同时,也采集其他格式,如格式规范、阅读方便、制作简单的 PDF 格式的电子文档。

四、移动数字图书馆的服务

1. EMS 服务

目前国内提供的 EMS 服务,一方面是图书馆主动推送的信息,如讲座通知、图书馆新闻、图书催还、预约到达通知、新书通告等;另一方面是用户按照一定指令和格式,提交书目查询、图书续借、咨询、意见或建议等个性化需求。

2. WAP 服务

目前国内的 WAP 服务开展,在功能、内容和系统的稳定性方面尚有待完善,主要提供书目检索、电子书、动态新闻、讲座、馆内导引、服务与简介等,可以检索书目和馆藏联合检索,查看新闻、讲座、馆藏地址、地图、电话、开放时间、读者借阅信息及续借服务等。读者在线阅读电子书时,可以使用做书签、笔记、划词翻译、书内全文搜索等多个功能。

五、移动数字图书馆的使用

(1)硬件方面,只需要拥有支持 WAP2.0 协议并且能够使用 GPRS/3G 或者 WIFI 上网的手机。首先输入需要登录的移动数字图书馆的网址,在首页进行注册、登录,可以有多种登录方式,如借阅证、短信、身份证明等,按照提示完善个人资料登录、注册,以清华大学移动数字图书馆为图例(如图 4-23 所示)。

图 4-23　移动数字图书馆网站页面

(2) 通过手机自带浏览器进入查询到的移动数字图书馆的网址后,点击相应模块,通过短信快速注册,提交审请通过后,将收到移动图书馆的认证短信,点击短信中的链接,即可通过认证访问移动图书馆系统。

(3) 移动图书馆不收取任何费用,但使用手机访问移动图书馆的过程中会产生网络流量,移动运营商会根据手机网络流量收取费用,流量费用需要自行承担。一般使用WIFI 上网或者使用各种话费套餐参加此活动不会额外产生费用,具体费用情况可以咨询手机服务提供商。

(4) 进入页面后,直接在检索框中输入自己想要找的图书、期刊的书名或各关键词,即可获得以手机电子书、图片、文摘方式的资料,或者通过文献传递至个人邮箱查看到电子资源全文,简单易用(如图 4-24 所示)。

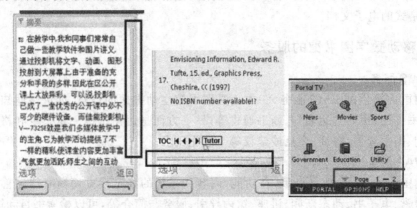

图 4-24　移动数字图书馆文字摘要页面

(5) 还可以直接点击推荐的热门图书阅读;根据下方图书导航中的图书分类按各类别选择自己感兴趣的图书等。

【思考题】

1. 请运用不同的三种检索途径查找蒋志文自 1997 年以来药学方面的图书。
2. 利用方正 Apabi 资源平台检索并下载与消化系肿瘤相关的图书。
3. 利用书生之家的阅读器选择一本图书,进行选择、摘录、复制、粘贴、划线、圈注等方面的编辑。
4. 利用 NetLibrary 检索维生素(Vitamin)代谢(Metabolism)的相关文献。
5. 利用图书馆的相关链接,进入移动数字图书馆网页,进行书、刊和数据库的相关检索。

(孙　俐)

第五章 引文数据库

第一节 引文检索概述

一、引文

19世纪以来,科学界开始形成严格的科学传统,要求科技工作者撰写论文时,必须注明所参照前人的论文或论著。因为科学研究是在前人的成果和经验的基础上进行的,在科研过程中,无论是准备过程,还是研究过程,参考以前的或其他的研究成果都是一项极其重要的活动。文献的作者为了给自己的著作提供佐证、前例或背景资料,一般要引用参考文献,以便读者了解该文参考或吸收了何人在何处提出的概念、理论和方法等。

引文,又称参考文献,是指作者为撰写或编辑论(文)著而引用、参考或借鉴的有关文献资料,通常列在论文、图书或章、节之后标明这些资料的出处,有时也以注释(附注或脚注)形式出现在正文中。中国国家标准——《文后参考文献著录规则》2005年修订版中参考文献的定义是"bibliographic reference,为撰写或编辑论文和著作而引用的有关文献信息资"。"参考文献"称为"被引用文献"(cited paper),列有参考文献的文献叫做"引用文献"(citing paper),常用的引文有期刊文献、学术著作、专利、会议文献、技术报告、电子文献等类型(如图5-1所示)。

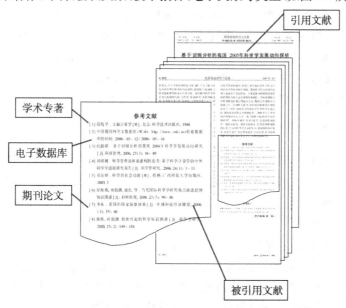

图 5-1 引用文献与被引用文献

事实表明,引文普遍存在,它们的存在不仅表明了科学文献之间的继承和联系,可以获取更多的相关文献,也表明对被引用者研究成果的尊重,反映文献作者的科学态度,反映文献作者获取信息的能力,考察文献研究内容的新颖性和质量,同时具有文献计量学上的重要意义。

二、引文数据库

引文数据库就是将各种参考文献的内容按照一定规则记录下来,集成为一个规范的数据集。通过这个数据库,可以建立著者、关键词、机构、文献名称等检索点,满足作者论著被引、专题文献被引、期刊、专著等文献被引、机构论著被引、个人、机构发表论文等情况的检索。

最早的检索引文工具是1873年美国出版的供律师查阅法律判例的《谢泼德引文》。现在常用的国内外引文数据库有SCI(科学引文索引)、EI(工程索引)、ISTP(科技会议录索引)、SSCI、中文社会科学引文索引CSSCI、中国科学引文索引(CSCD)、中文科技期刊数据库(引文版)等。

三、引文检索

1955年,尤金·加菲尔德(Eugene Garfield)博士在Science上发表了具有划时代意义的引文索引论文(Citation Indexes for Science：A New Dimension in Documentation through Association of Ideas)(引文索引:一种新的文献计量学思想),提出了以引文索引作为一种新的文献检索与分类工具,即将一篇文献作为检索字段从而跟踪一个Idea的发展过程。

引文检索是以被引用文献为检索起点对文章的参考文献进行检索的一种过程,是从学术论文中引证关系入手进行检索的一种方法。引文检索的入口词最常见的是被引用文献的著者,也有反映被引用文献主题的词,或被引用文献的刊名等。由于被引用文献和引用文献在内容上或多或少有关联,所以通过一个知名学者、或一篇较有质量的文献进行引文检索,常常可以获得其所引用的参考文献——"越查越旧",其发表后被引用的情况——"越查越新",以及相关文章——"越查越深",从而迅速发现一系列主题相关、内容上有所继承发展的新文献,来掌握该研究课题的来龙去脉(如图5-2所示)。

四、相关概念

假设,一篇文献名"甲",发表在先,在其后发表的"乙"文献引用了"甲"文献,即"乙"文献以"甲"文献为参考文献,那么,称"甲"文献为"乙"文献的"参考文献",或为"被引文献",或简称"引文","甲"文献作者为"引文著者";称"乙"文献为"引用文献",或称"来源文献",称"乙"文献作者为"引用著者"。

如果"乙"文献引用了"甲"文献,"丙"文献也引用了"甲"文献,则"乙"文献与"丙"文献的论题应该是相同或相近的,这时称"乙"文献和"丙"文献互为"相关文献",或称"相关记录"(Related Records),它们引用的相同的参考文献"甲"称为"乙"文献和"丙"文献的"共享参考文献(Shared Reference)",显然,如果两篇文献所引用的相同参考文献越多,说明两篇文献间的相关性越密切。

(1) 来源文献（引用文献）。引用其他文献作为参考文献的原始文献称为来源文献或引用文献；其作者称为来源著者或引用著者。

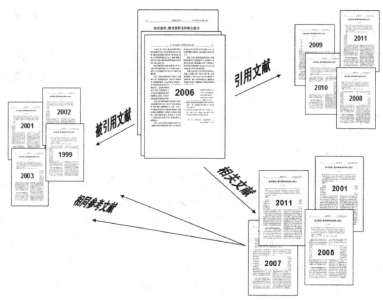

图 5-2　引文检索示意图

(2) 引文文献（被引文献）。原始论文后所附的参考文献称作引文文献或被引文献；其著者称为引文著者或被引著者。

(3) 同被引文献。共同被另一篇文献引用的文献称同被引文献，或称同引。

(4) 文献耦合。文献耦合是指引用文献通过参考文献（被引用文献）建立起来的耦合（故亦称"引文耦合"）。具体讲：如果 A 和 B 两文献共同引用了一篇或多篇相同的文章，或者说它们共同具有一篇或多篇同样的参考文献时，则称 A 和 B 两文献在引文上具有耦合关系。

(5) 耦合强度（耦合频率）。耦合强度指 A 和 B 共有的参考文献的数量。数量越多，说明两篇文献关系愈密切。

(6) 论文族。在学科、专业上相近的一个个由耦合强度较高的论文构成的论文族。

(7) 同被引。两篇（或多篇）论文同时被别的论文引用时，则称这两篇论文（被引用论文）具有"同被引"的关系。同被引频次愈高，两篇论文相关性愈强。

(8) 自引。作者引用自己以前发表的独撰与合撰论文的现象，自引还可以扩展到杂志、学科、地区、团体乃至国家对文献的反身自用。

五、引文数据库的引文分析功能

加菲尔德和美国科学史专家 D.J.de S.普赖斯在引文索引的基础上研制出引文分析技术。引文分析就是利用各种数学及统计学的方法进行比较、归纳、抽象、概括等，对科学期刊、论文、著者等分析对象的引证与其被引证现象进行研究，目的在于揭示文献所蕴含的情报特征和相关关系的一种过程。

引文分析适于探索科学的微观结构，便于超越时间空间，跨学科组织文献，同传统的分类法和主题法截然不同，其有利于对文献由表及里地深入展开分析，更易于量化。从不同的角度或从各种基本要素出发,对科学引文的分布结构进行描述和分析,形成引文分析的基本内容。从分析的出发点和内容来看,引文分析大致有三种基本类型：

(1)引文数量分析。主要用于评价期刊和论文,研究文献情报流的规律等,如引文年代、引文量、引文语种、引文类型、国别等分析。

(2)引文网状分析。主要用于揭示科学结构、学科相关程度和进行文献检索等。

(3)引文链状分析。科技论文间存在着一种"引文链",如文献 A 被文献 B 引,B 被文献 C 引,C 又被文献 D 引等。对这种引文的链状结构进行研究可以揭示科学的发展过程并展望未来的前景。

六、引文检索的作用

引文检索多用于新兴学科、交叉学科及其他复杂课题的文献检索。在实际的文献检索过程中,文献的相互引证直接反映学术研究之间的交流与联系,通过引文检索可查找相关研究课题早期、当时和最近的学术文献,可以了解文献之间的内在联系,进而可以有效地揭示过去、现在、将来的科学研究之间的内在联系,揭示科学研究中所涉及的各个学科领域的交叉联系,协助研究人员迅速地掌握科学研究的历史、发展和动态；可以从文献引证的角度为文献计量学和科学计量学提供重要的研究工具,分析研究文献的学术影响,把握研究趋势,从而不断推动知识创新；可以较真实客观地反映作者的论文在科研活动中的价值和地位,这是引文检索的最基本目的。

第二节 Web of Science

一、概述

1955 年 Eugene Garfield 博士在 Science 上发表了一篇文章,首先提出了将引文索引应用于科研检索。1958 年他创建了 Institute for Scientific Information(简称 ISI)美国科技信息研究所,1992 年被并入汤姆逊科技信息集团(Thomson Scientific),2008 年购路透社(Reuters)后更名汤姆逊路透(Thomson Reuters)。ISI 在 1963 年出版了科学引文索引自然科学引文索引 Science Citation Index(SCI),1973 年又出版了社会科学引文索引 Social Sciences Citation Index (SSCI),1978 年出版了人文艺术引文索引 Arts & Humanities Citation Index (AHCI)。1997 年,利用互联网的开发环境,科技信息研究所(ISI)将 SCI、SSCI、AHCI 整合成为三大引文索引数据库的网络版,并具备连接其他各种学术信息资源的学术信息数据库,这就是著名的 Web of Science(简称 WOS)。

Web of Science 是一个基于 ISI Web of Knowledge(简称 WOK)平台而构建的整合的综合性文摘索引数据库。WOK 是一个综合性数据库系统服务平台,整合了 Thomson Reuters 公司生产的多个数据库产品(文献检索数据库、分析和评价数据库),Web of Knowledge 通过强大的检索技术和基于内容的连接能力,将高质量的信息资源、独特的信息分析工具和专业的信息管理软件无缝地整合在一起,兼具知识的检索、提取、分析、评价、管理与发表等多项功能，从而大大扩展和加深了信息检索的广度与深度，加速了科学发现与创新的进程。

Web of Science 是 Thomson Reuters 科技集团为广大科研人员提供的一个被全球学术界广泛使用、最具权威的索引型数据库、全球获取学术信息的重要数据库，包括来自全世界近 11000 种世界权威的、高影响力的学术期刊及全球 120000 多个国际学术会议录。内容涵盖自然科学、工程技术、生物医学、社会科学、艺术与人文等领域，最早回溯至 1900 年。包括五大引文库（SCIE、SSCI、A&HCI、CPCI-S、CPCI-SSH）和两个化学数据库（CCR、IC）。

汤森路透科技集团美国科学信息研究所 ISI 基于 ISI Web of Knowledge 检索平台，将七大数据库集成为 Web of Science，内容包含来自数以千计的学术期刊、书籍、丛书、报告及其他出版物的信息。既可分库检索，也可多库联合检索，检索界面默认多库联合检索。

Web of Science 包含原三大引文索引期刊数据库，三个引文数据库包含文献作者引用的参考文献。可以使用这些参考文献进行被引参考文献检索。通过这种类型的检索，可以查找引用以前发表的著作的文献。

1. 科学引文索引（扩展库）SCI-E（Science Citation Index-Expanded）

全球知名的引文索引数据库，因为其具有开创性的内容、高质量的数据以及悠久的历史使得 SCI 在全球学术界有极高的声誉。SCI-E 提供 1900 年以来 8300 多种期刊的题录、文摘、参考文献信息，涉及自然科学和工程技术的所有领域，内容涵盖了农业、天文学与天体物理、生物化学与分子生物学、生物学、生物技术与应用微生物学、化学、计算机科学、生态学、工程、环境科学、食品科学与技术、基因与遗传、地球科学、免疫学、材料科学、数学、医学、微生物学、矿物学、神经科学、海洋学、肿瘤学、儿科学、药理学与制药、物理学、植物科学、精神病学、心理学、外科学、通信科学、热带医学、兽医学、动物学等 150 多个学科领域。数据库每周更新。

2. 社会科学引文索引 SSCI（Social Science Citation Index）

SSCI 是全球知名的专门针对人文社会科学领域的科技文献引文数据库，提供 1900 年以来近 3100 多种期刊的题录、文摘、参考文献信息，涉及社会科学的所有领域。其内容涵盖了人类学、商业、沟通、犯罪学和刑罚学、经济学、教育、环境研究、家庭研究、地理学、老年医学和老年病学、卫生政策和服务、计划与发展、历史、工业关系与劳工问题、图书馆学和信息科学、语言与语言学、法律、政治科学、心理学、精神病学、公共卫生、社会问题、社会工作、社会学、药物滥用、城市研究、妇女问题、社会科学等 56 个学科领域。数据库每周更新。

3. 艺术与人文科学引文索引 A&HCI（Arts & Humanities Citation Index）

A&HCI 是全球最权威的人文艺术引文数据库，提供 1975 年以来 1700 多种期刊的题录、文摘、参考文献信息，涉及艺术与人文科学的所有领域。目前收录人文艺术领域 1650 种国际性、高影响力的学术期刊，其内容涵盖哲学、语言、语言学、文学评论、文学、音乐、哲学、诗歌、宗教、戏剧、考古学、建筑、艺术、亚洲研究、古典、舞蹈、电影/广播/电视、民俗、历史等学科领域。数据库每周更新。

两个新引文索引会议录数据库收录重要会议、讨论会、研讨会、座谈会等会议发表的文献，各学科的公约等。可以在期刊文献尚未记载相关内容之前，即可跟踪特定学科领域内涌现出来的新概念和新研究。

4. 会议录引文索引 Conference Proceedings Citation Index-Science(CPCI-S)

原科学技术会议录索引 ISTP 新版,提供 1990 年以来以专著、丛书、预印本、期刊、报告等形式出版的国际会议论文文摘及参考文献索引信息,涉及自然科学和工程技术的所有领域。数据库每周更新。

5. 社会科学会议录引文索引 Conference Proceedings Citation Index-Social Sciences & Humanities(CPCI-SSH)

原社会科学及人文科学会议录索引 ISSHP 新版,提供 1990 年以来以专著、丛书、预印本、期刊、报告等形式出版的国际会议论文文摘及参考文献索引信息,涉及社会科学、艺术及人文科学的所有领域。数据库每周更新。

6. 化学反应索引(扩展库)Current Chemical Reactions (CCR-Expanded)

CCR-Expanded 提供核心期刊和专利中有机化学合成方法的反应流程,超过 100 万条化学反应,包括每一步骤详细、精确的图示;也提供法国国家知识产权局 1840 年以来的反应数据。数据库每月更新。

7. 化合物索引 Index Chemicus (IC)

IC 提供 1993 年以来国际核心期刊报道的 420 万种化合物的结构和关键数据。数据库每周更新。

二、检索方法

Web of Science 是基于 Web of Knowledge 的检索系统(如图 5-3 所示),可以在通用的 WWW 浏览器界面上进行检索,无需安装任何其他软件。Web of Science 自带强大的分析工具,帮助研究者快速分析相关文献,概览研究趋势。通过 WOK 平台,WOS 可实现与其他数据库的链接。

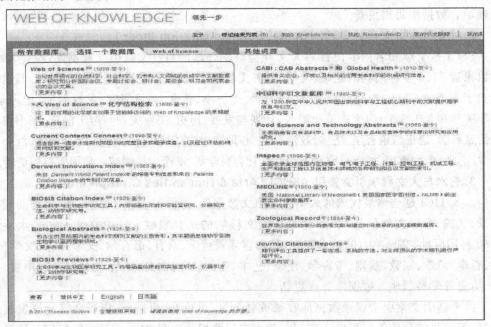

图 5-3　Web of Knowledge 的检索系统

Web of Science 分一般检索(Search)、被引参考文献检索(Cited Reference Search)、高级检索(Advanced Search)、化学结构检索(Structure Search)四种检索方式(如图 5-4 所示)。

图 5-4 Web of Science 检索首界面

1. 一般检索(Search)

在执行检索前,还可以通过选择数据库、指定时间段、语种、调整检索设置等来限制检索结果,从而提高查准率和查全率。在一般检索中,既可以执行单字段检索,也可以结合主题、作者、刊名和地址进行多字段组合检索,系统默认可以在三个检索字段中输入检索词,如需更多的检索字段,单击"添加另一字段"链接可在"检索"页面中添加更多的检索字段(如图 5-5 所示)。多个检索途径之间为逻辑"与"关系。在同一检索字段内,各检索词之间可使用逻辑算符、通配符。

(1) 主题字段(Topic)。通过主题来查找文献。它是在论文的题名(Title)、文摘(Abstract)、作者关键字或关键词(Keywords)字段中检索。可用逻辑算符(AND、OR、NOT、SAME 或 SENT)连接单词或短语,也可用截词符进行截词检索,如要进行精确的词组

图 5-5 选择字段

检索,须用引号限定。主题检索规则:AIDS、Aids 和 aids 返回相同的结果,不区分大小写。Enzym * 可查找 enzyme、enzymes、enzymatic 和 enzymology。Sul * ur 可查找 sulfur 和 sulphur。Flavo $ r 可查找 flavor 和 flavour。主题(Topic)和题名(Title)是最常见的字段。

(2) 团体作者字段(Group Author)。团体作者是被赋予来源出版物(如期刊文献或书籍)著作权的组织或机构。输入团体作者的姓名应考虑其各种写法,包括全称和缩写形式。也可利用系统提供的"group author index"浏览选择并添加到检索框中。

(3) 编者字段(Editor)。Web of Science 收录了与来源文献(例如期刊文献、会议论文等)相关的所有编者的姓名,通过输入来源文献的编者姓名来查找文献。输入全名或使用通配符(*？$)输入姓或名。在输入姓名时,先输入"姓",空一格,然后输入"名"的首字母缩写。

(4) 出版物名称字段(Publication Name)。输入出版物名称可以检索记录中的"来源出版物"字段。Web of Science 可检索期刊标题、书籍标题、丛书标题、书籍副标题、丛书副标题等。输入完整或部分(截取)出版物名称。如果记不全刊名的名称,可以输入刊名的前几个单词和通配符来检索,或者点击该字段右边的 🔍 链接,进入 Publication Name Index 查阅准确名称,选择并添加到检索输入框中。

(5) 出版年字段(Year Published)。输入四位数的年份或年份范围,查找在特定年份或某一年份范围发布的记录,如 2010、2005－2007、2008 OR 2011、2005 OR 2008 OR 2011。输入的出版年必须与另一字段相组配。因此,需输入与主题、标题、作者和/或出版物名称检索式相组配的出版年。当输入年份范围时,需将检索限制在 5 年或更短时间,否则会减慢处理速度。

(6) 地址字段(Address)。通过在作者地址字段中输入机构和/或地点名称,可以检索"地址"字段。将"地址"检索与"作者"检索结合起来可扩大或缩小检索结果。按著者所在机构或地理位置检索,包括大学学院、机构、公司、国家、城市等的名称和邮政编码等。该字段所有地址都可以检索。机构名和通用地址通常采用缩写。可以点击该字段右面的 abbreviations help 链接查找缩写列表。各检索词之间可以使用 SAME、AND、OR、NOT 算符组配,要将该运算符名称括在引号内。例如:Portland "OR"。一条地址相当于一句,若一条地址中包含两个或多个词汇,检索时用 SAME 运算符。

(7) Web of Science 提供检索的其他字段包括会议(conference)、语种(Language)、文献类型(Document Type)、基金资助机构(Funding Agency)、授权号(Grant Number)、Researcher ID、DOI。根据已知条件多少或根据检索者的某种需要,在以上 14 个字段中输入检索词,按"检索"按钮,即出现满足检索条件的结果列表。

2. 作者检索(Author Search)

作者检索可帮助用户查找同一作者姓名的不同拼写形式,或根据研究领域和/或地址来区分作者。作者姓名的形式为姓氏在先,名字首字母(最多五个字母)在后。

在 Web Of Science 检索首页面选择"作者检索"即可进去(如图 5-6 所示)。首先,输入作者姓名:在姓氏框中输入作者的姓氏。姓氏可以包含连字号、空格或撇号。以下均属有效输入:Wilson、O'Grady、OGrady、Van der Waals、Ruiz-Gomez、RuizGomez。必须输入完整的姓氏。名字首字母不允许使用通配符。系统将使用内部的通配符自动检索姓名的所有不同形式。在"作者检索"中,输入 Rothsch 或 Rothsch * 不会检索到 Rothschild。输入的名字首字母越多,检索范围越小。其次,选择作者姓名的不同拼写形式:浏览与在第一步中输入的姓名匹配的作者姓名列表。与输入内容精确匹配的姓名显示在列表顶部,默认情况下该姓名处于选定状态。可以单击下一步在产品检索中使用此作者姓名,也可以从列表中选择其他姓名。第三,选择学科类别(可选):选择学科类别对于缩小作者检索范围非常有帮助。除"所有主题"类别外,还有六大学科类别可供选择。例如,要将社会科学家 Johnson RJ 与其他姓名为 Johnson RJ 的研究人员相区别,选择社会科学。第四,选择机构(可选):缩小作者检索范围的另一途径是选择一个或多个机构。包含所选作者姓名的记录的"地址"字段中必须显示选择的所有机构。例如,如果只想检索 University of Calgary 的化学家 Thomas Ziegler 的著作,而不想检索 Emory University 或 Princeton University 的 Thomas Ziegler 的著作,则应从列表中选择 Univ Calgary。

图 5-6 作者检索界面

3. 被引参考文献检索(Cited Reference Search)

在 Web of Science 检索首页面选择"被引参考文献检索",检索引用了过去发表的著作的文章(如图 5-7 所示)。可以了解某个已知理念或创新已获得确认、应用、改进、扩展或纠正的过程。检索字段有被引作者(Cited Author)、被引著作(Cited Work)、被引年份(Cited Years)、被引卷(Cited Volume)、被引期(Cited Issue)、被引页(Cited Pages)、被引标题(Cited Title)。输入主要的被引作者的姓名(如第一作者)或被引著作的缩写标题,然后单击检索。还可以只在一个字段中输入检索词检索参考文献,如果检索到的结果太多,可添加被引年份或有限的被引年份范围进行限定。单击检索之后,会看到引文索引的参考文献,这些参考文献包含所输入的被引作者或被引著作数据。从引文索引选择参考文献,然后单击完成检索。

4. 化学结构检索(Structure Search)

在 Web of Science 中,可以检索与用户创建的化学结构检索式匹配的化合物和化学反应;检索与化合物和化学反应相关联的数据;检索化合物或化学反应数据而不进行化学结构检索。"化学检索"页面分为三个部分:化学结构绘图、化合物数据、化学反应数据。一种化学结构检索可以创建两种检索式——化学反应记录检索式和化合物记录检索式。

在这种情况下,相同的化学结构检索式将在检索历史表中显示 2 次。化合物的子结构检索可能查找 25 种化合物和 10 种化学反应。这 25 种化合物属于一个检索式,而 10 种化学反应属于另一个检索式。

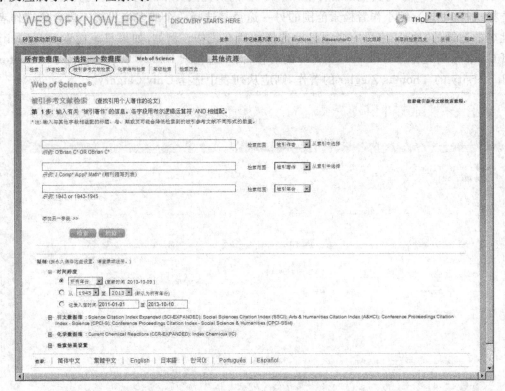

图 5-7　被引参考文献检索界面

5. 高级检索(Advanced Search)

高级检索可使经验丰富的检索人员运用普通检索和检索策略组合展开复杂检索。使用字段标志、检索式组配或二者的组配来检索记录。例如:TS＝Cell AND ♯1。"高级检索"检索式由一个或多个字段标志以及一个检索字符串组成。允许使用布尔逻辑运算符和通配符。检索历史表格显示在当前会话期间所有成功运行的检索。检索式按时间顺序倒序显示,即最近的检索式显示在表格顶部。单击"结果"栏中的链接,查看检索结果。字段标志:AD＝地址、AU＝作者、CF＝会议、CI＝城市、CU＝国家/地区、FG＝授权号、FO＝基金资助机构、FT＝资助正文、GP＝团体作者、OG＝组织、PS＝省/州、PY＝出版年、SA＝街道地址、SG＝下属组织、SO＝出版物名称、TI＝标题、TS＝主题、ZP＝邮政编码等。

6. 检索历史

所有成功的检索记录均添加至检索历史表(如图 5-8 所示)。检索式按倒序数字顺序显示在检索历史表中,即最近创建的检索式显示在表格顶部。根据以前的检索创建的检索式,单击 AND 或 OR 选项,选中要组配的各个检索式的复选框。单击"组配"按钮。单击"结果"栏中的链接,查看检索结果。♯1 AND ♯2 查找在检索式 ♯1 和 ♯2 中都出现的所有记录。♯2 OR ♯3 查找检索式 ♯2 和 ♯3 中的所有记录,包括这两个检索式共有的记录。♯1 AND ♯2 AND ♯4 AND ♯6 查找所有检索式(♯1、♯2、♯4 和♯6)共有的所有记录。

图 5-8　检索历史页面

(1) 打开保存的检索历史。在"高级检索"页面中,单击检索历史表中的打开保存的检索历史按钮,可以转至"打开/管理已保存的检索式"页面。从主服务器或本地计算机打开所需的检索历史文件。打开检索历史文件后,产品将把用户引至"查看检索历史"页面。单击运行。

(2) 保存检索历史/创建跟踪。此功能允许将检索式保存到检索历史文件,可以在以后检索和打开该文件。在"高级检索"页面中,单击检索历史表中的保存检索历史/创建跟踪按钮,可以转至"保存检索历史"页面,在该页面可以将工作保存到主服务器或本地计算机。"检索历史"表中最多可以保存 40 条检索式。检索历史包含检索式和为每个检索式选择的限制(例如,Language=English),但不包含选择的入库时间。选择新的入库时间(可选),然后单击继续。

(3) 删除检索式。在"删除检索式"栏中,选中不需要的检索式对应的复选框,然后单击删除。或者单击全选按钮选择所有检索式,然后单击删除。单击"删除"后,产品将检查相关的检索式。所选检索式若未被其他检索式所引用,那么将立即被删除。但是,如果未选择删除施引检索式,那么系统将返回以下错误信息:选择删除的检索式中至少有一条被检索式组配所引用。请确认复选标记,然后单击"删除"删除检索式。在这种情况下,系统将同时选中标记为删除的原始检索式和被引检索式对应的删除检索式复选框。可以删除这两条检索式,也可以不删。如:用户创建了一个包含检索式♯1 和♯2 的检索式组配(生成检索式♯3)。检索式♯1 不能删除,因为检索式♯3(被引检索式)依赖于检索式♯1。然而,可以同时删除检索式♯1 和♯3。如用户使用"检索结果"页面的"精炼检索结果"选项创建了一个检索式,此检索式不能删除,因为它依赖于原始父检索式。然而可以同时删除这两个检索式。

三、检索结果处理

1. 显示检索结果

以简短的记录格式查看检索结果。所有文献均根据默认排序选项更新日期进行排序。页面顶部显示用于检索结果的检索语句的概要,包括所选的人库时间和所选的任何数据限制(例如文献类型和语种)。选择结果排序方式可按更新日期、被引频次、相关性、第一作者、来源出版物、出版年、会议标题排序。检索结果默认以简洁格式显示,每页显示10条记录;每条记录显示的内容包括前三位作者、题名和来源期刊信息(包括刊名、卷、期、页码范围)。在屏幕最上方,显示检索策略、检索范围、限定条件、检索结果的排序方式等内容。在屏幕最下方显示检索命中的记录数。

2. 输出记录

在打印、保存或 E-mail 检索结果前,从"检索结果"页面中必须先选择需要的记录。选中每条记录的复选框或者页面上的所有记录,在"每页显示 10、25 或 50 条记录"列表中选择一个值。选择要包括在每条记录中的数据:题录字段包括作者、标题和来源文献信息;题录与摘要包括题录字段和作者摘要;全记录包括全记录页面中的所有数据;全记录和被引参考文献包括"全记录"页面上的所有数据和参考文献。

3. 分析检索结果

单击任意"检索结果"页面中的分析检索结果,系统会转至"分析检索结果"页面。从列表中选择要分析的字段。单击"分析"之后,系统会生成一份报告,按等级顺序显示这些值。例如可以就特定主题运行检索,或者生成发表此主题文章的作者列表。

4. Web of Science 全文的途径

目前,Web of Science 可以与全球多家出版社数千种期刊建立全文链接。通过 ISI 文献传递服务可以直接在网上订购全文。Web of Science 已经实现了为中国用户所使用的 INSPEC、HORIZON、SIRSI、南京汇文等多种 OPAC 系统的链接。授权用户只需点击在 Web of Science、Current Contents Connect 等数据库中文献记录中的"Holdings"按钮,即可链接到该机构的 OPAC 系统中,找到该篇文献所在期刊的馆藏记录。Current Contents Connect 提供作者 E-mail 地址,用户只需点击该地址,即可发送电子邮件向作者索取全文。通过严格的筛选和评估,ISI 将大量的学术性文献按照 Funding、Pre-Print、Research Activities 分类并免费提供给读者。目前,ISI 的 Web of Knowledge 中已经提供了近 50 万篇全文。

第三节 中国科学引文数据库

一、概述

中国科学引文数据库(Chinese Science Citation Database,简称 CSCD)创建于 1989 年,1999 年起作为中国科学文献计量评价系列数据库的 A 辑,由中国科学院文献情报中心与中国学术期刊(光盘版)电子杂志社联合主办,并由清华同方光盘电子出版社正式出版。中国科学引文数据库是我国第一个引文数据库,曾获中国科学院科技进步二等奖。1995年CSCD出版了我国的第一本印刷本《中国科学引文索引》;1998年出版了我国第一张中国科学引文数据库检索光盘;1999年出版了基于CSCD和SCI数据,利用文献计量学原理制作的《中国科学计量指标:论文与引文统计》;2003年CSCD上网服务,推出了网络版;2005年CSCD出版了《中国科学计量指标:期刊引证报告》。2007年中国科学引文数据库与美国Thomson-Reuters Scientific合作,中国科学引文数据库以ISI Web of Knowledge为平台,实现与Web of Science的跨库检索,中国科学引文数据库是ISI Web of Knowledge平台上第一个非英文语种的数据库(如图5-9所示),让全世界更多的科研人员了解中国的科研发展及动态。

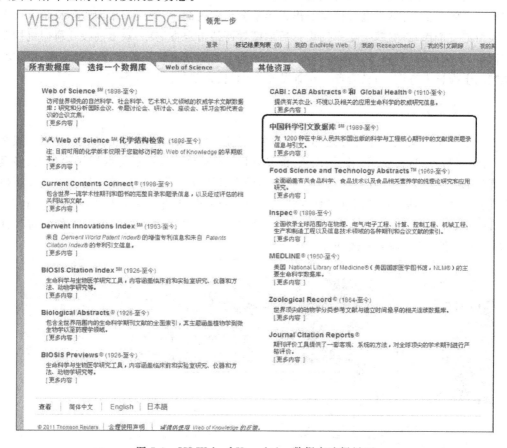

图 5-9 ISI Web of Knowledge 数据库选择界面

中国科学引文数据库收录了我国数学、物理、化学、天文学、地学、生物学、农林科学、医药卫生、工程技术、环境科学和管理科学等领域出版的中英文科技核心期刊和优秀期刊千余种。中国科学引文数据库分为核心库和扩展库。核心库的来源期刊经过严格的评选,是各学科领域中具有权威性和代表性的核心期刊。扩展库的来源期刊也经过大范围的遴选,是我国各学科领域较优秀的期刊,CSCD的来源期刊每两年更新一次,其来源期刊是各学科领域中具有权威性和代表性的核心期刊。2011—2012年来源期刊目录经过专家评审,共遴选了1124种期刊,其中英文刊110种,中文刊1014种;核心库期刊751种(以C为标记),扩展库期刊 373 种（以 E 为表记）。目前 CSCD 从 1989 年到现在的论文记录已积累超过 350 万条，引文记录近 1700 万条，每年新增 25 万条数据。大多数论文信息（标题、作者、来源出版物）均提供简体中文和英文两种语言版本。约 40% 的条目包含英文摘要，超过 60% 的引文是英文。中国科学引文数据库内容丰富、结构科学、数据准确。系统除具备一般的检索功能外，还提供新型的索引关系——引文索引。使用此功能，用户可快速从数百万条引文中查询到某篇科技文献被引用的详细情况，还可以从一篇早期的重要文献或著者姓名入手，检索到近期发表的相关文献，对交叉学科和新兴学科的发展研究具有十分重要的参考价值。中国科学引文数据库还提供了数据链接机制，支持用户获取全文。

中国科学引文数据库已在我国科研院所、高等学校的课题查新、基金资助、项目评估、成果申报、人才选拔以及文献计量与评价研究等多方面作为权威文献检索工具获得广泛应用。主要包括：自然基金委国家杰出青年基金指定查询库；第四届中国青年科学家奖申报人指定查询库；自然基金委资助项目后期绩效评估指定查询库；众多高校及科研机构职称评审、成果申报、晋级考评指定查询库；自然基金委国家重点实验室评估查询库；中国科学院院士推选人查询库；教育部学科评估查询库；教育部长江学者查询库。

二、检索方式

中国科学引文数据库具有建库历史悠久、专业性强、数据准确规范、完整、检索方式多样、方便等特点，自提供用户使用以来，深受好评。CSCD 已发展成为我国规模最大、最具权威性的科学引文索引数据库，被誉为"中国的 SCI"，为中国科学文献计量和引文分析研究提供了强大工具。登录网址：http://www.webofknowledge.com/CSCD，或者 http://sdb.csdl.ac.cn/界面（如图 5-10 所示），点击"中国科学引文数据库"，即进入检索首界面（如图 5-11 所示）。检索方式如下：

图 5-10　中国科学文献服务系统数据库选择页面

1. 引文检索

（1）简单检索。引文检索的简单检索页面为本数据库默认页面。用户根据下拉菜单，直接在选定的检索字段中输入检索词进行快捷检索，并可以进行多个检索字段的逻辑与/或组合检索（如图5-11所示）。

图5-11　中国科学引文数据库检索首界面（简单检索）

选择相关的检索字段，按"被引作者"（引文的前3位作者姓名）、"被引第一作者"、"被引来源"、"被引机构"、"被引实验室"、"被引文献主编"的检索途径进行检索。在检索框中输入相关的检索词，首页下方也可以进行时间范围的限定，然后点击"检索"，得到在该年份范围中相关作者的被引用情况的概览页面。点击检索页面中的"结果限定"；点击标题栏的"被引频次"进行重新排序；对结果进行勾选，选择E-mail、打印和下载三种方式的输出；页面下方可以进行二次检索。点击概览页面中被引出处的"详细信息"，进入某篇文献的细览页面，可以了解该篇文献的基本信息、参考文献信息、引文文献情况、相关文献情况和开放链接，并分别对该篇文献及其参考文献进行信息的输出。

（2）高级检索。可以根据检索系统提供的检索点，在检索框中输入"字段名称"和"布尔连接符"以及检索内容构造的任意组配检索式进行检索（如图5-12所示）。

点击确定进入概览页面，查看结果信息；点击详细信息查看某篇文献的细览信息，同样可以了解参考文献、引证文献及扩展服务信息，采用三种输出方式进行输出。

2. 来源文献检索

分为简单检索和高级检索。输入检索词，可选择检索的字段包括作者、第一作者、题名、刊名、ISSN、文摘、机构、关键词、基金名称等11个。可限定论文发表年份和学科范围。

3. 来源期刊检索

通过对来源期刊进行检索，了解来源期刊基本信息和收录情况以及期刊各年度发文情况（如图5-13所示）。输入某篇期刊名称，点击检索，进入该期刊的检索页面；点击该期刊，了解该期刊被收录的发文情况；点击某年某期的具体情况，查看该期刊该年份所有被收录的文献情况。

图 5-12 引文检索高级检索界面

刊名	ISSN	收录年代
Acta Mathematica Sinica. New Series	1000-9574	1989-1998
Acta Mathematica Scientia	0252-9602	1989-2008
Acta Mathematicae Applicatae Sinica	0168-9673	1989-2008
Acta Mechanica Sinica	0567-7718	1999-2008
Advances in Atmospheric Sciences	0256-1530	1989-2008
Algebra Colloquium	1005-3867	1999-2007
Applied Mathematics. Series B : A Journal of Chinese Universities	1005-1031	1999-2008
Acta Botanica Sinica	1672-6650	2002-2004
Acta Mathematica Sinica. Eng Sers	1439-8516	2005-2008

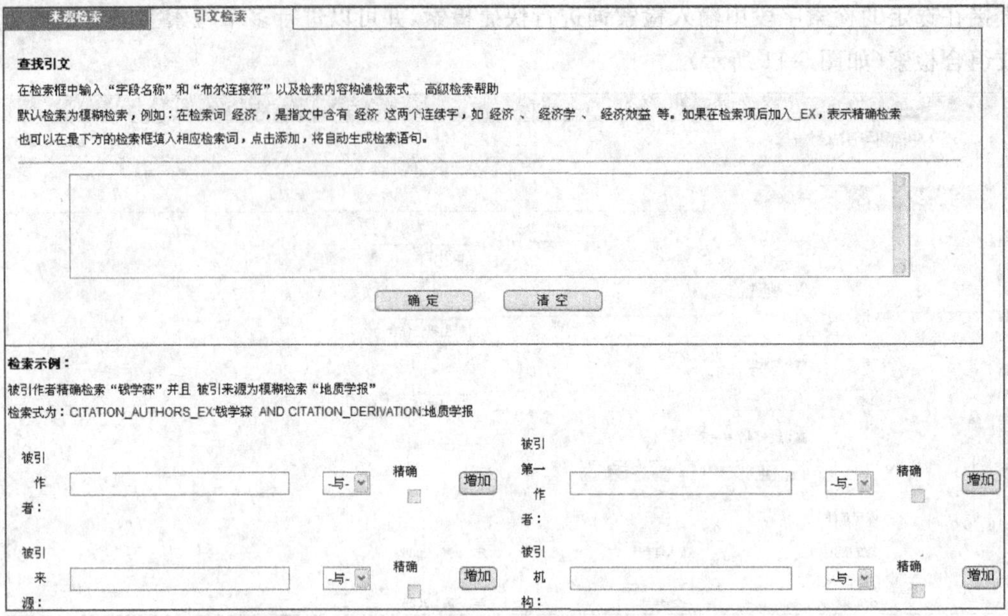

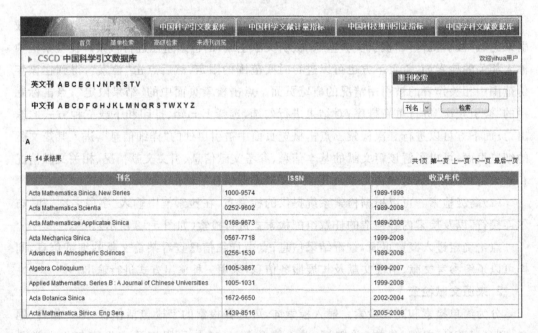

图 5-13 来源期刊检索界面

三、检索结果的浏览及输出

1. 检索结果的限定

中国科学引文数据库来源检索和引文检索的检索结果可以通过"结果限定"来限定检索结果。来源检索结果可以从来源、年代、作者和学科四个方面来进行限定；引文检索结果可以从被引出处、年代和作者三个方面来进行结果限定。

2. 检索结果的排序

来源检索和引文检索的检索结果可以进行排序。点击结果输出列表中相应字段名称，可以实现相应字段的排序，来源检索结果可以按照题名、作者、来源和被引频次进行排序，引文检索可以按照作者、被引出处和被引频次进行排序。

3. 检索结果的输出

检索结果提供三种输出方式：E-mail（如图 5-14 所示）、打印和下载。检索结果可以通过勾选每条记录前的选择框，或者直接选中"本页"或者"所有记录"进行输出结果的选择，对选中的结果直接点击 E-mail、打印和下载即可进行相应操作。

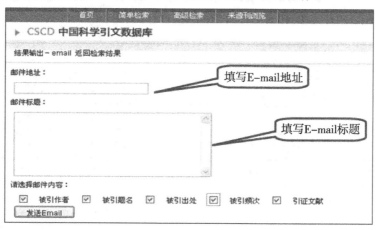

图 5-14　E-mail 输出

第四节　其他引文检索资源

一、中国引文数据库

1. 概述

中国引文数据库收录了中国学术期刊（光盘版）电子杂志社出版的所有源数据库产品的参考文献，并揭示各种类型文献之间的相互引证关系。它不仅可以为科学研究提供新的交流模式，同时也可以作为一种有效的科学管理及评价工具。截至 2007 年 12 月，累积链接被引文献达 680 余万篇。其中源数据库包括：中国期刊全文数据库、中国优秀博硕士学位论文全文数据库、中国重要会议论文全文数据库、中国重要报纸全文数据库、中国图书全文数据库、中国年鉴全文数据库等。产品分为十大专辑：理工A、理工B、理工C、农业、医药卫生、文史哲、政治军事与法律、教育与社会科学综合、电子技术与信息科学、经济与管理。各专辑分为若干专题，共168个专题。

2.检索方式

中国引文数据库提供快速检索、高级检索两个途径。

（1）快速检索。系统默认快速检索界面（如图5-15所示），可以选择数据库，如期刊、图书、学位论文、会议论文、专利、标准、报纸、年鉴以及Springer库，然后在检索框内输入检索词，点击"快速检索"即可得到检索结果。快速检索为源文献检索，结果页面每条检出记录中均注明被引次数。

图5-15 快速检索页面

（2）高级检索。在中国引文数据库首页面点击"高级检索"，即可进入有源文献检索、引文检索的高级检索界面（如图5-16所示），系统默认引文检索页面。可选择要检索的引文类型，如期刊类型引文、学位论文类型引文、会议论文类型引文、报纸类型引文、图书类型引文、专利论文引文、标准类型引文、年鉴类型论文、Springer库引文；选择检索项，如被引题名、被引作者、被引第一作者、被引关键词、被引摘要、被引单位、被引刊名、被引年、被引期、被引基金、被引ISSN、被引统一刊号。在检索框中输入检索词，点击"检索"即可得到结果。也可多个字段同时检索，通过增加或减少检索字段，字段间用逻辑"并且"、"或者"、"不包含"进行组配。页面下方提供对检索结果进行限定的选项，系统默认检索范围为全部期刊，还可根据需要选EI来源期刊、SCI来源期刊、核心期刊。检索结果可以选择是模糊匹配还是精确匹配，按被引频次、相关性、出版日期、更新日期排序，每页显示10、20、30、40或50条记录，发布时间以及被引时间可以从1979

年到 2013 年的时间段内进行选择。

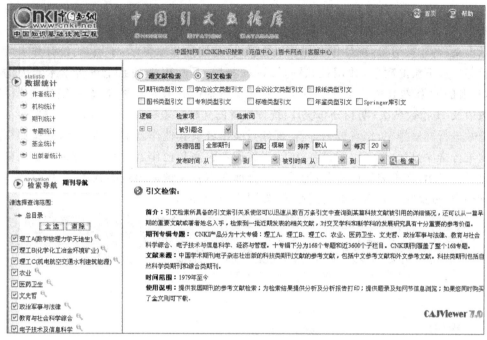

图 5-16　高级检索——引文检索页面

在高级检索界面点击源文献检索即可进入源文献检索页面（如图 5-17 所示）。引文库上的源文检索入口集成了 CNKI 期刊全文库的文献题录，可选择的检索字段有：主题、篇名、关键词、摘要、作者、第一作者、刊名、参考文献、全文、年、期、基金、中图分类号、ISSN/统一刊号。

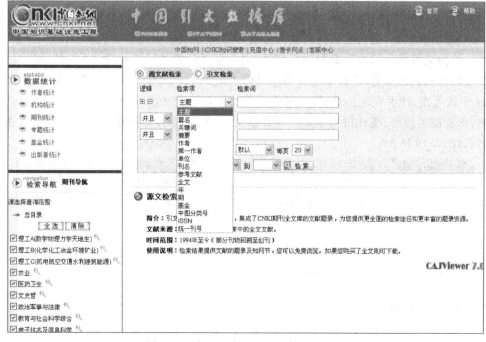

图 5-17　高级检索——源文献检索页面

3. 数据库统计

(1) 作者统计。作者统计通过一系列指标为用户提供全面而翔实的特定作者文献被引信息，作者对象可实现的统计指标包括：发文量：统计作者每年的发文情况，并用柱状图显示出来；各年被引量：统计作者的各年被引量，并用柱状图显示；下载量：统计作者发表文献每年被下载的次数，并用柱状图显示；H 指数：是从引证关系上评价学术实力的指标，作者的 H 指数是指该作者至多有 H 篇论文分别被引用了至少 H 次，本统计项提供 H 指数值及 H 指数名次；期刊分布统计：统计作者的文献发表在哪些期刊上，并按发表的文献篇数进行降序排序；作者被引排名：统计当前作者被其他作者引用的频次，并按照引用频次进行排序显示；作者引用排名：统计当前作者引用其他作者的频次，并按照引用频次进行排序显示；作者关键词排名：记录作者全部文献各关键词出现的频次，为用户提供关键词列表，可反映个人作者的研究趋势（如图 5-18 所示）。

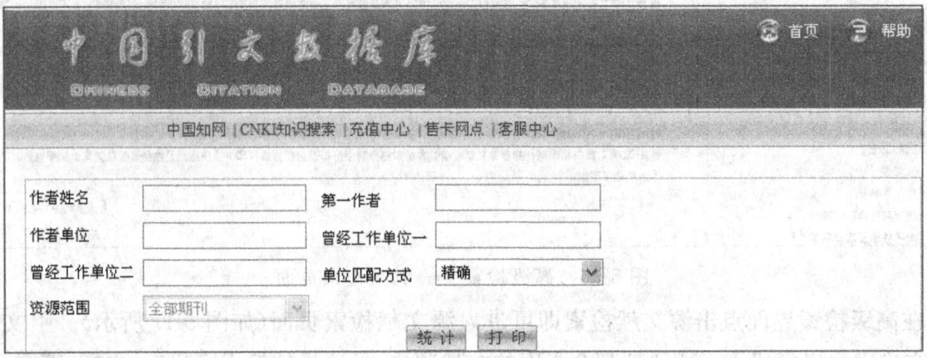

图 5-18 作者统计页面

(2) 机构统计。机构统计通过一系列指标，为用户提供准确的机构文献被引情况统计，机构对象可实现的统计指标包括：发文量：统计机构每年的发文情况，并用柱状图显示；各年被引量统计：把特定机构的被引频次以分年显示柱状图的形式显示出来；下载量：对特定机构文献每年的被下载量进行统计，用分年显示的柱状图体现；H 指数：机构的 H 指数是指该机构至多有 H 篇论文分别被引用了至少 H 次，本统计项提供机构 H 指数值及 H 指数名次；作者发文排名：统计机构中第一作者的发文情况，并按作者的发文量进行排名；作者被引排名：统计机构中第一作者发文的被引情况，并按作者的总被引频次进行排名（如图 5-19 所示）。

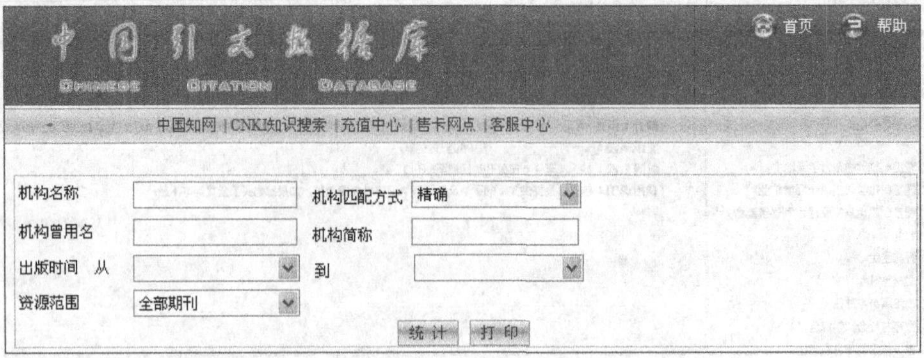

图 5-19 机构统计页面

(3) 期刊统计。期刊是最重要的一种统计对象,期刊统计通过一系列指标,为用户提供全面翔实的期刊被引情况统计,该对象可实现的统计指标包括:引文统计:统计期刊的各年引文量、篇均引文量、引文类型;引用期刊排名:统计期刊引用其他刊的情况;被引期刊排名:统计期刊被其他刊引用的情况;作者统计:统计期刊作者发文量排名、期刊作者被引排名;基金论文统计:统计基金发文排名、基金被引排名;被引统计:统计期刊的各年被引量、篇均被引率;发文量:统计期刊的年度发文量,用柱状图显示;下载量:统计期刊所发表文献每年被下载的次数,并用柱状图显示;H 指数:期刊的 H 指数是指该期刊至多有 H 篇论文分别被引用了至少 H 次,本统计项提供机构 H 指数值及 H 指数名次;其他经典指标:包括 Price 指数、影响因子、扩散因子、即年指标。

(4) 专题统计。CNKI 根据专业划分自行设定了 168 个专题,把每篇文献归类到某一个或几个特定专题之下。专题统计通过一系列指标,为用户提供准确的各专题文献被引情况统计,该对象可实现的统计指标包括:发文量:统计专题每年的发文情况,并用柱状图显示;各年被引量:统计专题的各年被引量,并用柱状图显示;引用专题排名:每个专题都会引用其他相关专题的文献,该功能统计其他专题被引的次数并进行排名,提供排名列表;被引专题排名:每个专题都会被其他相关专题引用,该统能统计其他专题引用当前专题的次数并进行排名,提供排名列表;下载量:统计专题文献每年被下载的次数,并用柱状图显示。

(5) 基金统计。基金统计通过一系列指标,为用户提供准确的基金文献被引情况统计,该对象可实现的统计指标包括:发文量:统计基金每年的发文情况,并用柱状图显示;各年被引量:统计基金的各年被引量,并用柱状图显示;下载量:统计基金文献每年被下载的次数,并用柱状图显示。

(6) 出版社统计。通过一系列指标,为用户提供准确的出版社文献被引情况统计,该对象可实现的统计指标包括:发文量:统计出版社每年的发文情况,并用柱状图显示;各年被引量:统计出版社的各年被引量,并用柱状图显示;载量:统计出版社所出版文献每年被下载的次数,并用柱状图显示;H 指数:出版社的 H 指数是指该出版社至多有 H 篇论文分别被引用了至少 H 次,本统计项提供出版社 H 指数值及 H 指数名次。

二、中文科技期刊数据库(引文版)(CCD)

1. 概述

《中文科技期刊数据库(引文版)》(Chinese Citation Database,简称 CCD)是维普期刊资源整合平台上的一个引文数据库,以《中文科技期刊数据库》全文版为基础开发而成,是维普在 2010 年全新推出的期刊资源整合服务平台的重要组成部分。该产品采用科学计量学中的引文分析方法,对文献之间的引证关系进行深度数据挖掘,除提供基本的引文检索功能外,还提供基于作者、机构、期刊的引用统计分析功能,可广泛用于课题调研、科技查新、项目评估、成果申报、人才选拔、科研管理、期刊投稿等用途。主要检索 1989 年以来国内 12000 多种重要期刊(含核心期刊)所发表论文的参考文献,是目前国内检索期刊种类最多的引文数据库,能帮助客户实现强大的引文分析功能,并采用数据链接机制实现同维普资讯系列产品的功能对接定位,提高科学研究的效率。学科范围覆盖了社会科学、自然科学、工程技术、农业、医药卫生、经济、教育和图书情报。

2. 检索方式

有基本检索、作者索引、机构索引、期刊索引四种途径。基本检索针对所有文献按被引情况进行检索,提供8个检索入口,如题名/关键词、题名、关键词、文摘、作者、机构、刊名,快速定位相关信息。检索对象不区分源文献或参考文献,该库可独立实现参考文献与源文献之间的切换检索。用户若同时购买了全文数据库和引文数据库,还可以通过开放接口将引文检索功能整合在全文数据库中,实现引文检索与全文检索的无缝链接操作。

3. 分析功能

系统提供强大的分析功能,包括多种文献类型引用统计、参考文献汇总、引证文献汇总、引用追踪、H指数、知识节点链接、全文链接、高影响力元素揭示、合著作者、合作机构。

三、中文社会科学引文索引(CSSCI)

1. 概述

中文社会科学引文索引(Chinese Social Sciences Citation Index,简称CSSCI)是由南京大学中国社会科学研究评价中心开发研制的引文数据库,用来检索中文人文社会科学领域的论文收录和被引用情况。CSSCI遵循文献计量学规律,采取定量与定性相结合的方法从全国2700余种中文人文社会科学学术性期刊中精选出学术性强、编辑规范的期刊作为来源期刊。目前收录包括法学、管理学、经济学、历史学、政治学等在内的25大类的500多种学术期刊,现已开发CSSCI(1998—2009年)12年度数据,来源文献近100余万篇,引文文献近600余万篇。

CSSCI数据库面向高校开展网上包库服务,主要提供账号和IP两种方式控制访问权限,其中,账号用户在网页上直接填写账号密码即可登陆进入。包库用户采用IP地址控制访问权限,可直接点击网页右侧的"包库用户入口"进入。目前,CSSCI数据库已被北京大学、清华大学、中国人民大学、复旦大学、国家图书馆、中科院等高校科研单位包库使用,为高校师生的科研工作提供了帮助。

2. 检索方法

目前,利用CSSCI可以检索到所有CSSCI来源刊的收录(来源文献)和被引情况。来源文献检索提供多个检索入口,包括篇名、作者、作者所在地区机构、刊名、关键词、文献分类号、学科类别、学位类别、基金类别及项目、期刊年代卷期等被引文献的检索提供的检索入口包括被引文献、作者、篇名、刊名、出版年代、被引文献细节等。其中,多个检索口可以按需进行优化检索:如精确检索、模糊检索、逻辑检索、二次检索等。检索结果按不同检索途径进行发文信息或被引信息分析统计,并支持文本信息下载。

3. 分析统计

对于社会科学研究者,CSSCI从来源文献和被引文献两个方面向研究人员提供相关研究领域的前沿信息和各学科学术研究发展的脉搏,通过不同学科、领域的相关逻辑组配检索,挖掘学科新的生长点,展示实现知识创新的途径。对于社会科学管理者,CSSCI 提供地区、机构、学科、学者等多种类型的统计分析数据,从而为制定科学研究发展规划、科研政策提供科学合理的决策参考。对于期刊研究与管理者,CSSCI 提供多种定量数据,如被引频次、影响因子、即年指标、期刊影响广度、地域分布、半衰期等。通过多种定量指标的分析统计,可为期刊评价、栏目设置、组稿选题等提供科学依据。CSSCI 也可为出版社与各学科著作的学术评价提供定量依据。

四、中国生物医学期刊引文数据库(CMCI)

1. 概述

《中国生物医学期刊引文数据库——CMCI》是解放军医学图书馆数据库研究与开发部继《中文生物医学期刊文献数据库(CMCC)》和《中国医学学术会议论文数据库(CMAC)》之后开发的又一个新型信息产品。

CMCI 是我国第一个专业引文数据库,收录 1994 年以来的中文生物医学期刊 1700 余种,涵盖该领域所有的核心刊和重要刊,累积期刊文献题录摘要信息 470 余万篇,并含有参考文献,是我国目前生物医学领域规模最大的新型引文检索系统。该系统通过对我国中文医学期刊引文现状的充分调研,发现我国中文期刊引文规范化程度低、错误率高、著录格式较混乱(错误率高达 69%)的状况,从实用性考虑,采用了智能扩检技术,具有较高的查全率和查准率。

2. 检索方式

CMCI 提供作者检索、刊名检索和复合检索,以及刊名浏览来查找引文信息。

(1) 作者检索。对 CMCI 的所有来源作者和引文作者进行检索。在检索输入框内可以勾选"第一作者(发表文献)",仅对 CMCI 来源文献的第一作者进行检索。也可以输入多个作者姓名,姓名之间用空格分隔,以检索多个作者合著的文章。

(2) 刊名检索。从下拉菜单中选择 CMCI 的某一来源期刊和年代(此两项为必选项),然后点击"发表文献"按钮,可查出期刊在某年发表的文献。点击"被引文献"按钮可查出期刊某年所发表文献的被引用情况。

(3) 复合检索。可以同时在作者、单位、题名、刊名、年代等字段之间进行检索,检索字段之间为 AND 逻辑关系。每个检索字段输入框中可输入多个检索词,词间用空格分隔,可以通过检索字段右侧的 AND 或 OR 选择词间的逻辑关系。复合检索另外还提供一个"检索词"输入框,可以输入一个复合的检索式,在任意字段中检索。

(4) 期刊目录。期刊目录为 CMCI 所有来源期刊的目录,通过每种期刊的刊名或主办单位的链接可以查看该期刊的详细信息,包括期刊名、ISSN 号、主办单位、地址、电话、期/年、创刊年代、核心刊、邮编、电子邮件、网站、期刊分类等信息。

五、中国科技论文引文分析数据库(CSTPI)

中国科技论文引文分析数据库是中国科技信息研究所信息分析研究中心与万方数据公司在历年开展科技论文统计分析工作的基础上共同开发的一个具有特殊功能的数据

库,该数据库分为论文统计和引文分析两大部分。每年以该库数据为依据出版的《中国科技期刊引证报告》,全面报道中国科技论文发文和被引用的统计分析数据及计量指标(如图5-20所示)。

CSTPI收录我国各学科重要科技期刊,其收录期刊称为"中国科技论文统计源期刊",即中国科技核心期刊。数据来源于我国1989年以来出版的2800多种科技类核心期刊,以及科技部年度发布的科技论文与引文的统计结果,收有论文122多万篇,引文132万次,并在此基础上每年不断增加,学科范围覆盖了数学、物理、化学、生物、医学等各个领域。

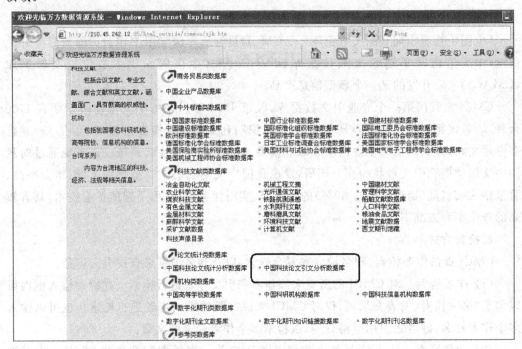

图5-20 万方数据资源系统中的CSTPI

CSTPI收录的科技论文数量较大,且有12个引文检索点(如图5-21所示),在检索途径上能满足不同用户的引文检索要求。它集文献检索、引文与论文统计分析于一体,有助于科技人员查找重要科技论文及有关参考文献,对帮助各级科技管理部门和各科研机构、高等院校掌握全国和各单位及部门科技论文发表情况,了解历年来我国科技论文统计分析与排序结果,开展科技论文的引文分析等也有很大益处。但CSTPI作为一个不断发展中的数据库,也有一些不足之处,如数据更新较慢,著者及被引著者只收有第一作者,无法查找其他合著者的文献,检索字段中没有关键词、主题词字段,无法从主题途径入手检索文献。相信随着时代的发展,CSTPI会日趋完善,成为科研人员和管理人员的好帮手。

六、含有引文检索的其他数据库

中国生物医学文献数据库(CBM)的参考文献字段检索途径、中国学术期刊网络出版总库参考文献字段检索途径、中文科技期刊数据库、万方数字期刊数据库的引文查询途径等,都可以进行引文检索。

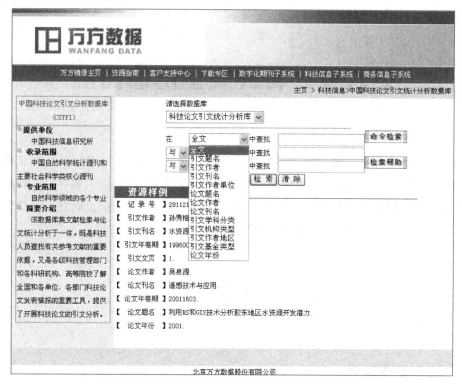

图 5-21 CSTPI 检索点

【思考题】

1. 陈述引文索引、引文和引文检索的概念。
2. 引文索引的作用有哪些？
3. 试述 Web of Science 的各种检索途径和方法。
4. Web of science 由哪几个子库构成？其特点是什么？
5. 简述中国科学引文数据库的发展历程。
6. 简述中国引文数据库的引文检索功能。
7. 有引文检索的中文数据库有哪些？各有何缺点？

（徐　奎　姜欢欢　肖燕秋）

第六章　特种类型信息资源

特种类型信息资源一般是指出版发行渠道比较特殊,除图书和期刊以外的文献信息资源,包括会议文献、专利文献、学位论文、技术标准、科技报告、政府出版物等。特种文献具有学术性强、内容新颖可靠、信息密集、涉及范围广的特点,能及时反映社会科学发展的最新动态以及科研成果,具有较高的参考利用价值。

第一节　专利信息检索

一、专利基本知识

专利是指在建立专利制度的国家或组织,某一发明创造的发明人向专利主管部门提出申请,经审查合格后,授予其在一定期限内对该发明创造享有专有权。专利一般包含三种含义:从法律角度来说,指专利权,即专利申请人在一定时间内对其发明创造成果享有的独占权;从技术角度来说,指受到专利法保护的发明创造,即专利技术;从文献角度来说,指专利文献,即相关机构在审批专利过程中产生的文件及其出版物,主要包括专利说明书、专利公报、专利文摘和专利索引。专利信息包括文献型专利信息和非文献型专利信息,本书中的专利信息主要指的是前者。专利文献采用国际专利分类法进行分类。

国际专利分类法(International Patent Classification,IPC)第一版于1968年开始使用,至今有8个版本,每5年修订一次,是一个在世界范围内由政府组织执行的专利体系。目前各主要国家出版的专利说明书都附有国际专利分类号,它是检索专利文献必不可少的工具。

IPC由五级构成,即部(section)、大类(class)、小类(subclass)、主组(main-group)、分组(sub-group)。IPC有8个部,每个部作为1个分册,分别以A—H字母表示:

A—人类生活必需(农业、轻工、医学)

B—作业、运输

C—化学、冶金

D—纺织、造纸

E—固定建筑物(建筑、采矿)

F—机械工程

G—物理

H—电学

医疗卫生方面的专利主要于 A61 类下，例如：

A（部）—人类生活必需

A61（大类）—医学或兽医学；卫生学

A61B（小类）—诊断；外科；鉴定

A61B1/00（主组）—用目视或照相检查人体腔或管的仪器；其所用的照明装置；内窥镜

A61B1/26（分组）—喉镜；支气管镜；食道镜；胃镜

二、国内专利信息检索

1.《中国专利公报》

《中国专利公报》是国家知识产权局每周定期公开出版的受理、审查和授权公告的唯一法定刊物，分《发明专利公报》、《实用新型专利公报》、《外观设计专利公报》三种，主要刊载专利申请公开、专利事务、专利权授予、授权公告索引等多项内容。它集经济、法律和技术信息为一体，反映了在中国申请专利保护的国内外最新发明创造成果，对促进科技发展、快速传播科技信息起着重要的作用。《发明专利公报》报道一周内出版的发明专利的公开说明书文摘和审定说明书及授权公告的题录。《实用新型专利公报》报道一周内出版的实用新型专利说明书的文摘（1993 年起取消）和授权公告题录（1993 年起改为文摘）。《外观设计专利公报》报道一周内出版的外观设计专利说明书全文（1993 年起取消）和外观设计专利授权公告题录（1993 年起改为全文）。

2. 中国国家知识产权局（SIPO）专利检索系统

该专利检索系统提供 1985 年 9 月 10 日以来公布的全部中国专利信息，包括发明、实用新型和外观设计三种专利的著录项目及摘要，并可浏览到各种说明书全文及外观设计图形。数据库内容与中国专利公报的出版保持同步，每周更新。该检索系统提供两种检索方法：一是字段检索，提供了申请（专利）号、摘要、公开日、公开号等 16 种检索入口；二是分类检索，提供 IPC 分类检索，前者可在发明、实用新型和外观设计三种专利中选择其一或者同时进行相关专利文献的检索，后者检索不包括外观设计专利。对于对专利文献分类不是很熟悉的用户来说，IPC 分类检索更容易掌握（如图 6-1 所示）。

如通过 IPC 分类检索查找关于治疗高血糖症药物方面的专利文献：

方法一：①进入中华人民共和国国家知识产权局网站，在专利检索按钮下点击高级检索进入专利文献检索主页面，选择点击 IPC 分类检索。

②依次点击"A 生活需要"—"A61 医学或兽医学；卫生学"—"A61P 化合物或药物制剂的治疗活性"—"A61P3/10 治疗高血糖症的药物，例如抗糖尿病药[7]"。

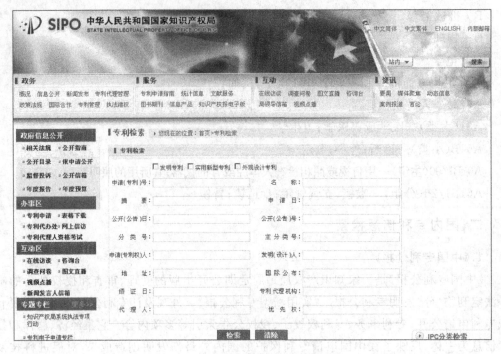

图 6-1　SIPO 专利检索系统检索页面

③点击页面中的"检索"按钮,得到相关检索结果:发明专利 6926 条,实用新型专利 15 条(如图 6-2 所示)。

图 6-2　SIPO 专利检索系统检索结果页面

方法二:已知治疗高血糖药物的分类号"A61P3/10",可在专利检索页面下分类号栏键入该分类号,直接进行专利文献查找(如图 6-3 所示)。

图 6-3　专利检索系统检索页面

3. 中国专利信息中心(www.cnpat.com.cn)

中国专利信息中心成立于 1993 年,是国家知识产权局直属单位、国家级专利信息服务机构,主要业务包括信息化系统运行维护、信息化系统研究开发、专利信息加工和专利信息服务等。信息中心提供的专利检索数据库——专利之星专利检索系统,可提供中国专利和世界专利检索,检索途径分为专利检索和图形检索(如图 6-4 所示),其中专利检索又提供了 7 种检索方式,分别是智能检索、表格检索、专家检索、IPC 分类检索、外观分类检索、药物分类检索和相似性检索。此外该数据库还提供专利文献的批量下载,根据号单文件导出著录项信息和全文信息。

图 6-4　专利之星专利检索系统

4. 中国知网系列数据库——《中国专利全文数据库》

该数据库收录了1985年9月以来的专利,包含发明专利、实用新型专利、外观设计专利三个子库,可展现中国最新的专利发明。专利内容来源于国家知识产权局知识产权出版社,相关的文献、成果等信息来源于CNKI各大数据库。可以通过申请号、申请日、公开号、公开日、专利名称、优先权等检索项进行检索,并可下载专利说明书全文。截至2013年6月,《中国专利全文数据库》共计收录820万多条专利文献,每周更新(如图6-5所示)。

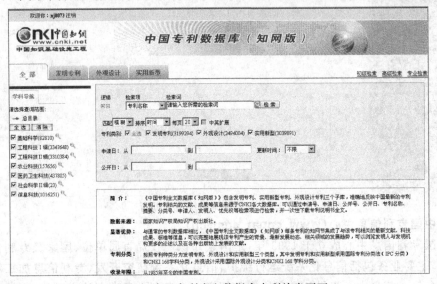

图6-5 中国专利全文数据库专利检索页面

如检索"治疗高血糖症药物"方面的专利文献,"治疗高血糖症药物"的专利分类号为"A61P3/10":

① 进入中国专利全文数据库。
② 检索项选择"分类号",键入关键词"A61P3/10"。
③ 得到相应结果9575条,其中发明专利9547条,实用新型专利28条(如图6-6所示)。

图6-6 中国专利全文数据库专利检索结果页面

5. 万方数据知识服务平台——专利数据库

该数据库收录了国内外的发明、实用新型及外观设计等专利3000万余项,其中中国专利600万余项,外国专利2400万余项。内容涉及自然科学各个学科领域,每年增加约25万条,中国专利每两周更新一次,国外专利每季度更新一次。该数据库提供字段检索和IPC分类检索两种途径,字段检索提供高级检索、经典检索和专业检索三种检索途径,可通过网络付费获取文献全文(如图6-7所示)。

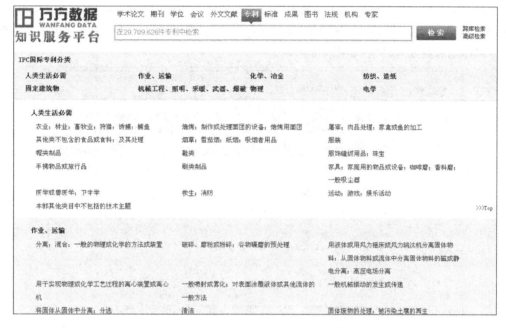

图6-7 万方数据知识平台专利检索页面

三、国外专利信息检索

1. 德温特(Derwent)检索工具

1948年Derwent公司创立于英国伦敦,是世界最权威的专利信息机构之一。其出版的《世界专利索引周报》、《世界专利文摘周报》、《化学专利索引》、《工程专利索引》等文摘周报已成为查找世界主要国家专利文献最重要和最系统的检索工具。

德温特专利索引数据库(Derwent Innovations Index,DII)是Derwent公司与美国科学情报研究所(ISI)开发的基于ISI统一检索平台的网络专利数据库,整合了"世界专利索引"和"专利引文索引"两者的内容,为用户提供世界范围内的专利信息检索服务。DII收录了自1963年以来全球范围内的近2000万项专利和1000多万项的基本发明,每周来自世界40多个专利授权机构的专利文献经专家筛选后增加进数据库中,约有2万多条,同时还有新增的4万余条专利引用信息,分别来自世界专利组织(WO)、美国专利局(US)、欧洲专利局(EP)、德国专利局(DE)、英国专利局(GB)和日本专利局(JP)。DII检索系统提供四种检索方式:快速检索、形式检索、专利引文检索和专家检索。用户通过数据库不仅可以检索专利信息,还可以检索专利信息被引用的情况,以及利用Derwent Chemistry Resources通过化学结构式进行相应检索。

2. 世界知识产权组织(World Intellectual Property Organization, WIPO) (http://www.wipo.int)

WIPO是联合国的一个专门机构,通过国家之间的合作以及与其他国际组织配合,来促进世界范围内的知识产权保护。WIPO网站向用户提供全球范围内的国家专利和PCT汇编检索服务,近200万条已公布的国际专利申请和800多万篇已收录的地区及国家汇编专利文件可供查询。PATENTSCOPE检索系统提供四种检索方式:简单检索(Simple Search)、高级检索(Advanced Search)、域组合检索(Field Combination Search)和跨语种扩张检索(Cross Lingual Expansion Search),除此之外该系统还提供了浏览、翻译专利标题和摘要等功能(如图6-8所示)。

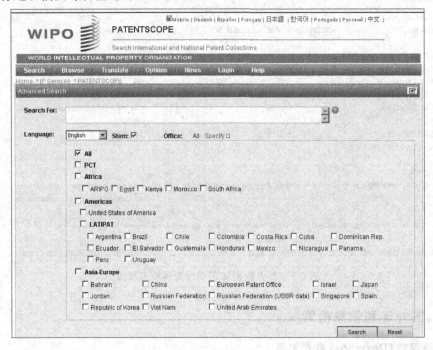

图6-8 WIPO专利检索页面

3. 欧洲专利局数据库(http://www.epo.org/)

欧洲专利组织是一个政府间组织,在1973年签署于慕尼黑的欧洲专利公约(EPC)的基础上成立于1977年。它有欧洲专利局和行政理事会两个机构,负责监督组织活动。欧洲专利局数据库是由欧洲专利局(European Patent Office, EPO)于1988年联合其他欧洲组织成员国建立的网上专利检索数据库,它收录了自1920年以来50多个国家和地区出版的专利文献数据1.5亿多条,并提供WIPO依据专利合作协定(PCT)出版的专利信息。数据库检索系统提供了五种检索方式:简洁模式检索(Smart search)、快速检索(Quick search)、高级检索(Advanced search)、号码检索(Number search)和分类检索(Classification search),其中号码检索可通过申请号、公开号或NPL(英国国家物理实验室)参照号等进行检索。

如检索"阿尔海默茨病"方面的相关专利：

①进入欧洲专利局数据库，点击"Patent search"，选择"Smart search"。

②在"Search terms"中键入"Alzheimer"，点击"Search"，得到相应结果（如图 6-9 所示）。

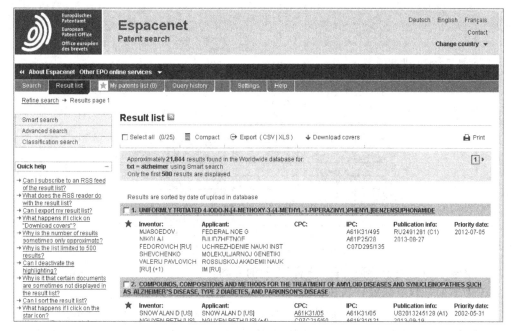

图 6-9　欧洲专利检索系统检索结果页面

4. 美国专利商标局专利数据库（http://www.uspto.gov/）

该数据库由美国专利商标局（United States Patent and Trademark Office，USPTO）建立，包括授权专利数据库和申请专利数据库两部分。授权专利数据库收录了自 1790 年至今的美国专利，主要是 1790—1975 年的专利全文影像和 1976 至今的专利全文文本；申请专利数据库公布尚未被批准的专利申请全文文本，自 2000 年 11 月 9 日起提交的申请专利都予以公开，从 2001 年正式出版专利申请说明书。专利数据库检索系统提供 USPTO 专利全文和影像数据库（USPTO Patent Full-Text and Image Database（PatFT））、USPTO 专利申请全文和影像数据库（USPTO Patent Application Full-Text and Image Database（AppFT））和专利申请信息检索（Patent Application Information Retrieval（PAIR））等九种检索专利的方式，其中数据库提供快速检索（Quick search）、高级检索（Advanced search）和专利号检索（Patent Number search）或公开号检索（Publication Number search）（如图 6-10 所示）。

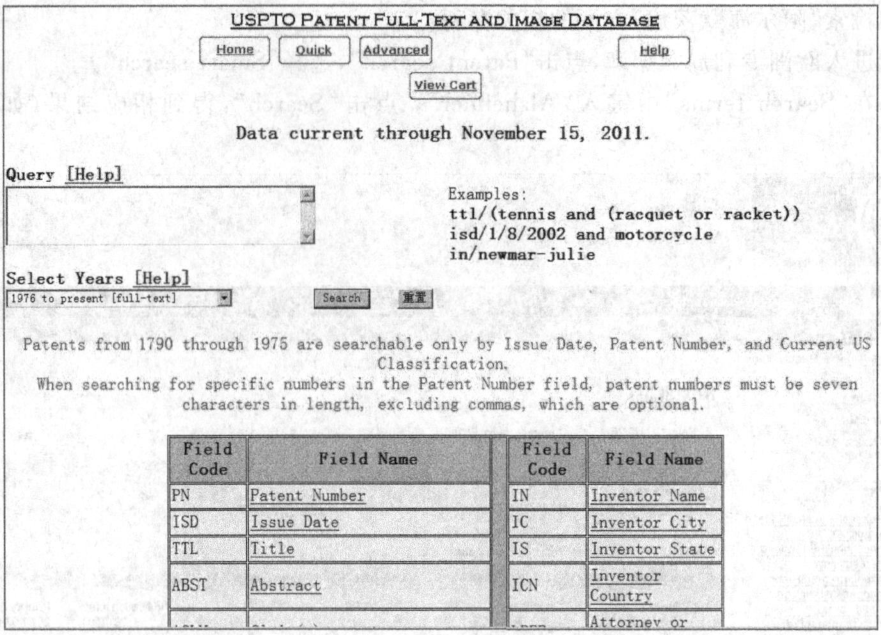

图 6-10 USPTO 专利高级检索页面

如检索中国在关于"阿尔海默茨病"方面的专利：

①进美国专利商标局专利数据库，在"Patent"板块选择"Search"。

②在"Search for Patents"板块点击"USPTO Patent Full-Text and Image Database (PatFT)"；选择"Advanced search"进入检索界面；在检索栏"Query"中键入"tll/Alzheimer and icn/CN"，页面下方提供字段代码与字段名称对照，"tll"是"TITLE"的字段代码，"icn"是"Inventor Country"的字段代码。

③点击"Search"，得到相应结果（如图 6-11 所示）。

图 6-11 USPTO 专利检索结果页面

5. WIPS Global

WIPS（Worldwide Intellectual Property Search），世界知识产权检索，又称 WIPS 专利检索与分析数据库，是由总部位于韩国首尔的 WIPS 世界知识产权检索株氏会社基于网络在线操作开发的专利检索系统（如图 6-12 所示）。WIPS 专利数据覆盖范围广泛，收录了日本专利、美国专利、欧洲专利、PCT 专利、INPADOC 数据、韩国专利、中国专利和包含了英国、德国、法国以及瑞士专利的数据库（G-PAT）。表 6-1 中列出了 WIPS 的部分专利数据收录范围以及数据更新频率。

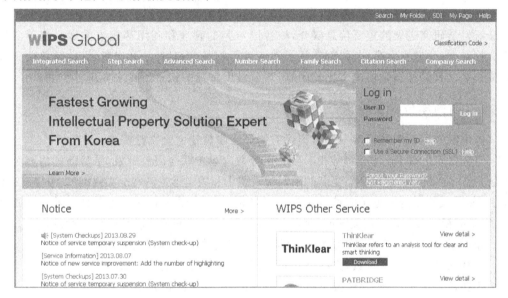

图 6-12　WIPS Global 主页

表 6-1　WIPS 的部分专利数据收录范围

国家	数据类型	日期	数据	更新频率
美国	1975 年以前发行的专利	1836.7.13—1975.12.31	书目,全图(PDF)	已完成
	申请公开的专利	2001.3.15—2013.9.12	全文,全图像(PDF),图纸	每周
	授权专利出版物	1976.1.6—2013.9.17	全部文本,图像(PDF),图纸和个人图纸	每周
欧洲	欧洲专利申请	1978.12.20—2013.9.11	全文,全图(PDF),图纸	每周
	欧洲授权专利	1980.1.9—2013.9.11	全文,全图(PDF),图纸	每周
PCT(WO)		1978.10.19—2013.9.12	全文,全图(PDF),图纸	每周
中国	申请公开的专利	1985.9.10—2013.8.5	全文,全图(PDF),图纸	每月
	授权专利出版物	1985.9.10—2013.8.5	全文,全图(PDF),图纸	每月
	实用新型专利出版物	1985.9.10—2013.8.5	全文,全图(PDF),图纸	每月
	授权实用新型专利出版物	1985.9.10—2013.8.5	全文,全图(PDF),图纸	每月

第二节 学位论文信息资源

学位论文是高等学校和科研院所的学生为了获取所修学位而撰写的论文,一般指的是博士、硕士和学士学位论文。学位论文具有新颖性、独创性和科学性,尤其是博士论文立题创新独特,探讨的内容有深度,具有较高的收藏开发利用价值。学位论文是掌握国内外最新科学研究进展的重要信息媒介,故各国对其的管理和利用都相当重视。鉴于学位论文数量大,分散程度高,一般都在授予地点进行收藏,不对外公开出版,因此跨单位查阅学位论文尤其是外国学位论文比较困难,需要借助特殊的检索工具来实现。

一、国内学位论文检索

1. 中国知网系列数据库——中国优秀博硕士学位论文全文数据库

该数据库由清华同方光盘股份有限公司等数家单位联合研制开发,是目前国内相关资源最完备、质量较高、连续动态更新的中国优秀博士和硕士学位论文全文数据库,至2012年10月,累计收录了全国近千家博硕士培养单位的优秀博硕士学位论文全文文献170万多篇,每日更新。数据库提供关键词、摘要、学科专业名称、学科授予单位等检索途径。

如检索2005—2013年安徽医科大学生理学专业授予的硕士学位论文:
①登陆进入CNKI主页,选择"中国优秀硕士学位论文全文数据库";
②在检索项中选择"学位授予单位",检索词为"安徽医科大学";
③增加检索项"学科专业名称",检索词为"生理学";
④以上检索项用逻辑"+"组配,时间选择"2005—2013";
⑤点击"检索",得到相关结果(如图6-13所示)。

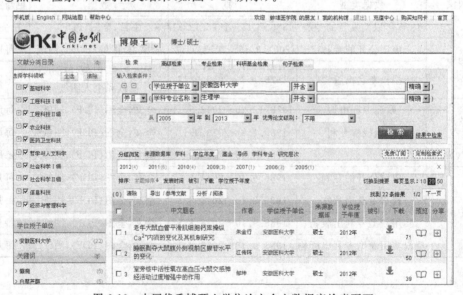

图6-13 中国优秀博硕士学位论文全文数据库检索页面

2. 万方数据资源系统

万方数据知识服务平台：万方数据知识服务平台是在原万方数据资源系统的基础上，经过改进、创新而推出的高品质信息资源出版、增值服务平台，该平台具有先进的检索算法技术、多元化的增值服务、人性化的设计等特色（如图 6-14 所示）。万方数据知识服务平台提供学位论文检索，收录自 1980 年以来我国自然科学领域各高等院校、研究生院以及研究所的硕士、博士以及博士后论文共计 150 万余篇。其中 211 高校论文收录量占总量的 70% 以上，每年增加约 30 万篇。截止到 2013 年 9 月 18 日，共收录学位论文 268 万余篇。数据库检索方法分为基本检索和高级检索，提供主题、题名、创作者 和作者单位等十余个检索入口。

图 6-14 万方数据知识服务平台学位论文检索页面

如检索 2000—2013 年安徽医科大学生理学专业授予的学位论文：
①登陆万方数据知识服务平台，选择"中国学位论文数据库"。
②在检索项中选择"学位授予单位"，检索词为"安徽医科大学"；选择检索项"学位—专业"，检索词为"生理学"；选择检索项"授予时间"，检索词为"2000—2013"（如图 6-15 所示）。

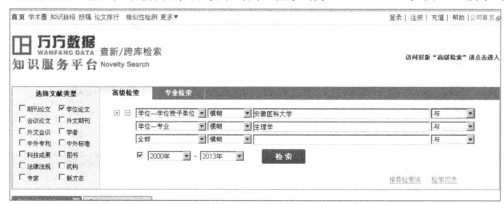

图 6-15 万方数据知识服务平台学位论文检索项页面

③以上检索项用逻辑与组配,点击检索,得到相关结果(如图6-16所示)。

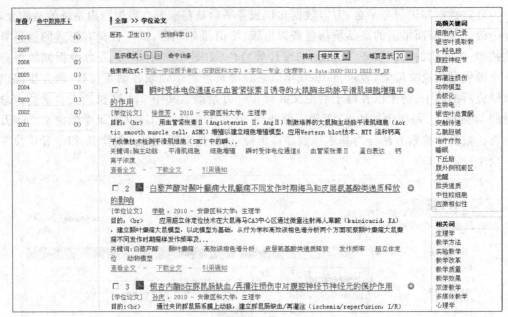

图6-16　万方数据知识服务平台学位论文检索结果页面

3. 国家科技图书文献中心学位论文数据库

国家科技图书文献中心(National Science and Technology Library,NSTL)是由科技部、国家经贸委和农业部等有关部委于2000年6月12日组建的一个虚拟的科技文献信息服务机构。学位论文数据库是NSTL系列数据库之一,在检索时进入NSTL主页,选择点击学位论文按钮进入检索界面,学位论文数据库提供题名、作者、关键词、培养单位、研究专业等检索入口(如图6-17所示)。

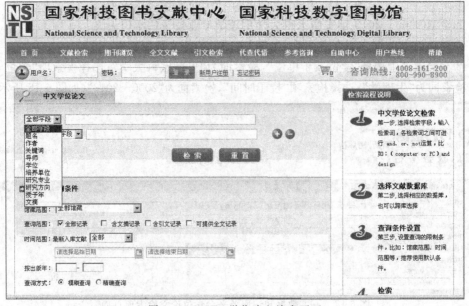

图6-17　NSTL学位论文检索页面

如检索关于"白血病"方面的中文论文：
①进入 NSTL 主页，选择中文学位论文数据库；
②检索入口选择"关键词"，检索词为"白血病"；
③点击"检索"按钮得到相关结果（如图 6-18 所示）。

图 6-18　NSTL 学位论文检索结果页面

4. CALIS 高校学位论文数据库

CALIS 高校学位论文数据库是中国高等教育文献保障系统（CALIS）的一个子项目，其建设目的是在"九五"期间建设的博硕士学位论文文摘数据库基础上，建设一个集中检索、分布式全文获取服务的 CALIS 高校博硕士学位论文文摘与全文数据库，目前博硕士学位论文数据逾 384 万条，其中中文数据约 172 万条，外文数据约 212 万条。数据库在元数据级提供免费检索，可免费浏览文献前 16 页内容，并可通过馆际互借或文献传递离线获取方式获得论文全文（如图 6-19 所示）。

二、国外学位论文检索

1. PQDT（http：//www.proquest.com）

由美国 ProQuest 公司出版的博硕士论文数据库，PQDD（ProQuest Digital Dissertations）的检索平台在 2006 年经过技术升级以后更名为 PQDT（ProQuest Dissertations & Theses），升级后的 PQDT 检索平台为用户提供了更多的检索功能。PQDT 数据库是世界最著名、最具权威的、目前世界上最大和使用最广泛的学位论文文摘索引数据库，收录了从 1963 年至今欧美千余所大学的 320 多万篇博硕士论文的文摘或题录，内容涉及文、理、工、农、医等众多领域，为学术研究提供了重要的信息来源。自 1980 年 7 月出版的每一篇学位论文都提供 350 字的文摘；自 1988 年起的硕士学位论文提供 150 字的文摘；自 1997 年起部分论文不仅可以获得文摘索引，还可免费获得论文原文的前 24 页。PQDT 通过与 700 家领先全球的学术机构合作论文出版以及通过 UMI 的数字归档和访问计划合作追溯数字化论文,每年超过 70000 的全文论文被添加到数据库中。

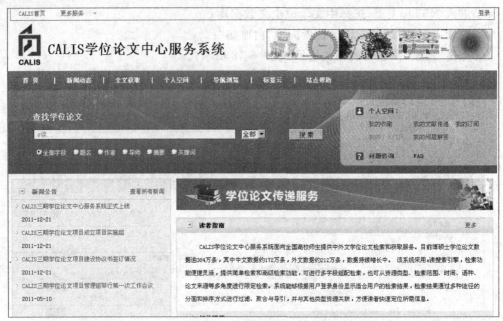

图 6-19 CALIS 高校学位论文数据库简单检索页面

2. PQDT OPEN(http://pqdtopen.proquest.com/)

PQDT 只能通过专线访问或者国际流量付费访问,而 PQDT OPEN 则可免费进行访问。它提供开放存取论文和论文免费全文,这些论文的作者有选择地将其发布为开放式访问,用户可以快速、方便地找到相关论文,查看完整的 PDF 格式文本。开放获取出版是 ProQuest 提供的一种新的服务,通过 PQDT OPEN 可以快速简单地找到所需论文,并提供文摘和 PFD 格式全文两种方式(如图 6-20 所示)。

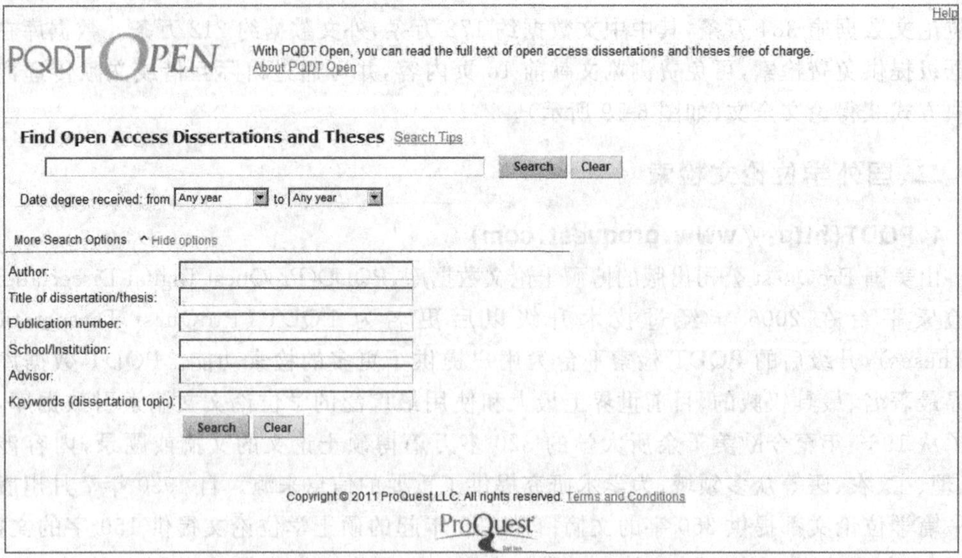

图 6-20 PQDT OPEN 学位论文检索页面

如检索发表于 2000—2013 年关于"高血压"方面的学位论文：
①进入 PQDT OPEN 页面，点击"More Search Options"；
②"Date degree received"选择"2000—2013"；"Keywords"键入"hypertension"；
③点击"Search"，得到相关结果（如图 6-21 所示）。

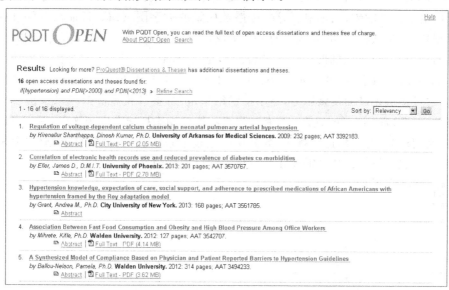

图 6-21　PQDT OPEN 学位论文检索结果页面

3. ProQuest 学位论文数据库

目前国内唯一提供国外高质量学位论文全文的数据库，由国内几所高校共同建立，共分 CALIS、上海交通大学和中国科学技术信息研究所三个镜像站，通过购买数据库使用权可浏览论文摘要及下载论文全文。该数据库主要收录了欧美 2000 余所知名大学的优秀博硕士论文，目前可共享的论文已经达到 40 多万篇，涉及文、理、工、农、医等多个领域，是学术研究中十分重要的信息资源。如检索发表于 2000—2013 年关于"动脉粥样硬化"方面的博士学位论文（如图 6-22 所示）。

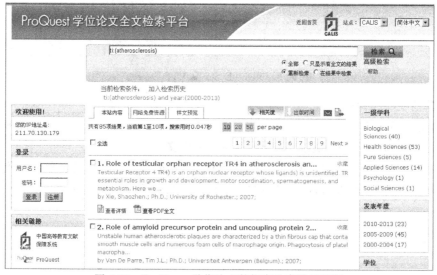

图 6-22　ProQuest 学位论文数据库检索结果页面

4. 网络博硕士学位论文数字图书馆（Networked Digital Library of Theses and Dissertations，NDLTD）

NDLTD 由美国弗吉尼亚技术学院建立于 1996 年，它是基于 ETD（Electronic Theses and Dissertations）基础的一个网络学位论文共建共享开放联盟，目的是创建一个支持全球范围内电子论文的创作、标引、储存、传播及检索的数字图书馆。目前在 NDLTD 联盟中共有来自美洲、欧洲、亚洲等地区的 215 个成员，其中包括 190 余个大学结点和 20 余个研究机构。NDLTD 提供的两个检索平台分别是 Scirus ETD Search（如图 6-23 所示）和 VTLS Visualizer（如图 6-24 所示）。Scirus ETD Search 是由 Elsevier 开发的综合科学研究工具，它可提供先进的搜索服务，缩小检索结果范围，提高检索的效率以及提供相关的学术资源。VTLS Visualizer 是一个有着先进功能的动态搜索和发现平台，用户可以按相关性、标题、日期来对文献进行排序，数据库可通过语言、大陆、国家、日期、形式和来源的机构等检索项进行检索，如果需要还可以添加学科或部门。

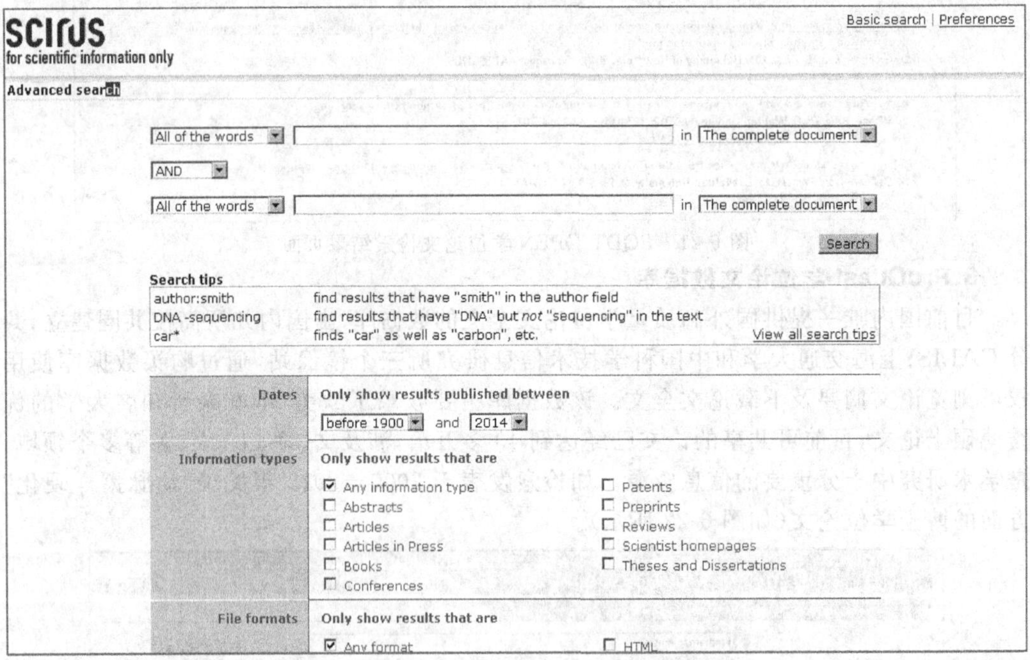

图 6-23 NDLTD Scirus ETD Search

5. 其他机构和网站

（1）澳大利亚数字学位论文库（Australian Digital Theses Program）：免费浏览澳大利亚 30 多所高校的博硕士论文，部分可免费获取全文。

（2）加拿大学位论文数据库（Theses Canada Portal）：可免费浏览加拿大博硕士学位论文题录或文摘，并提供 1998 年以后的学位论文全文的免费下载服务。

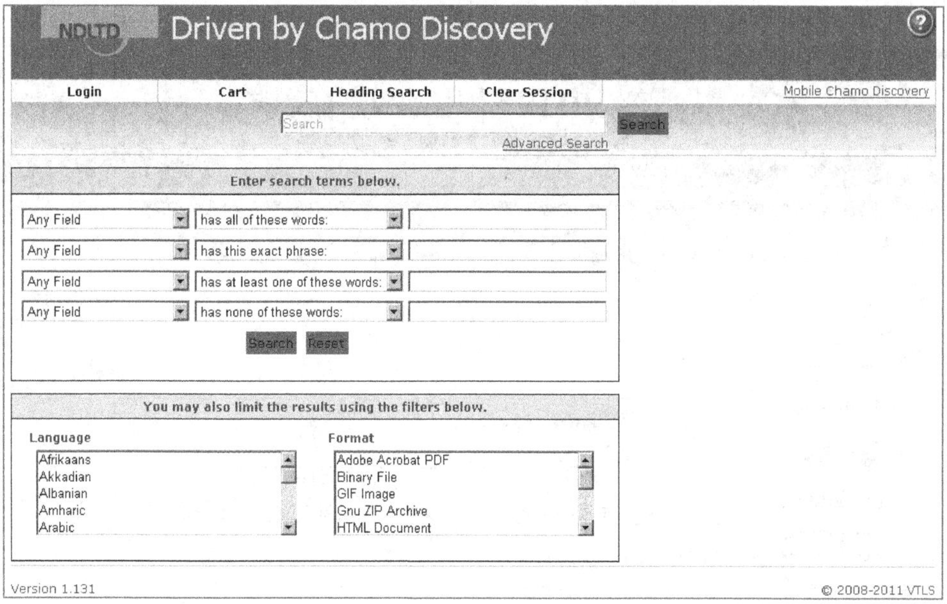

图 6-24　NDLTDVTLS Visualizer

第三节　学术会议信息资源

会议文献(conference literature)指的是在各种科学技术会议上发表的论文、学术报告及其他与会议相关的文献。会议文献的特点是传播信息及时,内容新颖,专业性和针对性比较强,且种类和出版形式多样。它是科技文献的重要组成部分,一般是经过挑选的,质量较高,能及时反映科学技术中的新发现、新成果、新成就以及学科发展趋向,是一种重要的情报源。

一、医学会议信息预报

1. 国内医学会议信息检索

(1) 中国学术会议在线。该网站是经教育部批准,由教育部科技发展中心主办的。网站利用现代信息技术手段,将分阶段实施学术会议网上预报及在线服务、学术会议交互式直播/多路广播和会议资料点播三大功能,为用户提供学术会议信息预报、会议分类搜索、会议在线报名、会议论文征集、会议资料发布、会议视频点播、会议同步直播等服务。主页分为会议新闻、会议评述、会议预告、会议回顾、报告视频、会议论文、精品会议等11个栏目,使用时点击"会议预告"按钮,输入关键词,选择学科范围即可检索。

如检索 2013 年有关"泌尿外科"会议的信息:

①进入中国学术会议在线 http://www.meeting.edu.cn/meeting/indexS.jsp。

②点击主页上会议预告栏目,键入关键词"泌尿外科",选择检索学科"外科学";时间限定"2013 年 1 月 1 日—2013 年 12 月 31 日"。

③点击"检索"按钮,得到相关会议结果(如图6-25所示)。

图6-25 中国学术会议在线

(2)中国医药会议网(http://m.chinamsr.com/):是中国医药联盟下属的专业医药会议、医学会议和医药学术年会服务网站,提供专业的医药学术会议、会议预告及报道,网站提供包含肿瘤会议、心血管会议、骨科会议、神经科会议等十几个科室的会议信息,通过全面收集医学会议信息,全面、公开、公正的展示各类医学会议信息,为广大医疗工作者选择参加会议提供一个可靠的信息参考平台(如图6-26所示)。

图6-26 中国医药会议网主页

如检索 2013 年"骨科"方面国内外的会议信息:
①进入中国医药会议网主页,点击"医药会议"高级检索按钮。
②在关键词入口中键入"骨科",选择日期"2013 年 1 月 1 日—2013 年 12 月 31 日"。
③点击检索按钮,得到相关结果(如图 6-27 所示)。

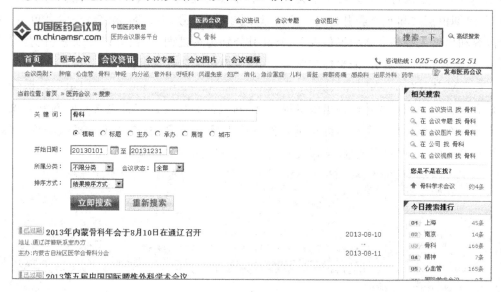

图 6-27　中国医药会议网会议检索结果页面

(3) 中华医学会(http://www.cma.org.cn/)。由中华医学会创立的专业医学网站,主要提供该学会及其各个分会的各种学术活动、会议信息、继续教育通知以及会议征文通知等。在其主页的"学术活动"一栏中,提供了该学会及其各个分会召开会议的最新信息(如图 6-28 所示)。

图 6-28　中华医学会

2. 国外医学会议信息检索

(1)《世界会议：医学》(World Meetings：Medicine)。《世界会议》创刊于 1963 年,由美国世界会议情报中心编辑,美国麦克米伦出版公司出版,主要预告 2 年内全球 100 多个国家 200 多个地区将要召开的学术会议。《世界会议：医学》是其 4 个分册之一,1978 年创刊,每期由正文和 6 个索引组成。正文部分提供登记号、会议名称、会址、主办单位、讨论内容和出席人数等多项会议信息,6 个索引分别为关键词索引、会议日期索引、会议地址索引、会议出版物索引、论文提交期限索引、主办单位名称索引。

(2) MEDICON ONLINE(http：//www.medicononline.com/)。MEDICON 医学会议信息来自澳大利亚普林斯顿出版机构,该网站提供医学会议信息检索和向网站会议数据库添加会议信息。免费注册即可进入网站检索界面(如图 6-29 所示),提供会议名称、会议召开国家、会议召开地区、会议类别、会议召开时间等多条检索入口。

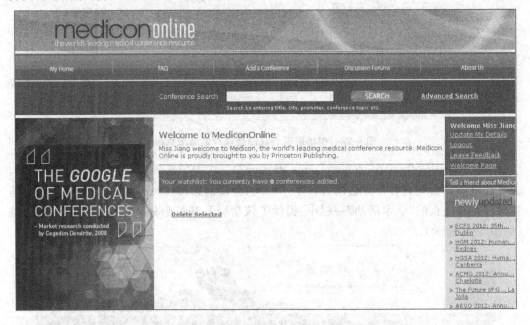

图 6-29　MEDICON ONLINE 主页

如检索全球将要召开的关于"orthopaedics"的会议信息：

①进入 MEDICON ONLINE,登录用户；

②点击"Advanced Search",在"Title"键入"orthopaedics","Specialty"选择"surgery"；

③点击"SEARCH",得到相应结果(如图 6-30 所示)。

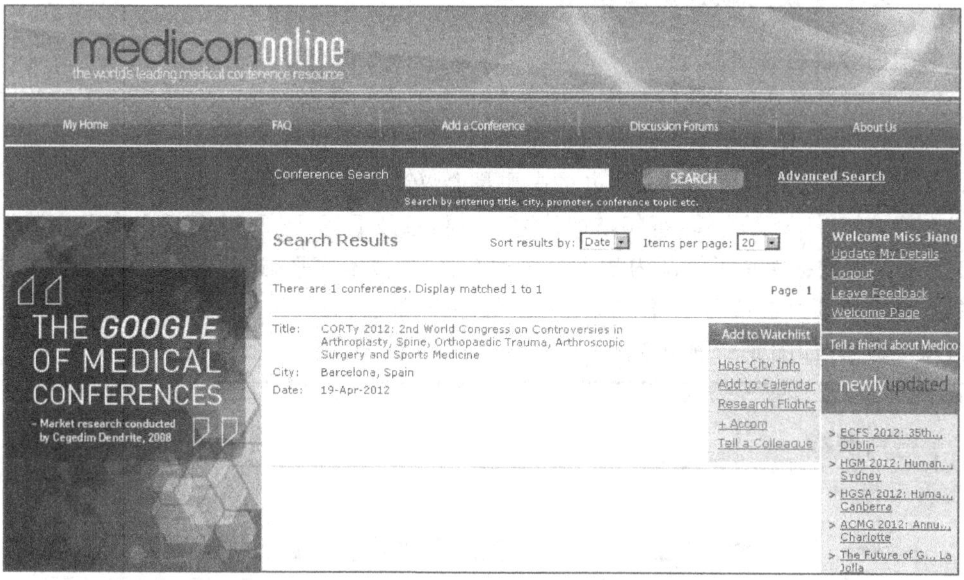

图 6-30 MEDICON ONLINE 检索结果页面

(3) Doctor's Guide(http://www.docguide.com/)。Doctor's Guide 是全球著名的优秀医学信息资源网站,会议信息和培训信息预报系统是该网站的特色之一,收录的内容来自 2000 个同行评审的期刊、大型医疗会议和世界著名的医疗新闻机构。会议资源中心(the Congress Resource Centre,CRC)板块可提供各国和地区举办的医学会议和各种专业短期培训信息。CRC 可通过会议专题(By Specialty)、会议日期(By Date)或会议地点(By Location)对会议信息进行检索,图 6-31 为通过会议地点检索 2010 年在北京召开的会议信息。

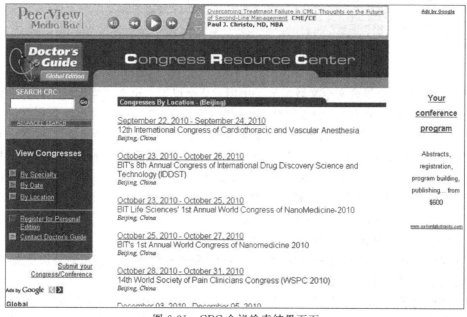

图 6-31 CRC 会议检索结果页面

二、医学会议文献数据库检索

1. 国内会议论文检索

(1) 中国学术会议论文数据库。中国学术会议论文数据库是万方数据资源的数据库之一,收录了由中国科技信息研究所提供的,1985年至今世界主要学会和协会主办的会议论文,以一级以上学会和协会主办的高质量会议论文为主。每年涉及近3000个重要的学术会议,总计130万余篇,每年增加约20万篇,每月更新,至2013年9月共收录数据近230万条。该数据库是了解国内学术会议动态、科学技术水平、进行科学研究必不可少的工具。用户可通过会议名称、作者、论文标题、主办单位、会议年份、摘要等12种检索途径进行相关检索(如图6-32所示)。

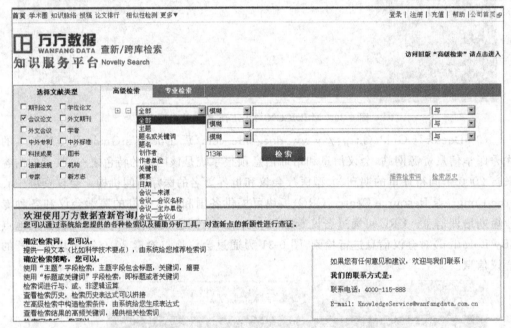

图6-32 万方数据知识服务平台会议论文高级检索页面

(2) 中国重要会议论文全文数据库。中国重要会议论文全文数据库是中国知网数据库之一,收录我国2000年(部分回溯至1999年会议论文)以来中国科协及国家二级以上学会、协会、研究会、科研院所、政府举办的重要学术会议、高校重要学术会议、在国内召开的国际会议上发表的文献。截至2012年10月,已收录出版国内外学术会议论文集近16300本,累积文献总量达170多万篇。收录范围覆盖了基础科学、工程科技、农业科技、医药卫生科技、哲学与人文科学、社会科学、信息科技、经济与管理科学等多个学科,共分为168个专题文献数据库和近3600个子栏目。用户可通过题名、主题、关键词、会议名称、主办单位、会议地点等多种检索途径进行相关检索。

如检索2000—2013年在中华医学会主办的皮肤性病学年会上发表的会议论文:
① 进入中国知网主页,选择会议数据库。
② 选择检索项"关键词",键入"皮肤性病",限定年限"2000—2013",点击检索按钮。
③ 在分组浏览中点击"主办单位"选项,选择"中华医学会",得到相关文献(如图6-33所示)。

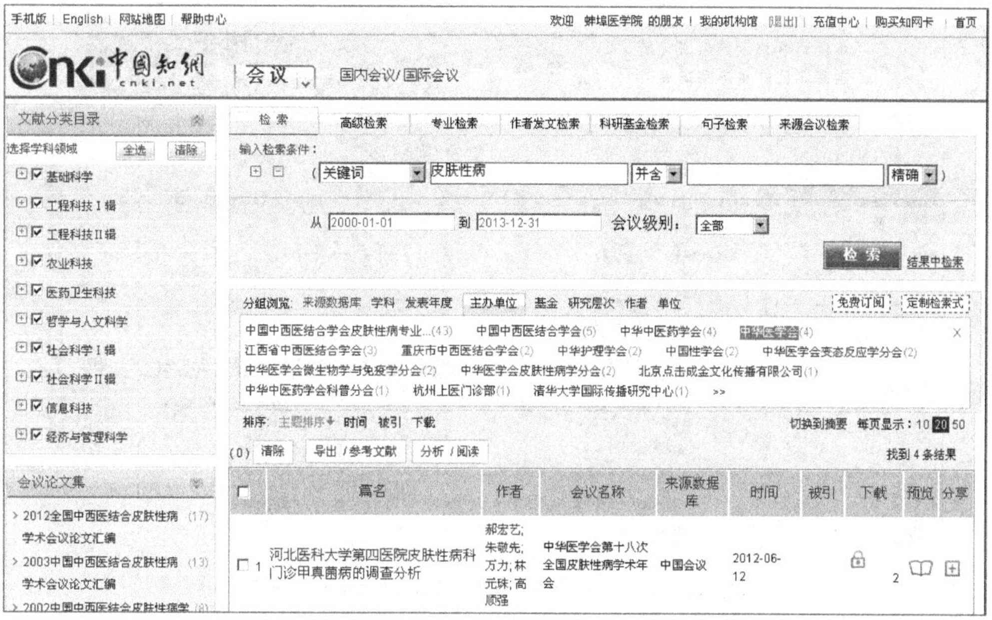

图 6-33 中国重要会议论文全文数据库检索结果页面

(3) 中国科学技术信息研究所会议文献数据库(ISTIC)(http://www.istic.ac.cn)。中国科学技术信息研究所(国家工程技术图书馆总馆)重点采集和收藏工程技术领域内的国内外期刊、会议文献、科技报告、学位论文、工具书等各种类型、多种载体的信息资源,同时兼有自然科学、人文、社会科学及管理科学的文献,现有馆藏文献 500 余万册(件),电子版中外文期刊 8000 余种,各种网络版数据库、全文光盘数据库、检索光盘数据库 500 余种,美国科技报告缩微平片 100 万余份。会议论文数据库涵盖了工业技术、基础科学、医药卫生、农业科学等多个学科,可通过学术搜索(如图 6-34 所示)和会议论文导航(如图 6-35 所示)两种方式进行会议论文检索。

图 6-34 ISTIC 会议文献数据库学术搜索界面

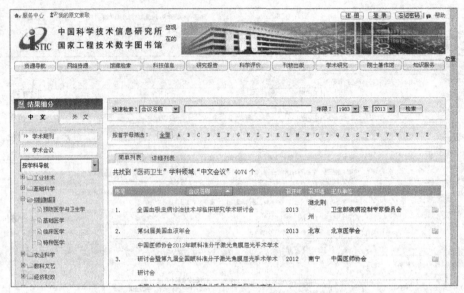

图 6-35 ISTIC 会议文献数据库会议论文导航页面

(4) 中国医学学术会议论文数据库。该数据库是由中国人民解放军医学图书馆研制开发的中文医学会议论文文献书目数据库,收录了 1994 年以来中华医学会所属各专业分会、各省分会和全军等单位提供的 2000 余种会议论文的文献题录和文摘,累计文献量 50 万余篇。数据库收录文献项目包括会议名称、主办单位、会议日期、题名、全部作者、第一作者地址、摘要、关键词、文献类型、参考文献数、资助项目等 16 项内容,数据更新周期为半年。

(5) 国家科技文献中心(NSTL)中文会议论文数据库。该数据库是国家科技文献中心的数据库之一,主要收录了 1980 以来国内召开的全国性学术会议论文,截止到 2013 年 9 月共计收录文献 160 万余条,每月更新。用户可通过题名、作者、关键词、会议时间、会议名称等多种途径进行相关检索(如图 6-36 所示)。

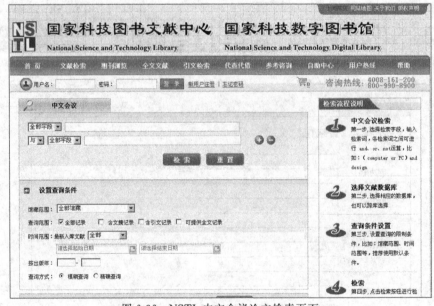

图 6-36 NSTL 中文会议论文检索页面

如检索发表于 2000—2011 年关于"皮肤性病"方面的中文会议论文:
①进入 NSTL 主页,选择中文会议数据库;
②选择"关键词"检索项,键入关键词"皮肤性病",限定发表时间"2000—2011";
③点击"检索",得到相关文献(如图 6-37 所示)。

图 6-37　NSTL 中文会议论文检索结果页面

2. 国外会议论文检索

(1) ISI Proceedings。由科学会议录索引(Index to Scientific and Technical Proceedings, ISTP)和社会科学及人文科学会议录索引(Index to Social Science & Humanities Proceedings, ISSHP)基于 ISI Web of Knowledge 检索平台集成。

美国科学情报研究所(Institute for Scientific Information,ISI)于 1978 年编辑出版的 ISTP 是世界著名的四大检索工具之一,目前收录了覆盖农业、环境科学、生物化学、生物技术、医学等学科自 1990 年以来的近 190 多万篇会议论文,其中医学生物部分占总量的 50% 以上。该数据库每年涉及 10000 多个国际科技学术会议,新增数据 22 万多条。ISSHP 收录了自 1990 年以来每年近 3000 个国际学术会议所出版的近 20 万篇会议论文,每年新增数据 20000 条。

ISI Proceedings 汇集了世界上最新出版的会议录资料,包括专著、丛书、预印本以及来源于期刊的会议论文,提供了综合全面、多学科的会议论文资料,通过 Web of Knowledge 平台进行检索,相关文献可以直接链接到 Web of Science。

(2) OCLC FirstSearch。创建于 1967 年,总部位于美国俄亥俄州的 OCLC(Online Computer Library Inc.,联机计算机图书馆中心),是世界上最大的提供文献信息服务的机构之一。OCLC FirstSearch 是 OCLC 于 1991 年基于网络信息检索服务系统创建的一个联机检索服务系统,通过该系统可检索 80 多个数据库,有 30 多个可检索到论文全文,其中的 2 个数据库 PapersFirst(国际学术会议论文索引)和 Proceedings(国际学术会议录索引)提供世界范围内的会议、联合会、专题会和学术报告会等所发表论文的题录信息。

PapersFirst 收录内容覆盖了大英图书馆资料提供中心自 1993 以来收藏的已出版论文,目前共有 540 多万条记录,每 2 周更新一次并可通过馆际互借获取论文全文。

(3) 美国会议论文索引数据库。该数据库是《会议论文索引》(Conference Papers Index, CPI)的网络检索平台,是剑桥科学文摘的一个子数据库。CPI 于 1973 年由美国数据快报公司创刊,收录了 1982 年至今覆盖农业、生物化学、生物学、环境科学和临床医学等学科的世界范围内会议和会议文献信息,提供会议所发表的会议论文和公告会议的索引,截至 2011 年 9 月,共收录超过 360 万条数据,每 2 个月更新一次。

第四节 标准信息检索

一、标准的基本知识

标准是对重复性事物和概念所做的统一规定,它以科学、技术和实践经验的综合成果为基础,经有关方面共同协商,由主管机构批准,以特定形式发布,作为共同遵守的准则和依据。标准化是为在一定的范围内获得最佳秩序,对实际的或潜在的问题制定共同和重复使用规则的活动。技术标准、技术规格和技术规则等具有标准性质的文件总称为标准文献,除此以外还包括标准化会议文献、报道技术标准、标准化工作的期刊和标准目录。标准文献一般具有标准级别、标准号、标准名称、标准内容、标准提出单位、标准归口单位、标准起草单位与起草人、标准批准机构、标准批准日期和标准实施日期共 10 项特征。

标准文献按使用范围可分为国际标准、区域标准、国家标准、行业标准、地方标准和企业标准,常用的国家标准代码为:中国(GB),美国(ANCI),英国(BS),日本(JS),法国(NF),德国(DIN),加拿大(CAN)。

中国标准号由"标准代码+编号+制定年份或修改年份"组成,标准代码采用汉语拼音字母大写字体。国家颁布了强制性国家标准代码"GB",推荐性国家标准代码"GB/T",卫生部标准代码"WS",国家中医药管理局标准代码"ZY",企业标准代码"Q+企业代码"。制定年份或修改年份在 1993 年以前采用两位数,1993 年开始采用四位数表示。如医用软聚氯乙烯管材,标准号为 GB-10010-2009。

二、国内标准信息检索

1. 国家标准化委员会(Standardization Administration of the People's Republic of China, SAC)

SAC 是国务院授权的履行行政管理职能、统一管理全国标准化工作的主管机构,SAC 官方网站由 SAC 和 ISO/IEC 中国国家委员会秘书处主办,为用户提供国内外标准化信息服务。该网站提供国家标准公告查询、国家标准全文在线阅读、国家标准目录查询、国家标准计划查询等标准信息查询(如图 6-38 所示)和中美标准信息平台、中英标准信息平台、中澳新标准信息平台等 6 个中国与其他国家的标准信息交流平台,信息平台的建立旨在通过提高标准、规范评定体系和技术法规的透明度和制定参与率来推动国际贸易的发展。

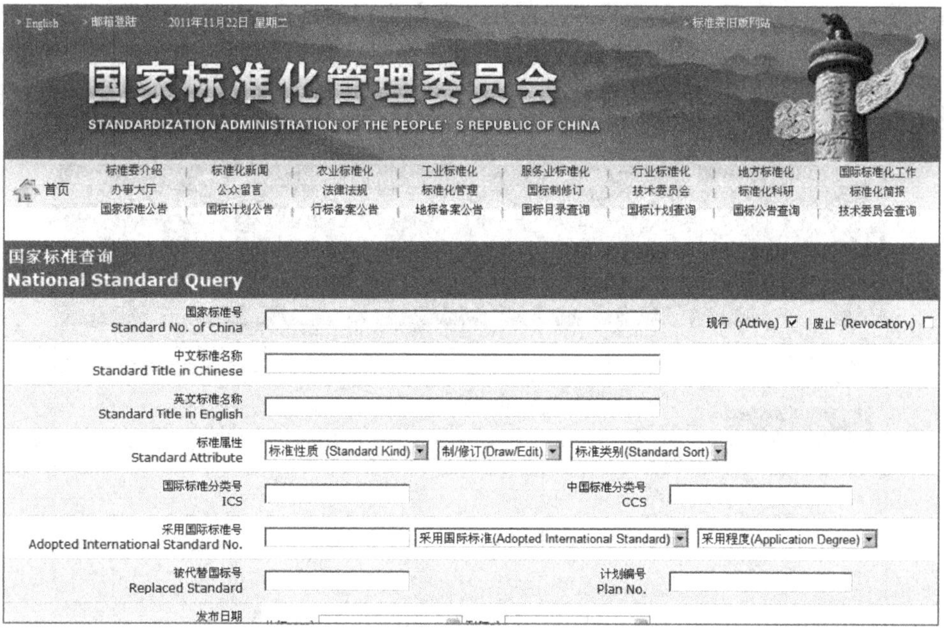

图6-38 国家标准化委员会国家标准查询页面

2.中国标准咨询网(www.chinastandard.com.cn)

由中国技术监督情报协会、北京中工技术开发公司等数家单位联合建立,可为用户提供国内外标准信息、质量认证信息等服务,它提供的标准信息检索范围包括ISO标准、IEC标准、GB标准等14个国内外标准。用户点击首页的标准数据库或标准数据库查询即可查询国家标准和国际标准的题录信息,可付费查询阅读标准全文。数据库提供中文标准名称、发布日期、发布单位、实施日期、英文标准名称、采用关系、中国标准文献分类号和标准号共8个检索入口(如图6-39所示)。

图6-39 中国标准咨询网主页

3. 中国标准服务网(www.cssn.net.cn)

由中国标准研究院于1998年创建,于2013年2月28日进行了升级和改版,是国家标准文献的共享服务平台,也是世界标准服务网在中国的站点,为用户提供标准动态信息采集、编辑、发布,标准文献检索,标准文献全文传递和在线服务等功能。网站提供标准检索、期刊检索、专著检索、技术法规检索,检索方法有简单检索、高级检索、专业检索和分类检索(如图6-40所示)。

图6-40 中国标准服务网标准高级检索页面

4.万方数据知识服务平台——标准数据库

该数据库综合了由国家技术监督局、建设部情报所、建材研究院等单位提供的相关行业的各类标准题录,包括中国标准、国际标准以及各国标准等。截至2013年5月共收录数据近31万条。数据库提供高级检索和专业检索两种数据检索方式,提供主题、题名、作者单位、标准编号和发布单位等多个检索入口(如图6-41所示)。

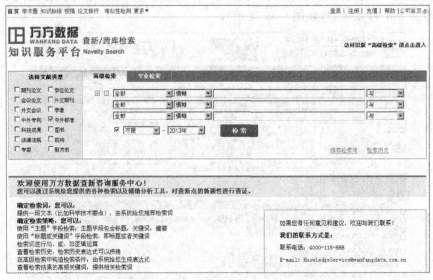

图6-41 万方数据知识服务平台标准高级检索页面

三、国外标准信息检索

1. 国际标准化组织(International Organization for Standardization, ISO)

ISO 是由来自世界 163 个国家的国家标准委员会组成的国际上最大的标准化组织，成立于 1947 年，总秘书处设在瑞士日内瓦，是最大的国际标准开发和发布机构。ISO 涉及除电工和电子工程领域外的所有技术领域，其网站提供国际标准信息的发布和检索服务。主页右上角点击"Search"进入检索页面，提供简单检索和高级检索两种检索方式，可在已出版的标准、正在发展的标准、撤销的标准和近 12 个月内删除的标准中对检索范围进行限定（如图 6-42 所示）。

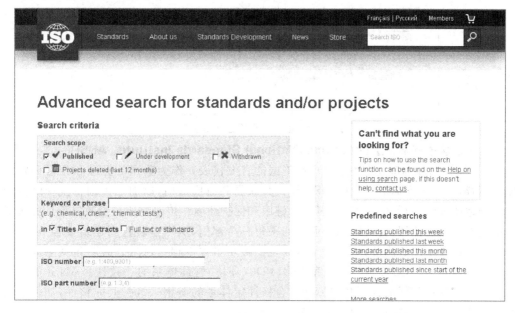

图 6-42　ISO 标准检索页面

2. 世界标准服务网络(world standards services network, WSSN)

WSSN 是一个向公众开放世界标准组织在世界各地的万维网服务器的网络。WSSN 的目标是可通过 Web 访问国际,区域和国家的标准信息并使其过程更简单。用户可通过 WSSN 和其成员的网站上提供的链接进入一个全面的全球网络,可以浏览、识别和获取所需的有关标准和相关活动的信息（如图 6-43 所示）。

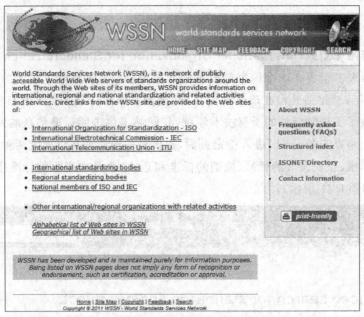

图 6-43　世界标准服务网络主页

3. 美国国家标准协会（American National Standards Institute，ANSI）

ANSI 是国际标准化组织（ISO）和美国的官方代表。作为美国的标准和合格评定制度的声音，美国国家标准学会（ANSI）授权其成员和组成部门，以加强美国在全球经济中的市场地位，同时帮助确保安全、消费者健康和保护环境。该研究所负责数以千计的规范和准则的颁布和使用，直接影响企业的几乎每一个部门，从声学装置到建筑设备，以及乳制品和畜牧业生产的能量分布等。ANSI 也积极从事评审程序，评估标准，包括全球公认的跨部门计划，如 ISO9000（质量）和 ISO14000（环境）管理体系的一致性。ANSI 的主要任务是通过推动和促进自愿共识标准和合格评定体系的质量来维护其完整性，加强美国经济的全球竞争力，提高生活质量（如图 6-44 所示）。

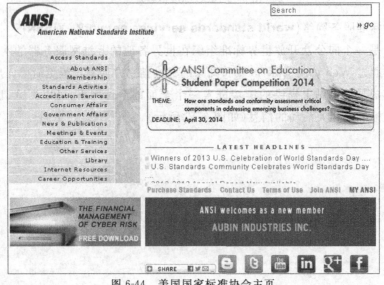

图 6-44　美国国家标准协会主页

4. NSSN

全球标准国家资源(A National Resource for Global Standards)是一个为用户提供与标准相关信息的搜索引擎,由美国国家标准学会(ANSI)管理,其检索范围包括 ANSI、美国其他私营部门的标准机构、政府机构认可的组织和国际组织。NSSN 是目前全球最全面的搜索标准信息方面的引擎,提供的信息超过 30 万条,并且提供相关标准和技术文件的链接(如图 6-45 所示)。

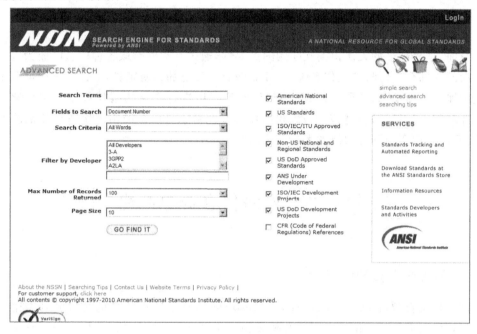

图 6-45　NSSN 标准检索页面

【思考题】

1. 特殊类型医学信息资源有哪些种类?
2. 如何使用国际专利分类法给专利文献进行分类?
3. 国内专利文献的检索工具有哪些?
4. 通过哪些网站可以免费查找国外专利信息?
5. 常用的检索国内学位论文的数据库有哪些?如何操作?
6. 如何使用 PQDT OPEN 进行学位论文检索?
7. 从哪些途径可以获取会议信息?
8. ISI Proceedings 由哪几个索引数据库组成?
9. 通过哪些途径可以检索国内标准信息?
10. 如何使用 NSSN 进行标准信息检索?

(江　婧)

第七章　网络信息资源

目前,越来越多的人认识到互联网的重要性,通过互联网获取各种信息已成为人们日常生活的一部分。对科技工作者来说,互联网更是重要的科研工具,通过它不仅可以了解科技发展的最新动态,获取最新信息资料,而且可以进行广泛的国际科技协作和学术交流。互联网上的信息资源极其丰富,利用好的搜索引擎可以帮助用户快速高效地获取信息,而开放获取资源则可以提供大量免费的学术文献。

第一节　网络信息资源概述

一、网络信息资源的概念

网络信息资源(network information resource),是指通过计算机网络可以利用的各种信息资源的总和。网络信息资源有狭义和广义之分,广义的是指网络上的所有信息资源,含有用的和无用的资源;狭义的是指能够被存取和利用而且能满足用户各种需求的各类信息资源的总和。

与传统的信息资源相比,网络信息资源在数量、结构、分布和传播的范围、载体形态、内涵和传递手段等方面都显示出了新的特点。目前,网络信息资源以互联网信息资源为主,同时也包括其他没有连入互联网(局域网)的信息资源,其中包括生物学、医学、药学等生物医学信息资源。

二、网络信息资源的类型

网络信息资源可以按照不同的标准和层面来进行划分。

1. 按学术交流的方式划分

网络信息资源可以分为正式出版的网络信息资源、非正式出版的网络信息资源、半正式出版的网络信息资源。正式出版的信息是指受到一定产权保护,信息质量稳定、利用率较高的知识性、分析性信息。非正式出版的信息是指通过电子邮件、网络论坛和电子会议、电子公告栏等途径发布的信息。半正式出版的信息则是指受到一定产权保护但没有纳入正式出版信息系统的信息,这类信息包括政府机构和非政府组织提供的信息、学术团体和研究机构提供的信息、企业和商业产品介绍以及各种内部期刊等。

2. 按信息传播采用的网络传输协议划分

可分为 WWW 网络资源、FTP 信息资源、TELNET 信息资源、用户服务组信息资源、广域信息服务器 WAIS 和 Gopher 信息资源。WWW 网络资源又称 Web 信息资源，是指通过超文本传输协议（HTTP）在 WWW 网络上进行传输的信息资源。FTP 信息资源指在因特网上通过文件传输协议（FTP）所能利用的信息资源。TELNET 信息资源是指基于 Telnet 远程登陆协议所能利用的信息资源。用户服务组信息资源指由一组对某一主题有共同兴趣的网络用户组成的新闻组、电子邮件组、电子论坛、邮件列表等。广域信息服务器 WAIS 是一种网络数据库文本检索系统，它为用户提供几百个数据库（包括许多图书馆联机目录）的入口信息，并对用户选择的数据进行检索。Gopher 服务器中的所有信息都以目录或文件的形式表达，并基于菜单提供服务。

3. 按网络信息资源的来源划分

可以分为政府信息资源、研究机构信息资源、大学信息资源、公司企业信息资源、社会团体信息资源、个人信息资源等。

4. 按信息内容的表现形式和用途划分

可以分为全文型信息、事实型信息、数值型信息、数据库类型信息、实时活动型信息以及其他类型信息。

5. 按对信息资源的加工程度划分

可以分为网络一次文献、网络二次文献和网络三次文献。网络一次文献包括电子图书、电子期刊和电子报纸，二次文献包括搜索引擎、网络数据库、网络导航等，三次文献包括网络述评、网站推荐等。

三、网络信息资源的特点

随着网络技术的发展、网络浏览工具的开发，网络资源发展越来越快，网络信息资源数量大、表现形式多样化等特点愈发明显。

1. 存储数字化

信息以数字化形式存在，存储（信息密度更高、容量更大）、传递和查询更加方便，可以无损耗地重复使用。

2. 格式多样化

网络信息资源可以是文本、超文本、多媒体、动画、图像、音频、视频、软件、数据库等多种形式存在的，涉及领域从经济、科研、教育、艺术到具体的行业和个体，包含的文献类型从电子报刊、电子工具书、商业信息、新闻报道、书目数据库、文献信息索引到统计数据、图表、电子地图等。

3. 开放性强

不同国家区域的人都可以利用网络传播查找信息，信息获取快捷。网络信息资源还具有很强的交互性和共享性，可以就一个话题或研究课题展开交流和讨论，也可以共享自己的研究成果。

4. 数量巨大，增长迅速

CNNIC（China Internet Network Information Center）发布的《中国互联网络发展状况统计报告》称，截至 2011 年 6 月底，中国网民规模达到 4.85 亿，微博用户数量增长到

1.95亿,手机网民规模为3.18亿,域名总数为786万个,网站数为183万个,国际出口带宽达到1182261.45 Mbps。

5.传播方式的动态性和时效性

在网络环境下,信息的传递和反馈快速灵敏,具有动态性和实时性等特点。

6.信息源复杂,管理困难

网络的共享性与开放性使得人人都可以在互联网上索取和存放信息,这些信息没有得到有效的质量控制和管理,无法经过严格编辑和整理,信息质量良莠不齐,给用户选择和利用网络信息带来了阻碍。

四、网络信息资源的评价

信息评价的五个基本准则(可靠性、权威性、时效性、准确性、完整性)不仅适合于传统出版的文献,同样适合于 Web 网络信息资源。但对网络信息资源来说,还包括信息的稳定性、可访问性以及网页设计对内容的支持等评价准则。网络信息的评价可细化为以下一些具体的评价指标,能达到大部分指标的网络资源的质量相对来说是比较高的,以下指标可供参考:站点由权威的机构或个人维护;站点的 URL 包含了"edu、ac、gov、org";作者是该主题领域中公认的权威人士;作者的教育经历和工作经验与文献主题相关;作者属于与文献领域相关的某个权威学术机构或政府部门;网页有明确的主题和主要的学科范围;网页发布的目的与内容相关;网页发布的日期和最后更新的日期比较新;网页被权威作者和站点引用和链接;网页内容被加入了同行评价(Peer Reviewed)系统;网页内容中的数据与其他信息源提供的数据一致;网页内容提供可信的统计数据来支持结论;网页中不包括明显的错误和遗漏;网页内容客观地陈述了有争议性的观点;站点的组织者对文献的主题不存在商业的兴趣;网页在文本和图片中不存在种族偏见;图形、功能按钮和各种链接与内容描述是相关和符合的。

第二节 搜索引擎

一、搜索引擎概述

(一)搜索引擎的概念

搜索引擎(search engine)是指根据一定的策略、运用特定的计算机程序搜集互联网上的信息,在对信息进行组织和处理后,将处理后的信息显示给用户,为用户提供检索服务的系统。它具有信息检索服务的开放性、超文本的多链接性和操作简单的特点。

(二)搜索引擎的类型

搜索引擎按其工作方式主要分为三种,分别是全文搜索引擎、目录索引类搜索引擎和元搜索引擎。

1. 全文搜索引擎(full text search engine)

全文搜索引擎是名副其实的搜索引擎,国外具代表性的有 Google、AllTheWeb、AltaVista 等,国内著名的有百度、中搜等。它们都是通过从互联网上提取的各个网站的信息(以网页文字为主)而建立的数据库中,检索与用户查询条件匹配的相关记录,然后按一定的排列顺序将结果返回给用户。全文搜索引擎的优点是数据库大、内容新、查询全面且充分,查全率高,能提供给用户全面且广泛的信息。缺点是查准率低,缺乏清晰的层次结构。

全文搜索引擎分为两类,一类是拥有自己的检索程序(indexer),俗称"机器人"(robot)程序或"蜘蛛"(spider)程序,并自建网页数据库,搜索结果直接从自身的数据库中调用;另一类则是租用其他搜索引擎的数据库,并按自定的格式排列搜索结果,如 Lycos 搜索引擎。

2. 目录索引类搜索引擎(search index/directory)

目录索引类搜索引擎提供了一份人工按类别编排的网站目录,各类下边排列着属于这一类别网站的站名和网址链接,再记录一些对该网站进行概述性介绍的摘要信息(摘要可能是网站提交的,也可能是引擎站点的编辑为站点所做的评价)。用户搜索时可以按相应类别的目录逐级浏览。这类引擎往往还伴有网站查询功能,也称之为网站检索,即提供一个文字输入框和一个用户可以在文字框中输入要查找的字、词或短语,再点击检索,便会在目录中查找相关的站名、网址和内容提要。这类搜索引擎从严格意义上不能算是真正的搜索引擎,仅仅是按目录分类的网站链接列表而已。用户完全可以不用进行关键词查询,仅靠分类目录也可找到需要的信息。目录索引中最具代表性的是 Yahoo 和 Sina 分类目录搜索。

目前,全文搜索引擎与目录索引类搜索引擎有相互融合渗透的趋势。原来一些纯粹的全文搜索引擎现在也提供目录搜索,如 Google 就借用 Open Directory 目录提供分类查询。而像 Yahoo 这些老牌目录索引类搜索引擎则通过与 Google 等搜索引擎合作扩大搜索范围。在默认搜索模式下,一些目录类搜索引擎首先返回的是与自己目录中匹配的网站,如国内的搜狐、网易等;而另外一些则默认的是网页搜索,如 Yahoo。

3. 元搜索引擎(META search engine)

元搜索引擎也称集成搜索引擎,它没有自己的数据,而是将用户的查询请求同时向多个搜索引擎递交,将返回的结果进行重复排除、重新排序等处理后,作为自己的结果返回给用户。这类搜索引擎的优点是返回结果的信息量更大、更全,缺点是不能够充分使用所使用搜索引擎的功能,用户需要做更多的筛选。著名的外文元搜索引擎有 InfoSpace、Dogpile、Vivisimo 等,中文元搜索引擎中具代表性的有搜星搜索引擎。

二、Google

(一)Google 简介

Google(http:www.google.com.hk)(如图 7-1 所示)创建于 1998 年 9 月,由美国斯坦福大学的 Larry Page 和 Sergey Brin 两位博士研发。Google 网络信息资源丰富、用户多,是目前互联网上最大的搜索引擎。

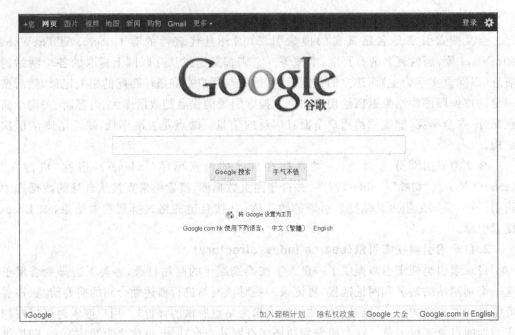

图 7-1　Google 主页

(二)搜索方法

1. 搜索模块

主页上提供网页、图片、视频、地图、新闻、购物、Gmail 共 7 个模块,点击"更多"可以浏览更多的 Google 产品:搜索服务、探索与创新、分享与沟通、移动服务等。其中 Google 学术搜索(http://scholar.google.com.hk/schhp?hl=zh-CN)主要用于搜索期刊论文、学位论文、会议论文、预印本、文摘、科技报告等学术文献。

Google 界面简洁,主页默认的检索方式为基本检索,基本检索状态下,只需在检索框内输入检索词,点击回车或"Google 搜索"就可得到相应的结果。点击"手气不错",将仅显示第一条最为相关的结果。

2. Google 的检索规则

(1)默认搜索。多个检索词之间以空格分隔,即为 AND 匹配;进行逻辑"或"匹配时,要用大写的 OR 连接检索词;进行逻辑"非"匹配时,检索词前要加减号(减号前须留一空格,英文字符"—")。

(2)位置限定。检索词前用位置代码加冒号,可限定检索词出现在网页中的位置。Google 提供 allintitle、allinurl、allintext 和 allinanchor 四种位置限定。

(3)文件类型限定。filetype 加文件名缩写。Google 支持 doc、ppt、xls、pdf、rtf、swf 等 13 种非 html 文件。

(4)禁用词(忽略词)。Google 对高频词"是"、"的"、"of"、"http"、"www"、"com"等作忽略处理。若需检索这类词,则在其前面加"+","+"前面须空一格。

（三）高级搜索

Google 高级搜索（如图 7-2 所示）分为检索词输入区、检索限定区、搜索特定网页区三个区域，具体检索要点有：

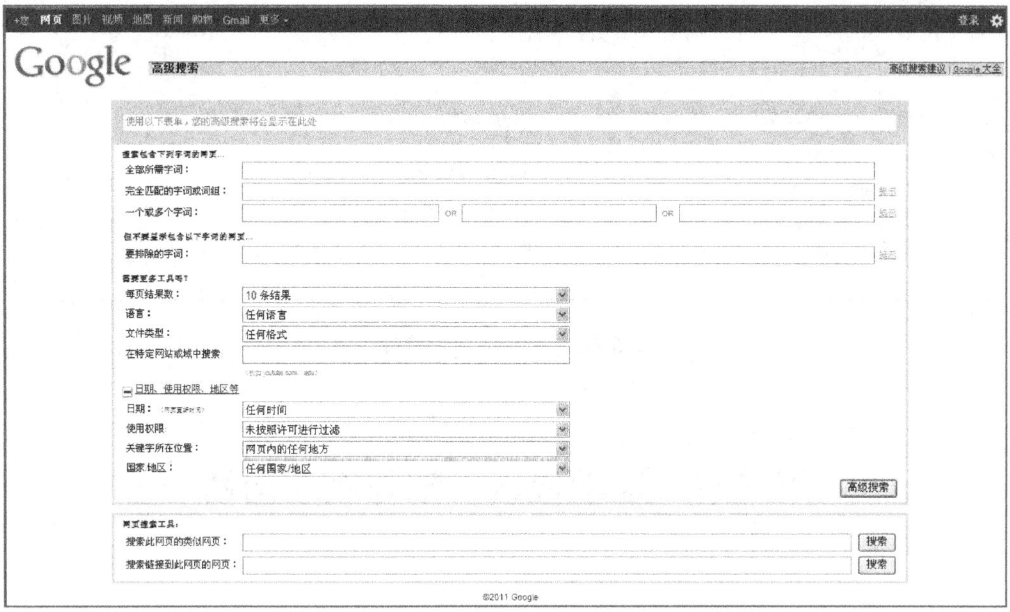

图 7-2　Google 高级搜索

1. 检索词输入区

提供四种匹配方式的输入框：AND、精确检索、OR、NOT，检索输入框内仅可输入检索词，不可输入检索表达式。

2. 检索限定区

可限定每页结果数、语言、文件类型、在特定网站或域中搜索及日期、使用权限、检索词所在位置地区等。

3. 搜索特定网页区

包括"搜索此网页的类似网页"和"搜索链接到此网页的网页"。

（四）Google 学术搜索

Google 学术搜索（http://scholar.google.com.hk）（如图 7-3 所示）提供可广泛搜索学术文献的简便方法。可以从一个位置搜索众多学科和资料来源，如来自学术著作出版商、专业性社团、预印本、各大学及其他学术组织的经同行评论的文章、论文、图书、摘要和文章。Google 学术搜索可帮助您在整个学术领域中确定相关性最强的研究。

Google Scholar 的检索功能非常灵活、强大，尤其是支持多种字段检索、特定文件类型检索等，并可以按用户的习惯设置检索界面。其中，作者搜索是找到某篇特定文章最有效的方式之一。如果知道要查找的文章作者，只需将其姓氏添加到搜索字词中即可。出版物限制搜索只返回来自特定出版物、针对特定字词的搜索结果。日期限制在寻找某一特定领域的最新刊物时会比较实用。

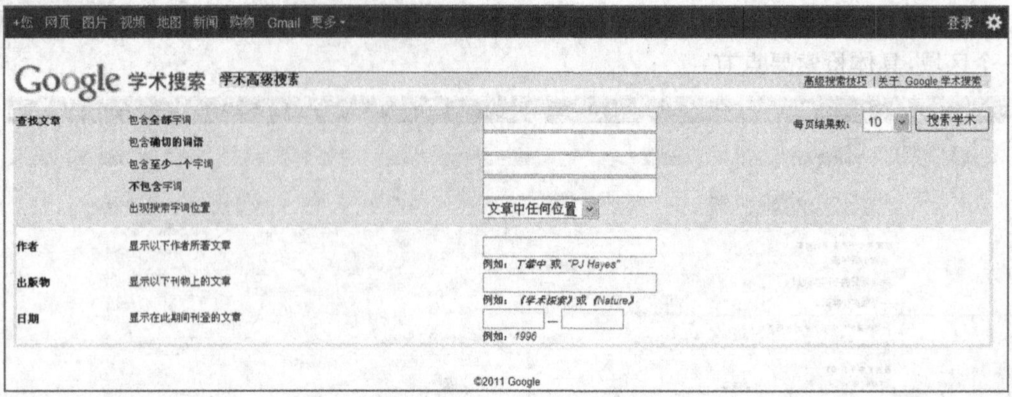

图 7-3 Google 学术搜索

第三节 医学搜索引擎与医学网站

一、Medical Matrix

Medical Matrix(http://www.medmatrix.org)产生于 1994 年,由美国医学信息学会主办,是目前最重要的医学专业搜索引擎之一。它是一种目录型搜索引擎,即只有经过美国医学信息学会的资深专家评估为有价值的网站信息才被网站收录。Medical Matrix 主要服务于从事临床及卫生专业工作的用户。

Medical Matrix 提供了分类检索和关键词检索两种搜索方式(如图 7-4 所示)。分类检索是它的主要特色,将各种医学信息分为专业(Specialties)、疾病(Diseases)、临床实践(Clinical Practice)、文献(Literature)、教育(Education)、健康和职业(Healthcare and Professionals)、医学和计算机(Medical Computing,Internet and Technology)、市场(Marketplace)八大类。每一大类下再根据内容的性质分为新闻(News)、全文和多媒体(Full Text/MultiMedia)、摘要(Abstracts)、参考书(Textbooks)、主要网址(Major SitesHome Pages)、操作手册(Procedures)、实用指南(PracticeGuidelines/FAQS)、病例(Case)、影像学和病理切片(Imags、Path/Clinical)、患者教育(Patient Education)、教育资源(Educational Materials)等亚类。

图 7-4　Medical Matrix 网站首页

二、Medscape

Medscape(http://www.medscape.com)(如图 7-5 所示)由美国 Medscape 公司于 1994 年开发,1995 年 6 月投入使用,是互联网上最大的免费提供临床医学全文文献、药物数据库和医学继续教育资源(CME)的站点,主要为临床医师和其他医学工作者提供高质量的、及时的专业医学信息。

图 7-5　Medscape 网址首页

Medscape 主页导航栏包含新闻(News)、引用(Reference)和教育(Education)3 个栏目。主页的上部有针对 News、Reference、Education 和 MEDLINE 数据库进行检索的检索输入框,可对以上数据库进行检索。专业网站 Specialty sites 位于主页的左侧,其下包含 30 多个专业,几乎所有生物医学工作者都可以找到相对应的专业主页,每一个专业都提供该专业的相关信息及深度报道。CME 是 Medscape 中最值得关注的内容,目前网上有超过 300 个继续教育课程,皆为近年来的医学论文。在阅读完每篇文章后可立即在网上进行测试。若能答对 70% 的试题就可获得美国医学会认可的继续教育学分(网上有追踪软件可自动记录浏览时间及测试分数,并可实时打印出学分证明)。

Medscape 提供免费注册功能。用户免费注册后,Medscape 根据用户登记的专业,提供最新的来自路透社、专业期刊的信息,也可以免费订阅每周一期的精选信息 MedPulse,还可以根据个人的需要定制个人独特的 Medscape 界面。

三、HON

HON(http://www.hon.cn)是"健康在线基金会(Health On the Net Foundation,HON)"于 1996 年 3 月推出的一个检索型免费医学全文搜索引擎。为了提高网上医学健康信息的质量,方便病人和医学专业人员能够快速地检索到最新的相关医学研究成果,HON 因此被创建。该网站成为互联网上最受欢迎的非营利性门户网站。

HON 分别提供英语、法语、德语、中文、西班牙语五种语言服务。HON 的资源分别面向普通病人、医务工作者和网站管理员。HON 主页提供 HONcode 网站、医学网站、HONselect、新闻、医学会议、医学图像、HON 档案、HON 项目、WRAPIN 等栏目供用户浏览,包含的信息量非常大。

四、SCIRUS

SCIRUS(http://www.scirus.com)是一个由 Elsevier 科学出版社开发的搜索引擎,是目前互联网上最全面、综合性最强的科技文献门户网站之一。它不仅包含发表的科学技术类期刊文章,还包含精选的科学类网页,以及同行评审的文章、预印本资源、会议文章、专利等科学相关的文献。

SCIRUS 覆盖的学科范围包括:农业与生物学、天文学、生物科学、化学与化工、计算机科学、地球与行星科学、经济、金融与管理科学、工程、能源与技术、环境科学、语言学、法学、生命科学、材料科学、数学、医学、神经系统科学、药理学、物理学、心理学、社会与行为科学、社会学等。

SCIRUS 突出的特色是检索功能强大,它的检索界面友好,提供了两个检索界面,即基本检索(basic search)和高级检索(advanced search)。基本检索与一般的搜索引擎类似,支持 AND、OR、NOT 等布尔逻辑运算。高级检索部分可以利用刊名、题名、作者、关键词、ISSN、作者联系方式和文献类型等进行检索。SCIRUS 还提供全文链接,若用户所在机构订购了全文,则可直接浏览全文。

五、HighWire Press

HighWire Press(http://highwire.stanford.edu)是描述资源。HighWire Press 是

提供全文免费的、全球最大的学术文献出版商之一,于1995年由美国斯坦福大学图书馆创立。最初仅出版著名的周刊"Journal of Biological Chemistry",目前已收录电子期刊1633种,超过500万篇文章可免费获得全文,这些数据仍在不断增加。通过该界面还可以检索Medline收录的4500余种期刊中的1200多万篇文章,可看到文摘题录。HighWire Press收录的期刊覆盖以下学科:生命科学、医学、物理学、社会科学。HighWire Press在线期刊主要具有以下特点:

1. 提供免费全文文献的期刊

该链接下的页面列出了本站收录的所有可提供免费全文文献的期刊。在刊名后有"Free Issues"、"Free Trial"和"Free Site"三种标注。标注为"Free trial"的期刊可以在试用期内获得全文;标注为"Free site"的期刊可以获得所有全文;标注为"Free Issues"的栏中如标注的是某月,则表示每年在该月及以前的所有文献都免费提供全文。

2. 提供即将进入本站的期刊

该链接下的页面列出了即将加入本站的期刊及预计加入的时间。

3. 提供在线使用部分期刊的统计情况

包括该刊被经常阅读的文献和引用最频繁的文献(均采用本站收录文献的数据,每月重新统计)。

4. 提供需要付费的站点

列出需要收费提供全文文献的站点及其收费标准,有两种收费方式。"Pay-per-view Site"为在一段时间内获得使用某篇文献的权利;"Site Pass"为在一段时间内获得该刊所有文献的权利。

5. 提供在线期刊文献数

介绍所收录文献的总数及各个期刊所提供文献的情况。全部期刊按字顺排列,从提供的文摘数、HTML格式的全文文献、PDF格式的全文文献数、全部全文文献的总数、免费全文文献的数量,以及所提供的全部文献数等几个项目的统计表。

6. 其他服务

除本站外,还提供了其他一些可提供免费全文服务的自然科学文献站点,并进行了简要介绍,并链接到更多的自然科学期刊的网页。

对HighWire Press收录的期刊的检索有三种方式:①按字母顺序浏览,选中某刊后,点击可以进入对该刊的检索,检索方法为一般检索和高级检索,如果在文章后标出可获取全文,则可以得到该文献的PDF格式全文。②一般检索。可以输入作者、关键词、年、卷、页等限制进行检索,由于同时可以检索Medline数据库,所以同时需要选择是检索Medline还是HighWire-hosted journals。点击检索结果后的文摘、全文、期刊网站、引用图,可以分别获得文摘、全文(PDF格式)、该期刊的网站主页和该文被引用情况。③高级检索。可提供以下限制,如年、卷、起始页、作者、起始年月、结果显示形式、匹配形式(最佳匹配、最新出版)、数据库(Medline、HighWire-hosted journals)等。

六、DOAJ

DOAJ(Directory of Open Access Journals,http://www.doaj.org/)(如图7-6所示)是由瑞典隆德大学图书馆主办、OSI和SPARC协办整理的开放获取期刊目录,建于2003

年5月。截至2011年11月20日，网站共收录了57313份学术期刊，其中3426份期刊可以搜索到文章内容，有685595篇论文。DOAJ收录的期刊均为学术性、研究性的同行评审期刊，或者有编辑做质量控制的期刊，具有免费、提供全文、高质量的特点，对学术研究有很高的参考价值。收录与生物医学相关的主题有：农业及食品科学、生物及生命科学、化学、地球及环境科学、健康科学等。

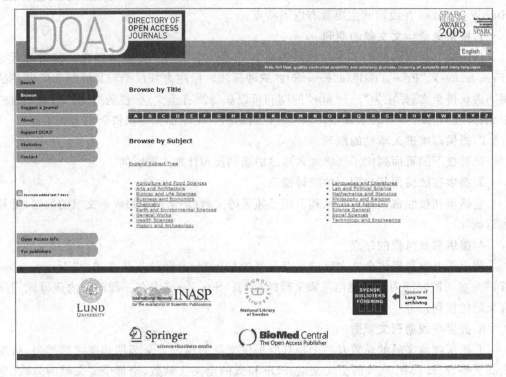

图7-6　DOAJ网站首页

DOAJ的检索方法分为期刊检索和全文检索两种方式。期刊检索提供刊名关键词检索、按刊名首字母顺序浏览和按期刊主题（17个大类）浏览三种方式，检索出期刊后直接点击期刊名链接即可进入该期刊所在的网站进行浏览或检索期刊文献。全文检索（find articles）可在所有字段（All Fields）、刊名（Title）、刊名（Journal Title）、ISSN、作者（Aumor）、关键词（Key Words）、文摘（Abstract）等字段中检索全文，在检出结果列表中点击文献题录下方的"Fulltext"链接即可进入该文全文的页面。

七、Free Medical Journals

Free Medical Journals（http：//www.freemedicaljournals.com）是由法国的Bernd Sebastian Kamps建立的免费医学期刊信息网站，是互联网上免费提供生物医学全文最多的期刊集合网站（如图7-7所示）。该网站共收录英语、德语、法语、意大利语、西班牙语等15个语种、2703种生物医学期刊。该网站提供五种浏览途径：一是按学科专业浏览，将所有免费期刊分成90多个专业，每一专业后在括号内用数字表明该专业免费期刊数；二是按FMJ Impact（免费医学期刊影响因子）浏览；三是按免费使用与出版的时间差浏览；四是按照刊名首字母导航浏览；五是按语种分为六类，同一语种下按期刊字母顺序排列。该网站还提供 FreeBooks4Doctors 的链接以便用户免费阅读 360 部开放获取图书。

图 7-7　Free Medical Journals 网站首页

八、BioMed Central

BioMed Central(简称 BMC,生物医学中心,http：// www. biomedcentral. com)是英国的一家独立学术出版机构,致力于提供生物医学研究成果的开放获取。目前共出版了包括《生物学杂志》等 205 多种生物医学期刊(2010 年 2 月数据),涵盖了生物学和医学的各个主要领域。所有期刊都通过严格、充分的同行评审,保持了高水平,被 Citebase、Google Scholar、OAIster、PubMed、PubMed Central、Scirus、SOCOLAR、Zetoc 等检索系统广为收录,Thomson Scientific (ISI) 数据库收录了 BMC 的部分期刊,2008 年 5 月统计为 65 种。

读者可以通过 Journals A—Z 或 Subject areas 按字顺或主题浏览期刊列表,再选择期刊阅读全文,亦可在 quick search 中进行快速检索。在 advanced search 界面中,用户可以进行多字段高级检索,也可以进行布尔逻辑检索。

九、PubMed Central

PubMed Central(PMC,http://www.pubmedcentral.nih.gov)是2000年1月由美国国家医学图书馆(NLM)的国家生物技术信息中心(NCBI)建立的生命科学期刊全文数据库,它旨在保存生命科学期刊中的原始研究论文的全文,并在全球范围内免费提供使用。PMC采取自愿加入的原则,某期刊一旦加入,必须承诺期刊出版后一定时期内将其全文提交给PMC,由PMC提供免费全文检索和访问。目前加入PMC的期刊有560多种,这些期刊免费全文访问的时间延迟是出版后0～24个月,并且由PMC直接提供全文。PMC与PubMed的关系是:两者都是NLM建立的数据库,其中PubMed是一个基于互联网的文献检索系统,它收录了几千种生命科学期刊的目次和文摘,该数据库提供了PMC全文的链接以及数千种期刊网站的链接;而PMC是由NLM建立的免费生命科学电子期刊全文数据库,PMC的所有论文在PubMed中都有相应的记录。

PMC在全球范围内免费提供使用,所有文献的浏览、检索、下载均无需注册,但只有注册用户可通过E-mail自动获取PMC新刊通报。

PMC提供了期刊浏览和检索两种功能(如图9-6所示)。浏览功能体现在:用户可从期刊列表直接选择某一期刊,然后浏览该期刊的各期文献;也可通过输入所需刊名定位到某一期刊,然后浏览该期刊的各期文献。检索功能体现在:PMC可以使用快速检索和高级检索。快速检索即在主页检索式输入框中输入关键词进行检索。高级检索与美国国家医学图书馆其他数据库(如PubMed)采用同一检索界面,检索功能也基本相同。高级检索大致由三大板块组成:页面上方的检索框和功能(Limits、Preview/Index、History、Clipboard、Details)、页面左面的导航条,指向PMC的一些其他功能板块,如Citation Search、Journal list等。在检索框"for"后面的空格中输入需要查询的关键词,点击"Go"会出现相关的文献。

十、Health A to Z

Health A to Z(http://www.healthatoz.com/),1994年由美国Medical Network公司开发,是一个功能齐全的因特网上免费全文医学信息资源搜寻器,可对医学信息进行准确、有效的搜索,为医学工作者和健康消费者提供搜索医学信息的网站。它提供了5万多个Internet上的健康和医学相关网址,可根据主题词或疾病名的首个字母进行检索。收录的信息均经医学专业人员手工编排,保证了搜索的准确性及方便性,收集的内容每周更新。可按分类及关键词检索,关键词检索时大小写无区别,结果按相关性排序,并通过"related categories"实现相似性检索。可分类浏览疾病与状态(按字母顺序排列)、卫生与福利、卫生学主题(字顺排列)、卫生学快报、卫生新闻等,还提供了免费检索Medline。简单注册后可进一步获得药学数据库的全文检索服务,此外还可了解其他计划和服务。

【思考题】

1. 什么是搜索引擎？其种类和工作原理是什么？
2. 试查找并列举五种本专业的免费电子期刊。
3. 设计本专业的课题，利用搜索引擎和医学专业网站查找有关信息。

（吴义苗）

第八章 学科专题信息资源

第一节 循证医学信息资源

一、概述

1. 循证医学

循证医学(Evidence-Based Medicine,EBM)是遵循科学依据的医学,是在个人经验基础上,积极寻求和应用最佳证据,从而做出医疗决策,用以指导临床实践的医学。其核心思想是:医疗决策应建立在当前最好的临床研究证据基础上,结合医师的个人经验,保证医疗决策的科学性。

循证医学自上个世纪70年代后期开始形成和发展,90年代被正式提出,是派生于临床流行病学的一门新兴学科,它的形成和发展对医学研究,特别是临床医学研究,以及医学教育、医学科研、卫生事业管理和医学信息研究产生了巨大的影响。

1996年,循证医学的创始人——David Sackett教授正式提出循证医学的基本概念:"谨慎地、明确地、明智地应用当前最佳证据就如何对患者进行医疗做出决策。"2000年,在他的新版图书《怎样实践和讲授循证医学》中,又再次定义循证医学为:"慎重、准确和明智地应用当前所获得的最好的研究依据,同时结合医师的个人专业技能和临床经验,考虑病人的价值和愿望,将三者完美地结合制定出病人的治疗措施。"

中国循证医学中心是在1996年由四川大学华西医院开始筹建,1997年获卫生部认可,1999年经国际Cochrane协作网指导委员会批准,正式注册成为亚洲唯一的一个Cochrane中心。

随着临床流行病学、医学统计学、计算机网络等科学技术的迅速发展,现代医学模式正逐步从经验医学向循证医学转化。

2、循证医学证据分级

循证医学采用一系列系统、科学的检索策略和评价临床研究结论可靠性的标准来筛选、提炼出含有最佳证据的相关文献,因此,证据是循证医学的本质所在。

关于证据的分级,有研究者提出了一个"5S"模型,该模型分为5级,呈金字塔形。

(1)最下边一层为"Study",指杂志中的原始研究,该层是基础,包括专家意见、个案报道和临床总结。

（2）向上一层为"Syntheses"，指系统评价，如 Cochrane 系统。

（3）再上一层为"Synopses"，指那些出现在循证医学期刊中的对原始研究和系统评价的简要描述的文献。

（4）再向上一层为"Summary"，指经整合来自此层以下的当前可得的最佳证据，并针对某个特定健康问题提供全面的有关治疗选择的证据，如 Clinical Evidence。

（5）最上面一层为"Systems"，指能将患者的信息与来自研究证据的适用信息相匹配的计算机决策系统；也就是将患者电子病案中的特征与当前可得的最佳证据进行自动链接，并能对一些关键信息予以提示。

从上述"5S"模型中，不难看出证据的可靠性由高到低依次为：Systems→Summary→Synopses→Syntheses→Study。因此，在检索证据用于临床决策时，首先从最高层开始，以此类推。

3. 证据资源类型

关于证据资源的分类，国内外虽有多种多样，但大同小异，一般将证据资源分为以下几类：

（1）循证医学证据检索系统，有 Cochrane Library（CL）、OVID 公司的 Evidence-Based Medicine Reviews（EBMR）。

（2）原始研究书目数据库，如 PubMed、中国生物医学文献数据库（CBM）。

（3）临床实践指南，如 NICE、SIGN、NGC。

（4）其他二次研究资源，以英国医学杂志出版集团出版的 Clincal Evidence 为代表，是一种非常重要的帮助临床决策的循证医学资源。

（5）与循证医学有关的多元集成搜索引擎，如 SUMsearch 和 TRIP Database 等。

二、循证医学证据检索

1. Cochrane Library（CL）

（1）概况。Cochrane 协作网是一个国际性的非盈利民间学术团体，其宗旨是通过制作、保存、传播和不断更新医疗卫生领域的系统评价，提高医疗保健干预措施的效率，为临床治疗实践和卫生决策提供可靠的科学依据。Cochrane 协作网的主要产品是 Cochrane Library（网址：http：//www.thecochranelibrary.com），它包含了 6 个数据库，分别是 CDSR、DARE、CENTRAL、CMR、HTA、NHSEED。由 Cochrane 协作网制作的有 CENTRAL、CDSR、CMR，另外 3 个数据库由英国约克大学评估与传播中心收集整理，它们是获取循证医学证据的重要检索系统。

1）Cochrane Dalabase of Systematic Review（CDSR）：中文名为 Cochrane 系统评价资料库，它分为系统评价全文资料库（Completed Reviews）和研究方案（Protocols）两个部分。系统评价会根据读者建议和评论以及新出现的临床研究证据进行不断的补充和更新。

2）DARE：中文名为效果评价文摘库，由英国国家保健服务评价与传播中心提供。DARE 涉及的领域较广，补充了 Cochrane 系统评价尚未涉及的相关信息。

3）CENTRAL：中文名为 Cochrane 对照试验中心注册数据库，信息来自 Cochrane 协作网络中心、各专业组及志愿者等；对收集到随机对照试验（RCT）或对照临床试验

(CCT)信息,按照规定的格式送到协作网的对照试验资料库注册中心,由协作网数据库管理中心的工作人员进行统一规范的处理。

4) CMR:中文名为 Cochrane 协作网方法学注册数据库,主要收录对照试验方法和系统评价方法学方面的研究文章或报告,信息来源于期刊、图书和会议录等。

5) HTA:中文名为卫生技术评估数据库,由英国约克大学的评价与传播中心收集整理。收录内容为世界范围的已完成和正在进行的卫生技术评估文献,涉及与卫生技术相关的医学、社会学、伦理学和经济学等方面,目的在于改善卫生保健成本效益的质量。

6) NHSEED:中文名为英国国家卫生保健服务卫生经济评价数据库,收录世界范围内有关卫生保健干预措施的经济学评价,由英国约克大学的评价与传播中心收集整理。

以上 6 个数据库中,只有 Cochrane Dalabase of Systematic Review 及 Cochrane Dalabase of Methodology Review 提供全文,其他的只提供摘要。

(2) 检索。检索界面如图 8-1 所示,主页的左方是"SEARCH"检索区和"BROWSE"浏览区。

图 8-1　Cochrane Library 主页

1) 检索区(SEARCH)。包括:①简单检索,在检索区将检索词输入检索提问框,选择需要进行限定检索的字段,点击"GO"按钮,即可获得检索结果;②高级检索,点击左上方检索词输入框下面的"Advanced Search",通过下拉菜单对检索字段、时间范围等进行限定检索(支持布尔逻辑算符(AND、OR、NOT)、截词符"﹡"、位置符(NEAR/数字)、连字符(NEXT)等检索规则),检索式编制完毕后,点击"Search"按钮,即可获得检索结果(如图 8-2 所示);③主题词检索,点击左上方检索词框下面的"MeSH Search"进入主题词检索界面,检索方法与 PubMed 的主题检索相似;④检索史检索,点击检索词框下面的

"Search History",可对检索史检索,即对已有的检索结果进行编辑和删除。

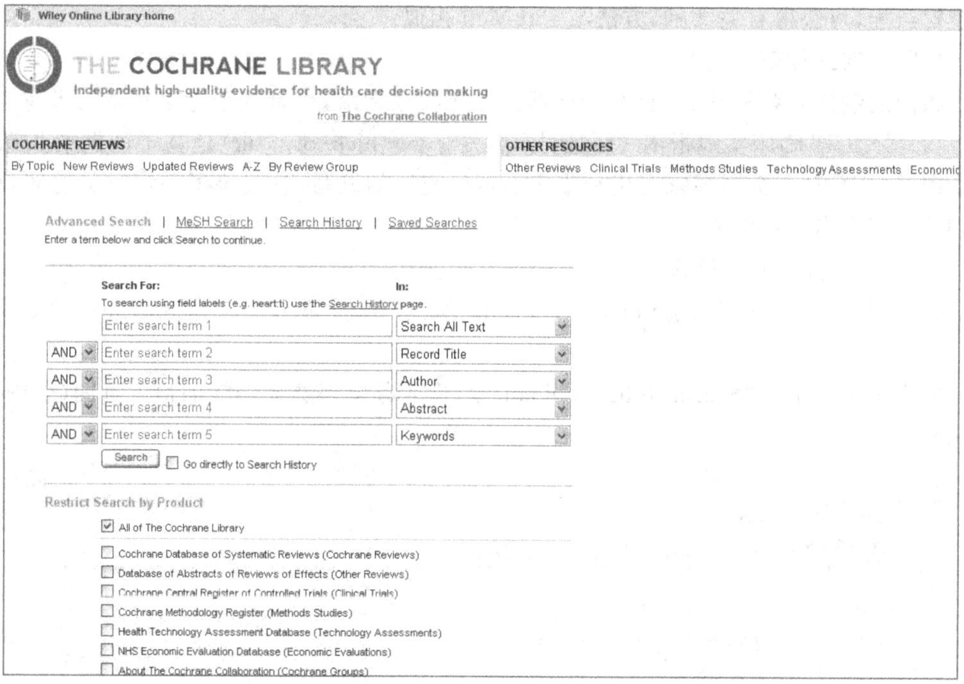

图 8-2　Cochrane Library 的"Advanced Search"检索界面

2) 浏览区(BROWSE)。列出的项目有 By Topic(主题浏览)、New Reviews(新记录浏览)、Update Reviews(更新记录浏览)、A－Z 首字母字顺浏览、By Review GROUP(专业组浏览)、Other Resources(效果评价文摘)、Clinical Trials(临床试验)、Methods Studies(方法研究)、Technology Assessments(技术评估)、ECONOMIC Evaluations(经济评价)等内容。

2. EBMR

循证医学评价(EBMR)是由国际知名的信息公司 OVID 技术公司制作与更新的数据库(OVID 检索系统网址:http://gateway.ovid.com)。该数据库收录了美国医师协会循证资料库和 Cochrane Library 的资源,并与 Medline 和 Ovid 收录的期刊全文相链接。这一特点使用户可以方便地同时获得二次文献与原始研究证据,因此被认为是指导临床实践和研究的最好的证据来源。

其检索方法和第三章中的 OVID 全文数据库相同。

3. 原始研究书目数据库

(1) PubMed。该数据库收录的循证医学文献主要包括:临床试验(Clinical Trial)、Meta-分析、实践指南(Practice Guideline)、随机对照试验(Randomized Controlled Trial)、综述(Review)、Cochrane 协作网的系统评价等。

1) Clinical Queries 临床查询:下设"Find Systematic Reviews"和"Search by Clinical Study Category"两个选项,它们可分别检索系统综述和临床研究方面的文献。

2) Limits 限定检索:可通过"Type of Article"选项对文献类型进行限定。

(2) 中国生物医学文献数据库(CBM)。CBM 是查找国内生物医学文献常用的数据库。检索循证医学文献时,可使用特定的检索词,如循证医学、系统评价、汇后分析等,通过逻辑组配,可获得有关文献,方法与 PubMed 相似。

4. 临床实践指南

指南的制定有各种情况,有基于证据的临床实践指南,也有基于专家共识的指南。

(1)"NICE"临床实践指南(网址:http://www.nice.org.uk)是基于证据的临床实践指南。"NICE"是英国国家卫生和临床示范研究所的缩写,它收录了一定数量的涉及临床相关领域指南。检索方法有:

1)选用主页上的直接检索。

2)点击主页上的"find guidance",可针对指南类型、主题或发表时间等进行浏览或检索。

3)点击主页上的"Search NICE guidance",进入有更多选择功能的检索页面(如图8-3所示)。

图 8-3 NICE 主页

(2)"SIGN"临床实践指南(网址:http://www.sign.ac.uk)是苏格兰大学校际间指南网络的简称,它也是基于证据的临床实践指南。

(3)"NGC"临床实践指南(网址:http://www.guideline.gov)是美国国家指南交换中心的简称,它是基于专家共识的临床实践指南。其特点是提供结构式摘要、指南之间能进行比较、指南内容经过了分类等。检索方法有:

1)基本检索:在 NGC 主页的检索提问框里输入检索词即可完成。

2)详细检索:点击检索提问框下方的"Detailed Search"按钮,便可进行详细检索。

3)浏览检索:点击主页左列的"Browse",方框内出现"Disease/Condition"、"Treatment/Intervention"、"Measures"、"Guideline Index"、"Organization"等内容供浏览检索。

4)指南比较:这是 NGC 的特色功能,用户在进行检索时得出两个或两个以上的指南,可以任选两个或两个以上指南进行比较。方法如下:①点击检出指南前面的方框,做上标记;②点击屏幕底部的"Add to My Collection",把做了标记的指南添加到"我的收藏"中;③点击底部的"Compare Checked Guidelines",系统自动对所选指南在标题、时间、内容等方面进行比较。

总之,基于证据的临床实践指南,制作有相应的规范,并对指南有评价、更新等质量控制措施,但数量较少;而基于专家共识的指南范围广、数量多、检索功能强,各种类型均有,指南的质量需用户自己去评价。

5. Clinical Evidence(CE)

CE是英国医学杂志出版集团(简称 BMJ)出版的一种帮助临床决策的循证医学资源。它汇集了来自系统评价、随机对照试验以及经过同行评议过的观察性研究(若无高质量证据的情况下)的当前可得的最佳证据(网址:http://www.clinicalevidence.com)。

CE有印刷版、网络版、掌上电脑等多种版本和支持工具,为临床医师提供有关治疗决策最近的、最相关的医学知识,但无推荐意见。他们主张"我们给予证据,你们做出决策"。CE可链接PubMed和Cochrane系统评价的摘要,提供药物安全预警,有中文导航界面,相关信息可在掌上电脑上使用。

检索CE信息可点击主页上的科目分类和全部评论列表即可(如图8-4所示)。

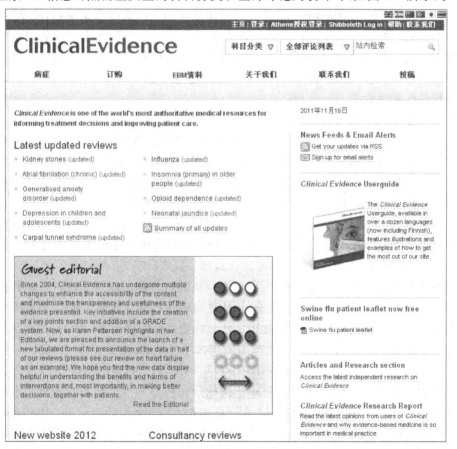

图 8-4 CE主页

6. 多元集成搜索引擎

（1）SUMsearch（网址：http：//sumsearch.uthscsa.edu）。由美国 Texas 卫生科学中心和 San Antonio Cochrane 中心等支持。其最大的优点是同时对 PubMed 检索系统、NGC 临床实践指南、Cochrane 系统效果评价文摘库 DARE 等检索系统进行检索，并分类列出检索结果，用不同颜色加以区别。

（2）TRIP Database（网址：http：//www.tripdatabase.com）。建于 1997 年，其目标是将互联网上的循证卫生保健资源一并检索。现收集有 70 多个经选择的资源库，并与相关杂志和电子教科书进行链接，检索时可一次打开多个数据库，各个数据库的检索结果用不同颜色加以区别，浏览相关内容十分方便。

（胡笑梅）

第二节　生物信息学资源

一、生物信息检索概述

生物信息学（bioinformatics）是 20 世纪后期兴起的一门新的交叉学科，涉及生物学、数学、计算机科学等学科。1995 年，美国人类基因组计划（HGP）的总结报告中给生物信息学的定义为：生物信息学是包含生物信息的获取、处理、贮存、分发、分析和解释的所有方面的一门学科，它综合运用数学、计算机科学和生物学的各种工具进行研究，目的在于了解大量的生物学意义。

生物信息学研究包含基因相关信息和数据库的算法两大领域。生物信息数据库的算法主要用来比较、分析有关生物信息，便于从众多分散的生物学观测数据中获得对生命运行机制的详细和系统的理解。目前涉及的课题较多，主要有：序列比对，比较两个或两个以上序列的相似性或不相似性；结构比对，比较两个或两个以上蛋白质分子空间结构的相似性或不相似性，利用归纳和演绎对蛋白质二级和三级结构进行预测；计算机辅助蛋白质编码基因识别，给定基因组序列后，正确识别基因的范围和在基因组序列中的精确位置；序列重叠群装配；DNA 语言研究和非编码区分析；蛋白质组学数据分析；分子进化和比较基因组学；基于结构的药物设计；基因芯片设计等。

生物信息数据库有数百种之多，可以分为一级数据库和二级数据库。一级数据库的数据都直接来源于实验获得的原始数据，只经过简单的归类整理和注释；二级数据库是在一级数据库、实验数据和理论分析的基础上针对特定目标衍生而来，是对生物学知识和信息的进一步整理。国际上著名的一级核酸数据库有 GenBank 数据库、EMBL 核酸库和 DDBJ 库等；蛋白质序列数据库有 SWISS-PROT、PIR 等；蛋白质结构库有 PDB 等。国际上二级生物学数据库非常多，它们因针对不同的研究内容和需要而各具特色。世界上有三大著名数据库：①美国国家生物技术信息中心（National Center for Biotechnology Information，NCBI），主页 www.ncbi.nlm.nih.gov，内容丰富，包括 SITE MAP，About NCBI，GenBank，Literature databases，Molecular databases，Genomic biology，Tools，Research at NCBI，Software engineering、Education，FTP site，Contact information 等。

②欧洲生物信息研究所(European Bioinformatics Institute, EBI), 网址为 http://www.embl-heidelberg.de。提供的服务包括建立和维护数据库、分子生物相关信息服务、执行分子生物与计算分子生物研究等。③日本核酸数据库(DNA Data Bank of Japan, DDBJ),设立在日本国家遗传研究所(NIG), 网站为 http://www.ddbj.nig.ac.jp。DDBJ 于 1986 年开始 DNA 数据库的构建工作,其特色是在阐述进化方面更为直接。它从研究者那里收集 DNA 序列并且给数据提交者一个国际公认的编码。

生物信息学的软件包括:图像分析用的 Bandleader、ImageTool、Quantity 等,质粒作图用的 Redasoft、WinPlas 等,引物设计用的 Oligo、primer 等,蛋白分析用的 Anthe 等,以及综合分析用的 DNAstar、DNAMAN 等。

二、生物信息学资源数据库的记录格式

生物信息学数据库中最主要的一种数据库类型是序列数据库,序列数据库中的记录主要由序列描述和序列两部分组成,两部分都有比较固定的格式,以便计算机存取。序列描述主要包括作者、文献、生物学命名、序列注释。

目前,序列数据库的记录格式多种多样,主要有 EMBL 格式和 Genbank 格式,序列文本格式主要是 FASTA 格式。

1. EMBL 格式

EMBL 格式是 EMBL、SWISS-PROT 等数据库所采用的一种纯文本文件格式。记录的每一行最前面是由两个大写字母组成的标识符(表 8-1)。标识符"特征表"FT 包含一批关键字,它与 Genbank、DDBJ 是统一的。

2. Genbank 格式

Genbank 格式是 Genbank 等数据库所采用的一种纯文本文件格式。记录的每一行左端为空格或标识符。标识符均为一完整英文字母,不用缩写。每一条 Genbank 记录,从 LOCUS 到 ORIGIN 为序列的描述部分,描述部分按标识符分成若干段。

表 8-1 EMBL 和 Genbank 格式的标识符

EMBL 格式标识符	Genbank 格式标识符	含 义
ID	LOCUS	记录总的描述
AC	ACCESSION	存贮号
DE	DEFINITION	定义序列的总的生物学意义
OS	SOURCE	来源生物体
OC	ORGANISM	具体的生物体名称
DT		公开日期
KW	KEYWORDS	关键词
RN	REFERENCE	引文编号
RA	AUTHORS	引文作者
RT	TITLE	引文题目
RL	JOURNAL	引文出处

EMBL 格式标识符	Genbank 格式标识符	含 义
RX		交叉引用
DR	COMMENTS	对其他数据库的引用
MEDLINE		MEDLINE 存贮号
XX		为阅读清晰而加的空行
CC	COMMENT	评论
NI	VERSION	为更新的序列版本号(AC 不变)
FH	FEATURES	特征表表头
FT	FEATURES	特征表
SQ	BASE COUNT	EMBC 序列长度,字母数+序列
	ORIGIN	Genbank 序列开始标志,该行空+序列
//	//	序列结束标志,空行

3. FASTA 格式

FASTA 格式是最常见的序列文件格式(如图 8-5 所示),仅包含序列存贮号、描述性标题和序列,主要用于快速序列类似性检索或序列同源分析。

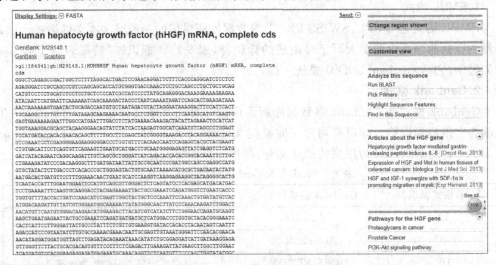

图 8-5 FASTA 格式

第一行是说明行,以">"符号开始,紧接着是序列存贮号(Accession)和描述性说明文字,有助于序列的理解。从第二行开始为序列本身。核苷酸符号用大、小写字母均可,但氨基酸一般用大写字母。文件中的每一行不超过 80 个字符。由于 FASTA 格式无特殊的序列结束标志,建议最后多留一个空行。

三、Entrez

1. 概况

美国国立医学图书馆(NLM)于 1988 年 11 月 4 日建立国家生物技术信息中心 (National Center of Biotechnology Information,简称 NCBI)。该中心的主要任务是:为储存和分析分子生物学、生物化学、遗传学知识创建自动化系统;从事研究基于计算机的信息处理过程的高级方法,用于分析生物学上重要的分子和化合物的结构与功能;促进生物学研究人员和医护人员应用数据库和软件;努力协作以获取世界范围内的生物技术信息。NCBI 首先创建 GenBank 数据库,在重点开发 GenBank 的同时,又于 1991 年开发了 Entrez 数据库检索系统。该系统整合了 GenBank、EMBL、PIR 和 SWISS-PROT 等数据库的序列信息以及 MEDLINE 有关序列的文献信息,并通过相关链接将它们有机地结合在一起。NCBI 还提供了其他数据库,包括在线人类孟德尔遗传数据库(OMIM)、三维蛋白结构的分子模型数据库(MMDB)、人类基因序列集成(UniGene)、人类基因组基因图谱(GMHG)、生物门类(Taxonomy)数据库等。主页为 http://www.ncbi.nlm.nih.gov/(如图 8-6 所示)。

图 8-6　NCBI 主页

2. 主要数据库

Entrez 主要数据库如下:

(1)Nucleotide 核苷酸数据库,收录了美国国立卫生研究院(GenBank)、日本 DNA 数据库(DDBJ)和欧洲分子生物学实验室数据库(EMBL)三部分序列数据。

(2)Genome 基因组数据库,收录近千种生物体,提供了多种基因组、完整染色体、连续的序列图和集成的遗传物质图谱。

(3)Structures 结构数据库或称分子模型数据库(MMDB),包含蛋白质和多核苷酸,是 X 线晶体学和三维结构的实验数据;其中,MMDB 的数据从 PDB(Protein Data Bank)获得。

(4)Taxonomy 生物学门类数据库,可以按生物学门类进行检索或浏览其核苷酸序列、蛋白质序列、结构等。

(5)OMIM 孟德尔遗传学数据库,是人类基因和基因疾病的目录数据库,该数据库包括原文信息、图片和参考信息。

(6)Protein 蛋白质数据库,收录了美国 NCBI 基因库(Genbank)、欧洲分子生物学实验室数据库(EMBL)、日本 DNA 的 DDBJ 数据库中附注释编码区的蛋白质序列数据,以及蛋白质信息资源(PIR)、日内瓦大学功能蛋白质信息注释数据库(SWISSPROT)、蛋白质研究基金(PRF)、蛋白质数据库(PDB)提交的蛋白质序列数据。

3. Entrez 检索

Entrez 的大多数记录可相互链接，既可在同一数据库内链接，也可在数据库之间进行链接。当运用 BLAST 软件比较某氨基酸或 DNA 序列与库中其他氨基酸或 DNA 序列的差异时，会涉及蛋白质库或核苷酸库的库内链接。库间链接发生在核苷酸数据库内的记录与 PubMed 库中已发表序列的引文间的链接，或蛋白质序列记录与核苷酸序列库中编码它的核苷酸序列间的链接。所以，NCBI 的第一个界面是默认在所有的数据库(All Database)中检索，在检索框中输入一个或者多个检索词，点击"Search"进行检索。检索结果的数量显示在各个数据库的左边(如图 8-7 所示)。例如在图中，AIDS 在 Protein 数据库中有 215509 条记录。

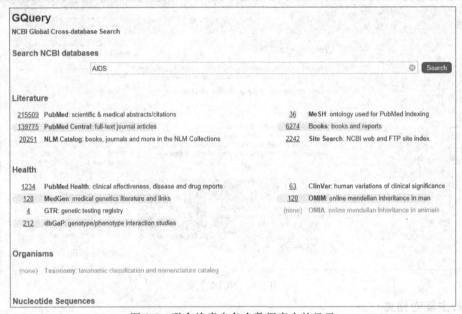

图 8-7　联合检索在各个数据库中的显示

Entrez 数据库可以同时检索，也可以独立检索。系统各数据库检索的基本规则类似，在 PubMed 中已经介绍。例如支持布尔逻辑运算 AND、OR、NOT；检索词间默认逻辑关系为 AND；系统运算次序从左至右，括号内的检索式可作为一个单元，优先运行；可使用检索式编号进行复合组配，如"♯1 and ♯2"；短语检索加双引号；支持截词检索，截词符采用"*"表示；著者检索的格式为姓在前，名首字母缩写排在后，等等。

三、Nucleotide 数据库检索

1. 基本检索

在检索框中可输入单词、短语、著者名、存取号、分子量等进行检索。例如，检索蛋白激酶(protein kinase)方面的文献，系统显示得到相关的序列条目记录(如图 8-8 所示)。系统显示格式有 GenBank、FASTA 和 Graphics 等三种。其中 GenBank 格式显示较完整的基因记录，其内容包括：基因位点(Locus)、基因存取号(Accession)、基因定义(Definition)、核酸

编号（NID）、关键词（Keywords）、来源（Source）、组织分类（Organism）、参考文献（Reference）、著者（Author）、题目（Title）、期刊（Journal）、Medline 存取号（Medline）、序列特征（Features）、基因（Gene）、CDS（cDNA）、等位基因（Allele）、对等的肽（Mat-Peptide）、计算碱基数（Base Count）、原序列（Origin）等。

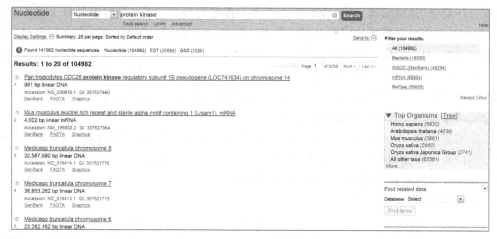

图 8-8　Nucleotide 数据库检索

2. 限定检索

"Limits"将检索限定在特定字段中进行（如图 8-9 所示）。字段限定（Search Field Tage）；排除某种序列（Exclude）：STSs（序列标记位点）、working draft（工作草图）、TPA（第三者注释序列）、patents（排除专利）等；特定分子类型（Molecule）：Genomic NDA/RNA（基因组 DNA/RNA）、mRNA、rRNA；基因位置（Gene Location）：Genomic DNA/RNA（基因组 DNA/RNA）、Mito-chondrion（线粒体）、Chloroplast（叶绿体）；序列片段（Segmented Sequences）：Show only master of set（显示主序列）、Show only parts of set（显示部分序列）；特定序列数据库（Source database）：RefSeq、GenBank、EMBL、DDBJ、PDB；日期限定：Modification Date（数据更新日期）、Publication Date（出版日期）。

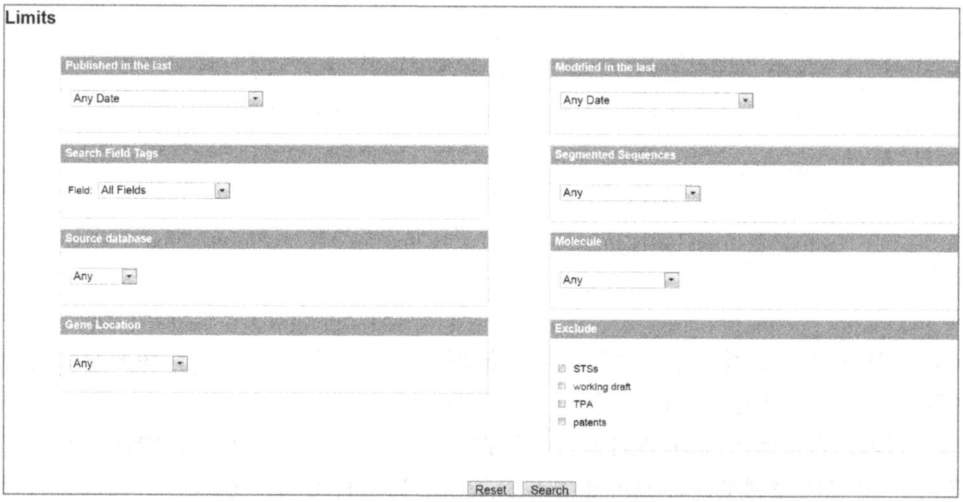

图 8-9　Nucleotide 数据库检索的限定界面

3. 向 GenBank 提交序列数据

作者将自己获得的新序列提交给 NCBI，添加到 Genbank 数据库，获得 GenBank 授予的基因存取号，有利于发表论文或进行分析交流。这个任务可以由基于 Web 界面的 BankIt 或独立程序 Sequin 来完成。BankIt 是可供直接通过 NCBI 提供的 WWW 形式的表格进行简便、快捷的提交，适合于独立测序工作者提交少量序列，而不适合大量序列的提交，也不适合提交很长的序列，EST 序列和 GSS 序列也不应用 BankIt 提交。BankIt 是一系列表单，包括联络信息、发布要求、引用参考信息、序列来源信息以及序列本身的信息等。Sequin 是可供 Mac、PC/Windows、UNIX 用户使用的递交软件，在输入有关数据的详细资料后通过 E-Mail 发送到 NCBI，也可以将数据文件拷贝到软盘上邮寄给 NCBI。这种方式非常便于大量序列及长序列的输入。

数据提交后，作者将收到一个数据存取号，表明提交的数据已被接收，该存取号可作为以后向数据库查询时的凭据。NCBI 也允许作者通过 BankIt、Sequin 或 E-Mail 方式，对已被收入数据库的数据进行修改、添加或删减。

4. BLAST 相似性检索

BLAST(Basic Local Alignment Search Tool)是用于检索核酸和蛋白序列相似性的一个重要工具，能够区分基因和基因特征的工具。BLAST 主要分为五种类型，通常根据查询蛋白或核酸序列的类型来决定选用何种 BLAST，见 BLAST 主页（如图 8-10 所示）。

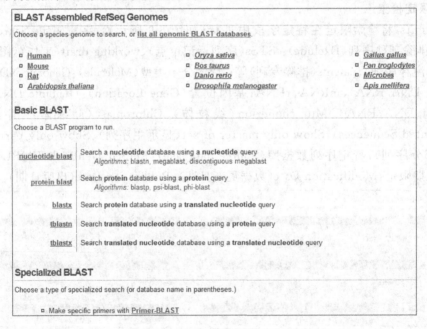

图 8-10　BLAST 提供五种类型

（1）BLASTP，是蛋白序列到蛋白质数据库中的一种查询。库中存在的每条已知序列将逐一地同每条所查序列作一对一的序列比对。

（2）BLASTX，是核酸序列到蛋白质数据库中的一种查询。先将核酸序列翻译成蛋白序列（一条核酸序列被翻译成可能的 6 条蛋白序列），再对每一条作一对一的蛋白序列比对。

（3）BLASTN，是核酸序列到核酸库中的一种查询。库中存在的每条已知序列都将同所查序列作一对一的核酸序列比对。

（4）TBLASTN，是蛋白序列到核酸库中的一种查询。与 BLASTX 相反，它是将库中的核酸序列翻译成蛋白序列，再同所查序列作蛋白与蛋白的比对。

（5）TBLASTX，是核酸序列到核酸库中的一种查询。此种查询将库中的核酸序列和所查的核酸序列都翻译成蛋白（每条核酸序列会产生 6 条可能的蛋白序列），这样每次比对会产生 36 种比对阵列。

检索时，先要对检索内容和检索目的进行分析，然后根据不同内容和不同目的来选择检索程序。比如"对人胰岛素 cDNA 的序列进行相似性分析"，分析得知是用 cDNA 这个核酸序列在核酸数据库中检索相似的核酸序列。要利用"nucleotide blast"程序进行检索（如图 8-11 所示）。要得到序列存贮号或 FASTA 格式序列，需要利用 NCBI 中的 Nucleotide 数据库查到 cDNA 的核酸序列，用 FASTA 格式显示其序列，把 FASTA 格式显示的序列复制粘贴到"nucleotide blast"的检索框中，选择页面提供了序列的种类和物种的选择（Choose Search Set）和对比精确度参数的限定选择（Program Selection）等选择检索范围，然后点击"BLAST"进行检索，就得到了检索结果。

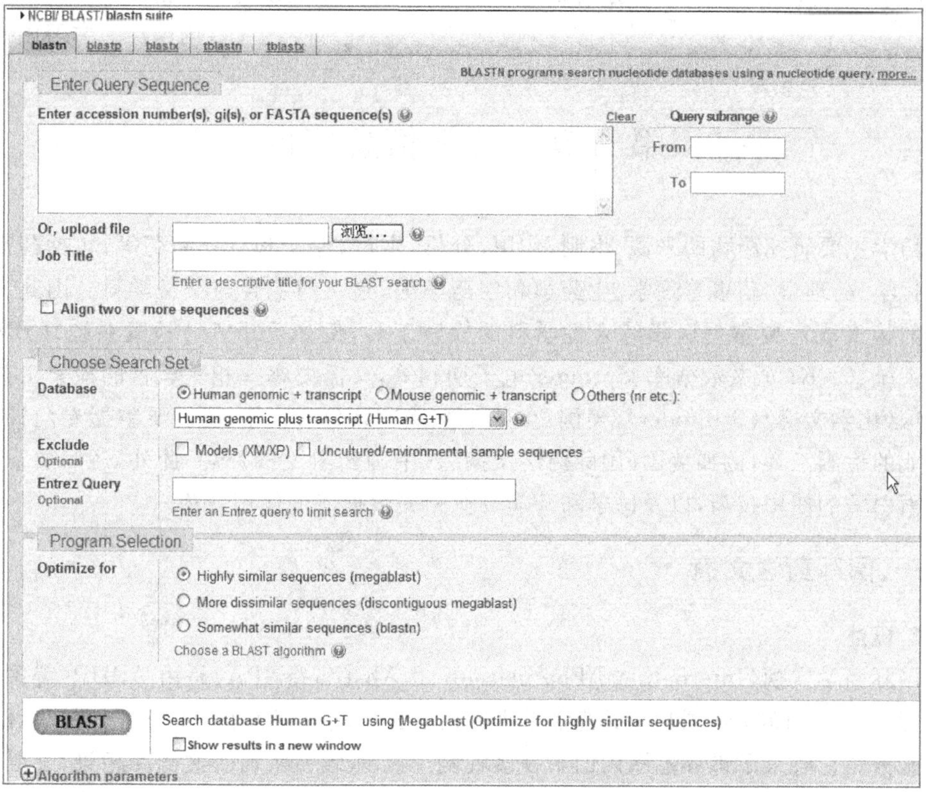

图 8-11　nucleotid blast 程序界面

检索结果页面包含了 3 个部分：彩色积分图、序列相似积分描述、序列对准描述。彩色积分图是以彩色积分图方式显示相似性检索结果，用不同的颜色显示检出序列相似性的大小。如黑色表示同源性小于 40、蓝色为 40～50、绿色为 50～80、粉色为 80～200、红色为大于或等于 200。每一条彩带为一个超链接,点击即可显示检索序列与查询序列的碱基对准形式。序列相似积分描述是以 BLAST 序列相似积分方式显示相似性检索结果,按照相似积分值大小降序排列,每一条相似序列描述包括序列存贮号、名称描述、积分显示、检索范围(或对比度)、E 值统计、链接等 8 个部分。积分的大小反映了序列相似性的大小,E 值反映了两个序列对准的统计学意义。点击序列存贮号就会在下边显示该序列的碱基对准描述。序列对准描述是以 BLAST 序列碱基对准方式显示相似性检索结果,按碱基实际对准形式逐一列出查询与检出序列的相似性片段。

五、生物信息学数据库的查询

1. Nucleic Acids Research

从 1994 年开始,《核酸研究》每年第一期专门介绍生物信息学数据库,这是获取最新信息的一个重要途径。

2. 专门数据库目录网站

从 2000 年开始,出版《核酸研究》的牛津大学出版社设立了数据库目录(www.oup.co.uk/nar/database/c/),可按分类或数据库字顺查找,并链接所需数据库。

(周　洋　方习国)

第三节　药学信息资源

药学主要研究药物的来源、炮制、作用、分析、生产、保管和寻找新药等,包括药剂学、药物化学、药理学、药事管理学、生药学和中药学等,是一门综合与交叉学科。因此,药学信息的检索既需要掌握医学综合性学科的检索工具,例如 PubMed 检索系统、CBMdisc 检索系统、CNKI 全文数据库、Springer 电子期刊等,又需要掌握相关学科的检索工具,例如美国《化学文摘》(SciFinder)、美国《生物学文摘》(BIOSIS)等,还需要掌握专门针对药学专业的检索工具,例如美国《国际药学文摘》、《中国药学文摘》等。此外,还需要掌握综合搜索引擎的使用技巧,以及医学和药学专业相关数据库的使用方法。

一、国际药学文摘

1. 概述

国际药学文摘(International Pharmaceutical Abstracts,IPA)是由 ASHP(美国医院药剂师学会)于 1964 年创刊。其光盘数据库由美国银盘公司发行,1970 开始提高计算机检索服务。它收录了世界范围内的 750 多种药学及其相关期刊的文摘和题录,文献量以每年 2 万篇的速度递增,70% 以上的文献有英文摘要。收录范围包括临床药物信息、技术药物信息、药房实践、药学教育、制药工业政策与法规等。1988 年开始收录美国医药卫生协会(ASHP)主要会议推荐的论文文摘,现在也包括美国药学协会(APhA)和美国药学学院协会(AACP)年会推荐的论文文摘。还将增加专家和医生推荐的由药学学校提供的学位论文文摘。

2. 记录字段

IPA 除了常用的一些字段,如 AU(著者)、AD(地址)、AB(文摘)、DE(叙词或主题词)、TI(篇名)、SO(来源)、LA(语言)、PT(文献类型)、PY(出版年)外,还包括一些药学专业文献的特殊字段,如 CI(Combination Indicator,联合使用标志)、DR(Drug Names,药物名称)、HU(Human Indicator,人类标志)、PC(Pharmacologic/Therapeutic Classification,药学/治疗分类)、SC(Subject Category,主题分类)等。这些字段反映了药学文献的特色。其中有些字段可出现在文献记录中,如 DR、PC、SC 等,它们从多个角度描述了文献所涉及药物的某些特性。有些字段虽然未出现在文献记录中,但可以在检索过程中使用,如 CI 或 HU 字段,分别表示该药可否联合使用或用于人体。

3. 检索方法

同检索银盘公司其他数据库相似,用户可以通过主题、著者、刊名等常用检索途径检索 IPA 数据库。其特殊的检索方法有:

(1) 药物分类检索。其分类依据是美国医院处方服务部(AHFS)制定的分类系统。该系统是一个由类号和类目名称组成的等级分类系统,最多可分为三级,共有 29 个一级类目。例如:

04.00 Antihistamincs(抗组胺剂)

08.00 Anti-infective agents(抗感染制剂)

08.08 Anthelmintics(驱肠虫药)

08.12 Antibiotics(抗生素)

08.12.02 Aminoglycosides(氨基糖甙)

08.12.04 Antifungals(抗真菌药)

08.12.06 Cephalosporins(头孢菌素)

10.00 Antineoplastic agents(抗肿瘤药)

检索时,可以通过类号检索,也可以通过类名检索。例如"08.12.04 in pc"或者"Antifungals in pc",都可以检索出抗真菌药的全部相关文献。

(2) 主题分类检索。IPA 的主题分类目录有 25 个类目,有类号及其类目名称,从各个方面描述了药物的特征,例如"毒性"、"药物评价"、"药物分析"、"生药学"和"药学教育"等。其作用相当于主题检索中的副主题词,可用于检索涉及药物某一方面的文献。其检索方式为"类号 in sc"或者"sc=类号"。例如,要检索抗蠕虫药阿苯达唑(albendazole)药物分析方面的文献,已知药物分析是其主题分类的一个类目,该文献检索式为"albendazole and Drug-Analysis in sc"或者"albendazole and sc=14",其中类号 14 的类名为 Drug-Analysis。

(3) 药物名称检索。药物名称字段以药物的商品名称作为检索标志,其后括号中还列出了该药的署名。检索标志可用药物的商品名,也可使用药物署名。其检索方式为"药物名称 in dr"。

(4) 联合用药检索。表示检索的药物能够与其他药物联合用药,表达式为"yes in ci"。它是一个检索工具,其记录字段中无法显示。如检索支气管扩张药 theophylline(茶碱)是否可以同其他药物联合使用时,检索式为"theophylline and yes in ci"。

(5) 人类标志符。表明论文中论述的药物仅用于人或该研究仅限于人类。检索式为:human in hu 或者 human = hu。如要检索茶碱作用于人体的研究文献,可用检索式

"theophylline and human in"。

要检索治疗帕金森病的多巴胺激动剂罗平尼咯(Ropini-role)毒副作用的文献,要求查出该药是否可以联合使用。第一步,输入检索式"ropinirole in de",检出 ropinirole 的全部相关文献;第二步,检索式为"and(sc=3 or sc=4)",将上述结果限制在毒性作用、药物副作用的范畴;第三步,检索式为"and(ci=yes)",检索是否可以同其他药物联合使用。

二、FDA 药物信息

美国食品与药品管理局(Food and Drug Administration,FDA)为直属于美国健康及人类服务部管辖的联邦政府机构,其主要职能为负责对美国国内生产及进口的食品、膳食补充剂、药品、疫苗、生物医药制剂、血液制剂、医学设备、放射性设备、兽药和化妆品进行监督管理。其官方网站为 http://www.fda.gov,具备较高的知名度和权威性。管理局的日常行政、公告、会议、资料等均可在网站上查询,是医药工作者不可或缺的重要信息来源。

1. FDA 网站资源简介

FDA 主页网站(如图 8-12 所示)内容丰富,其上方提供的索引(A-Z Subject Index)可供快速查找信息;其左侧栏目提供了 FDA 重要的信息资源,包括 Food(食品)、Drugs(药品)、Medical Devices(医疗器械)、Vaccines, Blood & Biologics(疫苗、血液和生物制品)、Animal & Veterinary(动物与兽医)、Cosmetics(化妆品)和 Radiation-Emitting Products(辐射产品)等七类产品。

图 8-12 FDA 主页界面

2. Drugs

点击"Drugs",进入药品网页(如图 8-13 所示),主要栏目有 Emergency Preparedness(应急准备)、Drug Approvals and Databases(药品认证数据库)、Drug Safety and Availability(药物安全和可用性)、Development & Approval Process(Drugs)(药品开发与审批程序)

和 Guidance，Compliance & Regulatory Information（指导、管理和监督管理信息）等。

图 8-13　FDA 药品检索界面图

其中 Drug Approvals and Databases 最常用。该页面（如图 8-14 所示）包括如下信息：

图 8-14　药品认证数据库界面

(1) Adverse Event Reporting System (AERS)(不良反应报告系统)。包括在美国上市后安全监测计划的所有批准的药物和治疗的生物产品。

(2) Approved Drug Products with Therapeutic Equivalence Evaluations (Orange Book)(具有同等药效的批准药物产品——橙皮书)。包括FDA根据法律批准的药物产品。该橘皮书是FDA网站的涉及药学最精华部分,是新药研究工作者最关心的部分。该栏目更新很快,且系统、权威而全面。进入橙皮书网页后,可以根据5个途径来检索:Search by Active Ingredient(活性成分)、Search by Proprietary Name(专有名)、Search by Applicant Holder(申请人)、Search by Application Number(申请号)和 Search by Patent(专利)。选择某个途径后,页面还提供了二次选择,如Rx(处方药)、OTC(非处方药)、Disc(废止药),检索得出药物品种的较具体情况,包括活性成分、剂型、用药途径、专有名、申请人、剂量、申请号、产品号、批准日期、专利排他性、治疗等效性代码等。

(3) Bioresearch Monitoring Information System (BMIS)(生物研究监测信息系统)。包含提交给美国食品药品监督管理局确定的临床调查,合同研究组织和机构审查委员会参与进行研究性新药研究与人类研究的药物。

(4) Clinical Investigator Inspection List (CLIIL)(临床调查员检查名单)。包含姓名、地址以及其他相关信息。

(5) Dissolution Methods Database(溶解方法数据库)。提供在美国药典中没有的溶解测试方法以外的溶解方法。

(6) Drug Establishments Current Registration Site(制药公司年度注册信息)。通过药物公司的注册资料查找有关信息。

(7) Drugs@FDA Database (FDA批准药物数据库)。包括FDA批准的处方药品、非处方药品和生物治疗产品。

(8) Inactive Ingredient Search for Approved Drug Products:Frequently Asked Questions(获得批准药物中无效成分数据库:常见问题解答)。提供无活性成分在FDA批准的药物产品中的信息。

(9) National Drug Code Directory(国家药物代码目录)。查找新的国家药品代码。

(10) Postmarket Requirements and Commitments(市后的要求和承诺)。提供公众对上市后的要求和承诺的信息。

(11) Approved Drugs(批准药品信息)。包括FDA处方药品的批准信息。

三、MedlinePlus中的药物信息

MedlinePlus是由美国国立医学图书馆创办的网站,为公众提供可靠和最新的医疗与卫生信息。在该网站可以了解最新的治疗方法,查找药物及相关信息。其中药物信息网址为 http://www.nlm.nih.gov/medlineplus/druginformation.html。提供了9000多种处方药与非处方药的信息,包括副作用、剂量、特别的预防措施等。

其网站提供关键词检索(如图8-15所示),检索的结果包括某药物的一般介绍、用法用量、适应证、禁忌证、注意事项、不良反应、储藏、过量用药后的紧急处理、药品名称以及通用名称等。

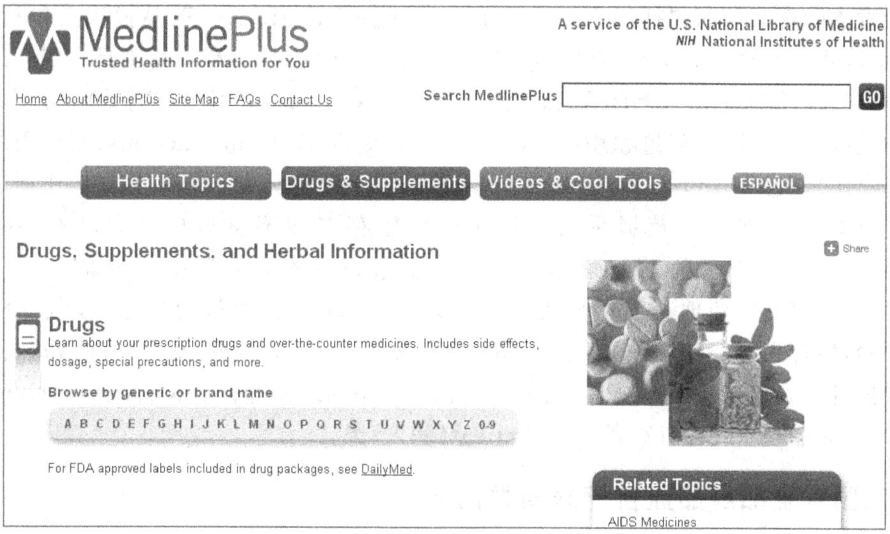

图 8-15　MedlinePlus 的药物检索界面

四、Rxlist（网上处方药物索引）

Rxlist（网上处方药物索引）是美国的一个处方药物查寻网址（www.rxlist.com），其数据库含有 5000 种以上药物。它的一大特点是列出了美国处方药市场每年度前 200 个高频使用药，TOP200 是基于美国 24 亿张处方统计得出，有一定代表性，占美国处方中处方药出现次数的 2/3。该网站上方提供关键词检索（如图 8-16 所示），检索词可以是药品的商品名、常用名、疾病症状、副作用等。

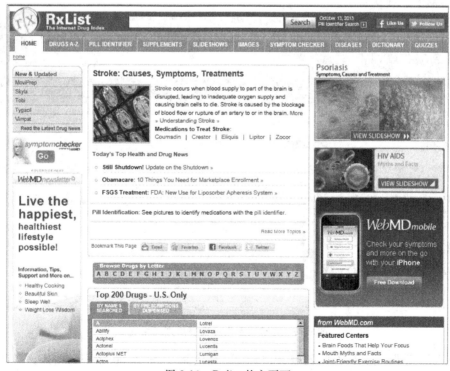

图 8-16　Rxlist 的主页面

检索出的药品信息包括以下几个方面。①Drug Description(药品描述)：包括作用、原理、结构式、分子式、分子量、性状、溶解情况以及该药剂型、剂量。特别是详细介绍了本药处方组成及原辅料所符合的标准。②Indications & Dosage(用法与剂量)：分别对不同类型的人群提出不同的剂量和用法。③Side Effects & Drug Interactions(副作用及药物的相互作用)。④Warnings & Precautions(警告与注意事项)：介绍临床试验中所遇到一些问题及处理的细节以及提示与之同类药已经存在的不良反应。⑤Overdosage & Contraindications(过量用药与禁忌)：介绍过量服用后的对策及中毒解救。⑥Clinical Pharmacology(临床药理)：包括详细作用机理，药物动力学和药物代谢(吸收、分布、代谢、排除)，特殊人群药动学差异(老年、儿童、男女差异、肾功能不全患者、血液透析者、肝功能受损者)，临床试验具体细节，列表提供临床试验的结果等。⑦Medication Guide(用药指导)。⑧Consumer(消费者)。⑨Patient(病人)等。

五、国家食品药品监督管理局数据库

国家食品药品监督管理局是国务院综合监督食品、保健品、化妆品安全管理和主管药品监管的直属机构，负责对药品(包括中药材、中药饮片、中成药、化学原料药及其制剂、抗生素、生化药品、生物制品、诊断药品、放射性药品、麻醉药品、毒性药品、精神药品、医疗器械、卫生材料、医药包装材料等)的研究、生产、流通、使用进行行政监督和技术监督；负责食品、保健品、化妆品安全管理的综合监督、组织协调和依法组织开展对重大事故查处；负责保健品的审批。网站为http://www.sda.gov.cn,网上内容十分丰富(如图8-17所示)。包括新闻动态、法律法规、通知公告、年度报告、办事指南、信访纪检、药品安全等各类专题、数据查询等等。

图8-17 国家食品药品监督管理局主页

该网站提供了药品、医疗器械、保健食品、化妆品、广告等50多个数据库。药品数据

库包括:国产药品、药品注册补充申请备案情况公示、国家基本药物、国产药品商品名、药品注册相关专利信息公开公示、临床前研究单位备案名单、注销或撤销批准文号国产药品、申请人申报受理情况、药物临床试验机构名单、进口药品、药品注册受理信息、药品生产企业、进口药品商品名、批准临床研究的新药、GMP认证、注销或撤销注册证号进口药品、药品注册批准信息、药品经营企业、批准的药包材、药品注册批件发送信息、GSP认证、中药保护品种、OTC化学药品说明书范本、OTC中药说明书范本、药品行政保护和基本药物生产企业入网目录等。医疗器械数据库包括:国产器械、医疗器械生产企业、医疗器械分类目录、进口器械、医疗器械经营企业、医疗器械标准目录和医疗器械检测中心受检目录等。保健食品数据库包括:国产保健食品和进口保健食品两个数据库。化妆品数据库包括:国产化妆品、进口化妆品和国产非特殊用途化妆品备案检验机构等。广告数据库包括:药品广告、医疗器械广告、保健食品广告、可发布处方药广告的医学药学专业刊物名单等。此外,还包括互联网药品信息服务、互联网药品交易服务和执业药师资格人员名单三个数据库。

　　这些数据库的检索分为快速查询和高级查询两种方式,用户根据页面提示,在一项或者多项中输入关键词进行检索(如图8-18所示)。

图 8-18　国家食品药品监督管理局国产药品查询界面

六、药物信息的网站

(1) 中国医药信息网(http://www.cpi.gov.cn)

　　中国医药信息网是由国家食品药品监督管理局主管,国家食品药品监督管理局信息中心主办,国家食品药品监督管理局有关部门协办的全国医药综合信息服务网站。

(2) 中国中医药信息网(http://www.cintcm.ac.cn)

　　该网站由国家中医药管理局主办,中国中医科学院中医药信息研究所承办,是关于中医药信息服务的权威性网络系统。

（3）药物和用药搜索引擎与目录（Drugs and Medications Search Engine and Directory，http：//www.drugs-and-medications.com）

药物和用药搜索引擎与目录是查询万维网上有关药物特性、用药方法及药物治疗等信息的检索工具。

（4）世界标准药物数据库（World Standard Drug Database，http：//admin.safescript.com/drugcgic.cgi/START）

七、药物信息的主要机构和组织

（1）国家食品药品监督管理局（http：//www.sda.gov.cn）。

（2）中华人民共和国国家中医药管理局（http：//www.satcm.gov.cn）。

（3）美国食品与药品管理局（Food and Drug Administration FDA；http：//www.fda.gov）。

（4）美国药剂师学会（American Pharmacist Association APhA，http：//www.aphanet.org）。

（5）草药研究基金会（HRF；http：//www.herbs.org）。

【思考题】

1．什么是循证医学？比较几个循证医学数据库的特点。

2．使用 Cochrane library 的高级检索与主题检索分别检索高脂血症治疗的综述。

3．使用 EBMR 和 NGC 数据库检索高脂血症治疗的临床实践指南，并比较异同。

4．BLAST 提供的五种查询工具有何差别？

5．FDA 的药品认证数据库有哪些？包括哪些内容？

（周　洋　方习国）

第九章 医学信息检索应用与评价

第一节 信息检索效果评价

一、文献检索效果

信息检索效果是信息检索目标的完成情况,涉及用户对检索过程和检索结果的满意程度,包括对文献内容、文献数量、文献质量、耗费时间、花费等方面。

二、影响检索效果的因素

影响文献检索效果的因素有两个方面,一个是检索系统,另一个是检索系统用户,包括检索课题的提出者和检索者。

1. 检索系统因素

检索系统的优劣直接影响检索效果,再优秀的检索者都不可能在一堆杂乱无章的文献中找到满意的文章。检索系统方面的因素有:

(1) 数据库的标引深度和标引范围。
(2) 词表结构和词间关系。
(3) 索引词的抽词方法和专指性。
(4) 检索系统检索功能的多寡。
(5) 用户负担的轻重。

2. 用户因素

影响检索效果还有用户本身方面的因素,主要有:

(1) 不了解数据库的收录范围和类型。
(2) 不熟悉数据库的检索功能和检索方法。
(3) 检索策略过于简单。
(4) 检索词选择不当。
(5) 检索课题的背景知识,包括学科背景和专业背景等。

本书主要论述检索者对于检索系统的使用,对影响检索系统的因素不作详细介绍,主要从检索者进行检索过程的角度对检索效果的提高进行分析。一个优秀的检索者必然对检索系统有一定的了解,对检索的主题所属学科有一定的了解,再辅以一些检索经验和技巧,便能实施高质量的检索过程。

三、检索效果评价指标

最为著名的文献检索效果评价指标为美国学者克莱弗登(C. W. Cleverdon)的研究结论,评价文献检索效果的指标主要有6个:收录范围、查全率、查准率、响应时间、用户负担和输出形式。收录范围指的是数据库覆盖的学科范围、文献的类型、文献的数量和时间跨度;查全率是指检索系统检出文献的能力;查准率是指检索系统拒绝不相关文献的能力;响应时间指的是从提交查询式到检索出文献所耗费的时间;用户负担是指用户在检索过程中所花费的物力、财力、智力和体力的总和;输出形式是指检索结果的输出格式和方式。

对于用户来说,对得到的检索结果最为关心的问题是:第一,检索到的文献内容是否恰恰是需要的内容;第二,所需要的文献是否都包含在本次检索的结果中。这两个问题分别对应着6项检索效果指标中的查准率和查全率。

查准率和查全率这两个指标均与"相关性"这一概念有关。"相关性"一词是在20世纪30年代由S. C. Braford首次引入信息科学,当时他提出了"与某一学科相关的论文"这一说法,此说法后来被M. B. Eisenberg和L. Schamber称之为"标题相关"。本书认同相关性是文献的主题相关,不排除用户的主观性差异。假设根据某一检索课题,系统中相关文献集合为T,利用某一检索策略检出的全部文献集合为N,集合T和N的交集就是检出的相关文献,即命中文献,数量为m,系统中未被检出的相关文献集合为T−N,即漏检的文献,数量为t,检出的非相关文献集合为N−T,即噪音,数量为n,这几类文献之间的关系如图9-1所示。

查全率(Recall Ratio,简称R)是检索系统中检出的相关文献数量(m)与检索系统中相关文献总量(m+t)的比率,即:

$$查全率(R) = \frac{检出的相关文献数量}{系统中全部相关文献数量} \times 100\% = \frac{m}{m+t} \times 100\%$$

查准率(Precision Ratio,简称P)是检索系统检出的相关文献数量(m)与检出的文献总量(m+n)的比率,即:

$$查准率(P) = \frac{检出的相关文献数量}{检出文献总量} \times 100\% = \frac{m}{m+n} \times 100\%$$

查全率与查准率之间具有密切的关系。实践证明,在某次具体的检索操作中,通常采取措施提高查全率时会降低查准率,反之,采取措施提高查准率时则会降低查全率。查全率和查准率这种互逆的关系,使我们在检索中很难实现查准率和查全率均逼近于100%。因此,我们在检索中要根据课题的实际需求,确定是以查准为主还是以查全为主,或是寻求查准与查全之间的平衡。

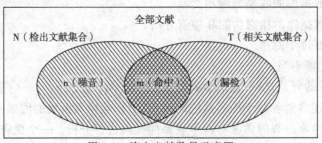

图9-1 检出文献数量示意图

检索效果评价指标,特别是查全率和查准率在检索过程中有着重要的作用,指引着一次文献检索过程的方向,是文献检索的风向标。有了这个方向,才能完成一次满意的检索过程。

第二节 医学文献检索策略与案例分析

一、检索策略概述

1. 广义的检索策略

策略是 A 点到 B 点的方法,检索策略则是为实现检索目标而制定的计划和方案的集合,为计算机信息检索而制定的一系列检索步骤。一个完整检索策略的制定步骤包括数据库的选择、确定检索词、决定检索途径和进行布尔逻辑组配等过程,对满意的检索结果的产生起着决定性的作用。成功的检索策略应产生高的查全率和查准率,而且节省时间和费用。

用户在特定的情境中产生文献检索的需求,设定检索目标。检索目标包括检索课题的已知条件、所需的文献和检索效果指标的侧重。最重要的两个检索效果指标为查全率和查准率。检索目标应分析检索课题是侧重于查准率还是侧重于查全率,抑或是查全和查准的平衡。

对检索课题进行分析,包括内容特征分析和形式特征分析,这也恰和检索系统中检索字段的类型对应起来。检索系统中检索字段包括基于文献内容特征的字段,如关键词、摘要、主题字段,还包括基于文献形式特征的字段,如语种、年代、文献类型等。因此,对检索课题内容特征的分析,包括检索课题的学科属性、涉及的主要概念面和分支概念面;对检索课题形式特征的分析,涉及检索课题的语种、年限和文献类型。

在对检索课题分析和检索系统及数据库了解的基础上,选择合适的检索系统和数据库实施检索过程。其中,对检索系统的了解也是很重要的,不同的检索系统和数据库收录的文献类型、文献量、语种、学科类型和年限都不尽相同。此外,不同检索系统的性能也不同。实施检索的过程包括五步:第一步,选择检索途径,一般检索系统的检索途径大多为简单检索、高级检索、专业检索、主题词检索等途径,有的检索系统还有不同类型的导航;第二步,选择检索字段,根据对检索课题的内容特征分析,选择恰当的表示内容特征的字段,根据检索课题的形式特征分析,再选择合适的限定条件;第三步,拟定检索词,根据对课题的概念组面的分析,列出每个概念组面的同义和近义词,作为检索词的备选;第四步,编制检索式,根据概念组面之间的关系,选择三种布尔逻辑算符 NOT、AND 和 OR 对检索词进行连接;第五步,执行检索式,获取检索结果。

对于得到的检索结果,如果和检索目标一致,则将检索结果提交于用户;如果不满意,则需对检索策略进行调整,重新拟定检索目标并对检索课题进行分析。对于复杂的课题,往往很少能一次性检索获得用户满意的结果。检索策略调整的情形在检索过程中会经常遇到,特别是侧重于查全率的检索目标,调整的过程需要检索者具备一定的检索经验和学科背景,才能最终获得满意的结果(如图 9-2 所示)。

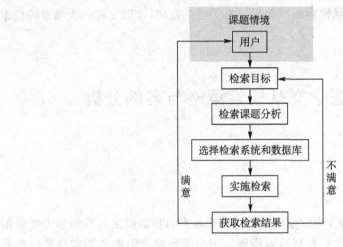

图 9-2　检索策略流程

2. 基于两个检索效果评价指标的检索策略

(1)侧重于查全率的检索策略。

①选择上位词、同位词及下位词的检索词。为提高查全率,除选择恰当主题词外,还应该选择比恰当主题词内容更广的上位主题词、同位主题词及更窄的下位主题词检索,否则有的文献就会漏掉。例如检索 Respiratory Distress Syndrome (呼吸窘迫综合征)方面的文献,也可选择其上位词 Respiration Disorders(呼吸紊乱)。采用上、下位主题词检索是提高文献查全率的一个重要方法。

②检索概念要少,同类检索词要多。完整反映一个课题的概念可能有多个,但是为了达到查全的目的,选用的概念要尽量少,同时专指度要低,反映同一概念的检索词要多,这是保证查全的关键。一般反映一个课题的概念可以划分为主要概念和次要概念,基本概念和特殊概念。为了查全,应透彻分析所查课题,正确划分概念的主次并慎重选用概念。对于次要概念和特殊概念应尽量少用或不用,尽量多使用反映主要概念和基本概念的同类检索词。这里所讲的同类词是广义的,具体包括以下三个方面:第一,同一概念的不同表达形式(包括同义词、近义词和相关词等),如防治,预防治疗;第二,同一词的不同词尾变化,这里包含着截词符的使用技巧,如 diet,diets 和 dietary;第三,概念的内涵和外延,对于某些课题不能只从表面看问题,应透过现象看本质,找出其隐含的概念。一般表达同一概念的检索词往往有多个,检索时必须把各种表达形式都考虑周全,以防漏检。

(2)侧重于查准率的检索策略。

①应在多个主题概念中析出主要概念和基本概念,剔除重复概念。有时用户提供的课题涉及的主题概念较多,根据检索经验,在用逻辑算符进行逻辑组合时,不能简单地认为逻辑组配面越广、越细致,检索出的结果针对性就越强。实际上,过严的组配会导致大量的漏检,甚至使检索结果为零。这是因为在标引文献时,不同的工作人员受专业知识的限制,所选择的主题词会有差别。

②尽量避免使用泛指的词作为主题概念进行检索。对于一些泛指的词,例如研究、发展、关系等词由于其意义广泛,所以编辑数据库索引时一般不作为关键词。因此选择主题

概念时,应尽量避免使用这些词,除非检索结果非常多,需要进一步缩小范围时才可以使用,但使用时一定要注意把同类词用 OR 逻辑组合后,再用 AND 与主题概念进行组合,以避免漏掉相关结果。

3. 狭义的检索策略

狭义的检索策略单指检索式的编制。检索式的内容包括检索词和检索算符。

(1) 检索算符的选择策略。

①逻辑算符。三种逻辑算符 AND、OR、NOT,平时使用最多的是 AND 和 OR。一般来讲,同义词之间用 OR,以免漏检,不同概念之间用 AND,以完整描述检索课题各个属性。

②位置算符。利用逻辑算符进行组合时,不能完整描述词与词之间的相对位置关系,位置算符的灵活运用可以在很大幅度内改变检索结果的条数。

(W)表示算符两边的检索词之间位置是紧挨着的,前后位置不能颠倒,如 A(W)B。

(nW)表示该算符两边的检索词前后位置不能颠倒。A(nW)B,但中间可存在 n 个词。

(F)表示该算符两侧的检索必须同时出现在文献记录的某一字段内,二词的顺序不限。

(N)表示该算符两侧的检索必须紧挨着,但词序不限,二词的顺序可以颠倒。

(nN)表示词与词之间可置 n 个词。

③截词算符(*,?)。截词算符的作用是放在词干后面或词中代替某些或某个字母。通常为了扩大检索,防止漏检各种词类及派生词,在词干后使用截词符。

(2) 检索式的构建策略。美国学者伯恩(Charles Bourne)总结了检索式构建的五种策略,影响较为广泛,这五种策略为最专指面优先、最低登录量优先、引文珠形增长、逐次分馏、积木型。其中,最专指面指的是课题中最专指的概念面,登录量指的是索引词在标引中的使用次数。一般情况下,最专指面往往登录量也最小,故将最专指面优先和最低登录量优先作为同一种策略。

①最专指面优先,或最低登录量优先。检索时,首先选择课题中最专指的概念面或者是系统最低登录量的词进行检索。如果检索命中的文献相当少,那么其他概念组面就不再加到检索式中去,保持较高的查准率;如果检索命中的文献较多,就把其他概念组面加到检索提问式中,以提高查准率。例如,检索课题"阿加曲班对急性缺血性卒中的治疗效果","阿加曲班"概念面最专指,同时系统登录量也最低,检索时可先用"阿加曲班"作为检索词进行检索。

②引文珠形增长策略。这种策略也是从直接检索课题中最专指的概念面开始,以便至少检出一篇命中文献,与"最专指面优先"不同的是,检索人员通过浏览这一条或数条命中文献,从中找到新的规范词或自由词,补充到检索式中去,再检索出更多的文献。这种检索策略适用于检索者对检索课题背景了解不够的情况,用户在浏览命中文献的过程中,加深对检索课题的了解,以便扩检出更相关的文献。

③逐次分馏策略。逐次分馏是指先用一个较宽泛的检索词或检索式,确定较大的、范围较广的初始文献集,然后逐步提高检索式的专指度,从而逐步缩小命中文献集,直到得到数量适宜、用户满意的文献集合。这种检索策略适用于侧重查全和查准平衡的检索课

题，如能较好地运用检索系统限制和限定功能，就能取得较为满意的检索效果。

④积木型概念面策略。积木型概念面策略是把检索课题分解成若干个概念面，并分别先对这几个概念组面进行检索，在每个概念组面中尽可能全地列举同义词、相关词、近义词，像搭积木一样用布尔算符"OR"连接成子检索式，然后再用布尔算符"AND"把所有概念面的子检索式连接起来构成一个总检索式。

二、检索策略案例分析

我们将医学信息检索的情境分为医疗实践活动和科研活动过程中的情况。现代医院的功能包括医疗活动、社区活动、教育活动和科研活动，其中科研活动是指医学技术以及与之有关的科学技术的研究与开发。随着医学科学技术的进步，科学研究在医院的建设和发展中的地位越来越高，作用越来越大，医务工作者通过科研能提高对疾病的诊治水平。在这些活动中，医药工作者产生了大量的医学信息需求，通常是从事医学研究、技术开发、学术探索和决策分析等过程中对各种医学信息的一种需求。这种需求是人们索取文献信息的出发点，也是选择检索工具和系统、制定检索策略以及评价检索效果的依据。以下列举五种有一定代表性的医学信息检索情境，阐述检索策略的制定及调整过程。

情境一，某医院附属研究所科研人员在工作中发现多例重症哮喘气道黏膜内有大量中性粒细胞浸润，想要申请哮喘患者中性粒细胞增多的临床特征的科研项目。

步骤1，检索目的分析。该课题为科研项目的申请，需对科研课题进行查新，分析研究课题的新颖性，了解国内外是否有相关研究、研究进展如何，确定研究方向。因此，检索目的应侧重于国内外文献的查全。

步骤2，课题内容特征分析。该课题所属学科为内科学中的呼吸系统支气管疾病，包含"哮喘"和"中性粒细胞"两个概念面，且没有分支概念。"临床特征"一词不能作为一个概念面出现在检索式中，因为很多研究某方面临床特征论文中不一定出现"临床特征"一词，而是代之以其他更具体的词出现，为保证文献的查全率，对这一概念不作限制。

步骤3，课题形式特征分析。由于是对课题新颖性的评价，检索年限应不作限制。文献类型选择期刊文献、会议文献和硕博士学位论文。文献语种为中文和外文各种语种。

步骤4，选择检索系统和数据库。课题侧重于查全，选择收录文献量大的医学类检索系统，中文数据库选择中国生物医学文献数据库CBM、CNKI中国期刊全文库、CNKI中国博士学位论文全文库、万方中国学术会议论文全文数据库。

步骤5，实施检索。先选择检索途径，对于有规范性主题词表的检索系统，如CBM和MEDLINE选择规范化主题词检索途径。找到"哮喘"对应的主题词，中性粒细胞是化学物质，选择字段限制检索。对于没有规范化的主题词表的检索系统，CNKI中文期刊全文库、中国博士学位论文全文库、万方中国学术会议论文全文库，选择高级检索途径。列举"中性粒细胞"的同义词、近义词，"嗜中性粒细胞"，由于该词中包含"中性粒细胞"，故不用作为扩检的检索词。同样，"哮喘"的同义词"支气管哮喘"中也包含哮喘，所以也不用增加该词。

英文检索词的拟定中，neutrophil中性粒细胞有其他的词性，如neutrophilic等，应使用截词运算符neutrophil*。

最后编制检索式。

CBM：（中文标题：中性粒细胞）and（主题词：哮喘/全部树/无副主题词）
PubMed："Asthma"[MeSH] and neutrophil*[Title]（如图9-3所示）

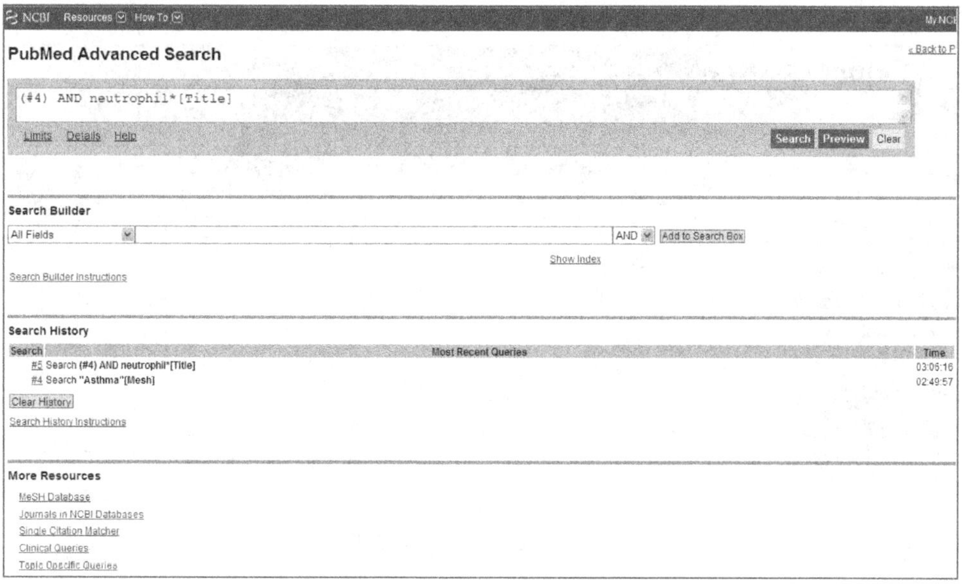

图9-3 情境一 PubMed检索式

CNKI中国博士学位论文全文库：选择篇名检索字段，检索到0篇，进行扩检，选择主题检索字段，检索到相关文献。

情境二、某医药工作者在研发某中成药的过程中，想采用微波干燥技术，但是对这一工艺不熟悉，想要了解这方面的技术。

步骤1，检索目的分析。该课题属于技术攻关型的检索课题，这类课题是要解决技术开发或生产中的一些具体的技术难题，往往只要求检出的信息对课题的研究有所帮助，而查找信息的范围不需要很广，因此，这类课题要求查准率高。

步骤2，课题内容特征分析。该课题属于中药制药工艺，包含"微波干燥"和"中成药"两个概念面，"微波干燥"没有分支概念，"中成药"的分支概念很多，包括"中草药"、"中药"、"方剂"等分支概念。

步骤3，课题形式特征分析。由于是对实际问题的解决，检索侧重查准，因此对检索年限不作限制。课题涉及制药工艺的相关技术，这类智力成果很多都申请了专利保护，所以文献类型除选择期刊文献以外，还应考虑特种文献中的专利文献。同样，文献语种只选择中文即可。

步骤4，选择检索系统和数据库。课题侧重于查准，选择中国生物医学文献数据库CBM检索期刊类文献，选择中国知识产权局网站检索中国专利文献。

步骤5，实施检索。先选择检索途径，CBM数据库选择基本检索途径配合二次检索，中国知识产权局专利文献检索系统选择高级检索途径。再拟定检索词："微波干燥"，"中成药"。最后编制检索式：CBM在检索框中输入"微波干燥"，进行检索，在得到的检索结果页面中，选择二次检索，再输入"中成药"获得6篇相关文献。

中国知识产权局网站专利文献检索系统：在名称后的文本框中输入检索式：微波干燥and中成药，检索结果为0条。

步骤6：检索式调整。由于上一步骤，在中国知识产权局专利文献检索系统未获得用户满意的检索结果，调整检索式，微波干燥 and（中草药 or 中药 or 方剂），命中2条记录，如图9-4所示。

图9-4 专利文献检索结果

情境三、某读者要撰写"中药治疗癌症最新进展"的医学综述，需要查阅中文相关文献。

步骤1，检索目的分析。该课题属于课题普查型的检索，是针对某一课题查找系统的详尽的资料，这类检索要求查全率高，往往要检索若干年的信息。

步骤2，课题内容特征分析。该课题属于肿瘤学一般性问题这一学科，包含"中药"和"癌症"两个概念组面，而"治疗"和"最新进展"这两个词在论文中都不太可能出现，而是以其他更具体的字词出现。文章中用来表示"治疗"的词还会有"抗"、"临床应用"、"防治"和"作用"等，"最新进展"一词用发表论文的年限来体现。其中，"中成药"的分支概念很多，包括"中草药"、"中药"、"方剂"等分支概念，"癌症"的分支概念则更多，包括各种类型的癌症名称和肿瘤。

步骤3，课题形式特征分析。由于要查最新进展，因此将检索年限限定为最近5年。检索侧重查全，文献类型选择期刊文献、会议文献和博士学位论文。文献语种根据要求选择中文。

步骤4，选择检索系统和数据库。由于课题侧重查全，涉及的检索词较多，应选择文献收录量大、检索功能强的检索系统。中文数据库选择中文数据库选择中国生物医学文献数据库CBM、CNKI中国期刊全文库、CNKI中国博士学位论文全文库、万方中国学术会议论文全文数据库。

步骤5，实施检索。先选择检索途径，由于检索式较复杂，应使用专业检索途径。再拟定检索词，"癌症"有众多概念面，确定检索词的处理，如果选择癌症和各种癌症名称作为检索词，则检索式会变得很庞大复杂，所以将检索词提炼为：癌，肿瘤。中药概念组面的检索词为：中草药、中药、方剂、中成药。

编制检索式：(题名＝中草药 or 题名＝中药 or 题名＝中成药 or 题名＝方剂) and (题名＝癌 or 题名＝肿瘤)

第九章 医学信息检索应用与评价

情境四、某读者要撰写亚甲基四氢叶酸还原酶基因多态性与结直肠癌关系的 Meta 分析的文章，需查阅相关文献。

步骤 1，检索目的分析。该课题属于循证医学研究的范畴，研究特点是将具有共同研究主题的多个研究结果进行统计分析，得到结论。文献在这里即作为研究主题已有研究结果的载体，也作为本研究的原始材料被检索，因此检索目的侧重于查全。

步骤 2，课题内容特征分析。该课题属于消化系统肿瘤中的肠肿瘤学科，包含"亚甲基四氢叶酸还原酶"、"基因多态性"和"结直肠癌"三个主要的概念面。"关系"一词在涉及这几个概念组面的文章题名中一般都会出现，不需要列出，而结直肠癌包括两个分支概念"结肠癌"和"直肠癌"。

步骤 3，课题形式特征分析。由于要查最新进展，因此将检索年限限定为最近 5 年。检索侧重查全，文献类型选择期刊文献、会议文献和博士学位论文。文献语种选择中文和外文各种语种。

步骤 4，选择检索系统和数据库。由于课题侧重查全，涉及的检索词较多，应选择文献收录量大、检索功能强的检索系统。中文数据库选择中国生物医学文献数据库 CBM、CNKI 中国期刊全文库、外文数据库选择 PubMed 数据库。

步骤 5，实施检索。先选择检索途径，检索式较复杂，中外文数据库选择高级检索途径或专业检索途径。

再拟定检索词：

中文：亚甲基四氢叶酸还原酶，结直肠癌，基因多态性

英文：methylenetetrahydrofolate reductase（MTHFR）；colorectal cancer（CRC）；genetic polymorphism

编制检索式：在中国期刊全文数据库专业检索途径中输入：（题名＝亚甲基四氢叶酸还原酶 or 题名＝MTHFR）and（题名＝基因多态性）and（题名＝结肠癌 or 题名＝直肠癌 or 题名＝结直肠癌 or 题名＝CRC），如图 9-5 所示。

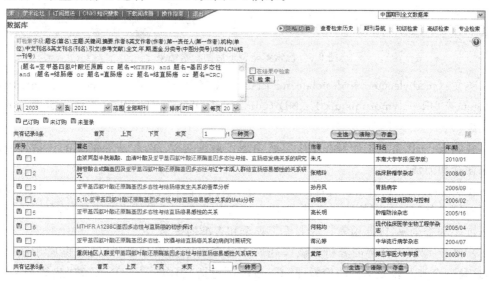

图 9-5　检索策略调整前的检索结果

英文检索式:(methylenetetrahydrofolate reductase OR MTHFR) AND (genetic polymorphism OR gene *) AND (colorectal cancer OR CRC)

将检索字段限定为 title 字段,会保证较高的查准率。

执行检索,获取检索结果,中文检索式获得检索结果低于 10 篇,外文数据库 PubMed 检索结果为 0 条,需调整检索策略。为保证检索文献的相关性,仍将检索字段限定为 title,而将表达概念面的检索词重新斟酌。基因的多态性在文章中的表达不一定为"基因多态性",有可能为"基因"或"多态性",重新编制检索式。

中文:(题名=亚甲基四氢叶酸还原酶 or 题名=MTHFR)and(题名=基因多态性 or 题名=基因)and(题名=结肠癌 or 题名=直肠癌 or 题名=结直肠癌 or 题名=CRC),文章数量增加,如图 9-6 所示。

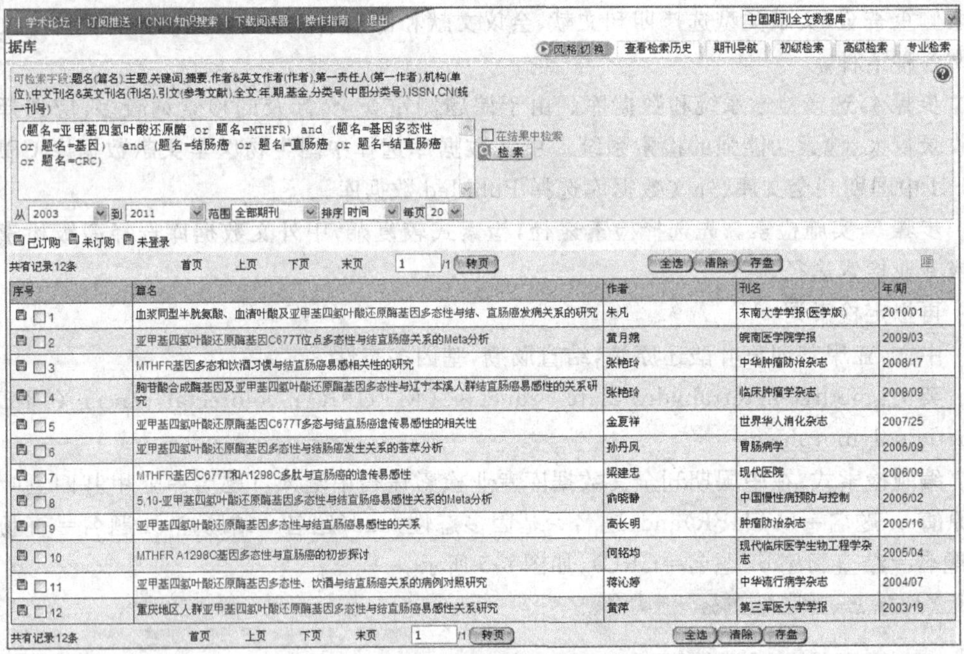

序号	篇名	作者	刊名	年期
1	血浆同型半胱氨酸、血清叶酸及亚甲基四氢叶酸还原酶基因多态性与结、直肠癌发病关系的研究	朱凡	东南大学学报(医学版)	2010/01
2	亚甲基四氢叶酸还原酶基因C677T位点多态性与结直肠癌关系的Meta分析	黄月娥	皖南医学院学报	2009/03
3	MTHFR基因多态和饮酒习惯与结直肠癌易感相关性的研究	张艳玲	中华肿瘤防治杂志	2008/17
4	胸苷酸合成酶基因及亚甲基四氢叶酸还原酶基因多态性与辽宁本溪人群结直肠癌易感性的关系研究	张艳玲	临床肿瘤学杂志	2008/09
5	亚甲基四氢叶酸还原酶基因C677T多态与结直肠癌遗传易感性的相关性	金夏祥	世界华人消化杂志	2007/25
6	亚甲基四氢叶酸还原酶基因多态性与结肠癌发生关系的荟萃分析	孙丹凤	胃肠病学	2006/09
7	MTHFR基因C677T和A1298C多肽与直肠癌的遗传易感性	梁建忠	现代医院	2006/09
8	5,10-亚甲基四氢叶酸还原酶基因多态性与结直肠癌易感性关系的Meta分析	俞晓静	中国慢性病预防与控制	2006/02
9	亚甲基四氢叶酸还原酶基因多态性与结直肠癌易感性的关系	高长明	肿瘤防治杂志	2005/16
10	MTHFR A1298C基因多态性与直肠癌的初步探讨	何铭均	现代临床医学生物工程学杂志	2005/04
11	亚甲基四氢叶酸还原酶基因多态性、饮酒与结直肠癌关系的病例对照研究	蒋沁婷	中华流行病学杂志	2004/07
12	重庆地区人群亚甲基四氢叶酸还原酶基因多态性与结直肠癌易感性关系研究	黄萍	第三军医大学学报	2003/19

共有记录12条 首页 上页 下页 末页 1 /1 转页 全选 清除 存盘

图 9-6 检索策略调整后的检索结果

英文:(methylenetetrahydrofolate reductase OR MTHFR) AND (genetic polymorphism OR gene * OR polymorphism *) AND (colorectal cancer OR CRC),获取一定数量的相关文献。

情境五、法医鉴定工作者在工作实践中想了解国内外 DNA 法医鉴定的法律冲突的解决途径和方法。

步骤 1,检索目的分析。该课题属于工作实践中科学研究的课题,这类课题往往要跟踪了解国内外某一方面的最新成果,掌握最新研究动态。这类检索要求信息新颖,有适当的查准率和查全率,因此检索目的侧重于查全和查准的平衡。

步骤 2,课题内容特征分析。该课题属于特种医学法医学学科,同时也属于法学学科,这是一个涉及多级学科的检索课题。该课题包括"国内外"、"DNA"和"法律冲突"三个主要的概念面,而由学科背景知识可知,DNA 检测的法律冲突的主要表现为个人隐私权和知情权的保护,可将"法律冲突"分为"伦理"、"隐私权"和"法律"的分支概念面。

步骤3,课题形式特征分析。课题要了解国内外研究动态,检索年限限定为最近10年。检索侧重查全,文献类型选择期刊文献、会议文献。文献语种选择中文和外文各种语种。

步骤4,选择检索系统和数据库。由于课题侧重查全和查准的平衡,涉及的检索词较多,应选择文献收录量大、检索功能强的检索系统。中文数据库选择中文数据库选择中国生物医学文献数据库 CBM、CNKI 中国期刊全文库、万方中国学术会议论文全文数据库、PubMed 数据库。

步骤5,实施检索。先选择检索途径,选择高级检索途径。再拟定检索词。隐私权有时表达为隐私,因此将隐私权拆分为"隐私"和"权",中文检索词为 DNA、法律、伦理、隐私、权。

由于是查找国内外各国这类研究,在文章中可能出现具体国家的研究情况,将检索词限定为一些发达国家的国名,以提高查准率。英文检索词为 DNA、privacy、protection 和 GB、United Kingdom、Britain 和 USA 等。

编制检索式:

中文:(主题=DNA)and(主题=法律 or 主题=权 or 主题=伦理 or 主题=隐私)

英文:(DNA) and (privacy or protection) and (America or GB or United Kingdom or Britain or USA)

执行检索,获得检索结果,检索到的文献数量较少,需调整检索策略。在检索课题内容分析中我们已经分析得到该课题也属于法律学科,故应将检索系统扩展到法律类数据库,有兴趣的读者可参考法律类文献的检索。

文献检索策略的调整是一个反复检索和重新审视课题的过程,需要严谨的态度和专业知识并重方能实现满意的检索效果。

第三节　医学信息分析

一、医学信息分析的内涵与功能

信息分析是信息管理活动的一个过程,是指以社会用户的特定需求为依托,采用相应的研究方法,对相关信息进行收集、整理、鉴别、评价、分析和综合,产生新的信息产品,为不同层次的科学决策、管理服务的具有科研性质的活动。医学信息分析是信息分析的一个分支,同时与医疗活动有着紧密的联系。医学信息分析根据研究课题的目标,收集国内外相关医学信息,对有价值的医学信息进行综合分析,编写出有根据、有对比、有分析、有评价和有预测的报告,为医学教学、科研、临床决策、卫生服务、卫生管理和市场活动提供知识管理和科学服务。医学信息分析对医学信息进行深度加工,把静态的、尚未体现价值的信息激活,使其成为用户需要的活化了的知识。

医学信息分析的功能有三点:①整理与鉴别的功能,将分散的医药卫生信息有序化,并对整理后的信息去伪存真;②提炼和推论的功能,采用特定的方法对大量的原始信息进行重组、优选、综合,以得到新的结论;③预测和反馈的功能,对加工后的医药卫生信息进行推理、演绎、模拟和猜想。

二、医学信息分析的程序

医学信息分析是一项流程化的工作(如图9-7所示),有四个主要的环节,每一个环节都以前一个环节的完成为基础和依据。

首先是课题选题。这是信息分析中最为重要的环节,是关键的一步,课题选择的正确与否直接关系到分析目标是否达到、信息分析规划能否顺利实施。从课题提出者的角度来划分,医学信息分析课题一般来源于三个方面:一是上级主管部门下达的课题,如2008年国务院将医疗体制改革课题向北京大学下达,这一类课题往往为国家科技攻关项目,带有战略性和先导性;二是信息用户委托的课题,信息用户为了解决教学、科研、生产、医疗实践、技术引进中出现的重大问题,常常以合同或咨询委托书的形式委托技术和情报力量较强的科研机构、高校和专业情报机构解决,这类课题逐年增多,是信息分析机构课题的主要来源;三为信息人员自己提出的课题,这类课题靠信息分析人员根据长期积累和主动调查,针对国民经济和社会发展的实际需要总结出来的,这就要求信息分析人员平时要多参与实践,对科学研究和生产实践中的困难和症结要有所了解。

图9-7 医学信息分析程序

接下来的环节是信息收集。这是信息分析产品产生的原材料和基础,收集信息的质量直接影响信息分析产品的质量,同时也与医学信息检索紧密相关。根据信息源的范围,分为内部信息源和外部信息源;根据存储信息的载体不同,分为文献信息源和非文献信息源。文献信息源为本书前述章节内容,非文献信息源包括口头信息源、实物信息源和人物机构信息源等。

第三个环节是材料整理。材料整理是对收集的各种素材进行梳理,包括形式整理和内容整理两个层次。形式整理可以按照信息载体类型进行分类,也可依据信息内容线索将材料分为研究类、技术类、政策类和人员设备类;内容整理要在阅读、收听、观摩信息内容的基础上,对有用信息内容进行揭示。

最后是生成信息产品。这是信息分析一系列工作的最终成果,是信息分析过程中产生的各种有用信息的综合体。由于医学信息分析活动的任务、服务对象以及采用方法的不同,决定了信息分析产品类型的不同,根据产品内容特点划分为消息类产品、数据类产品和研究报告类产品。信息分析方法主要决定了不同类型的信息产品。

三、医学信息分析的方法

信息分析方法分为定性分析方法和定量分析方法,定性分析方法是指运用分析与综合、相关与比较、归纳与演绎等逻辑学手段进行文献信息研究的方法,包括比较分析法、分类分析法、综合分析法、相关分析法、变换角度法和头脑风暴法;定量分析方法是指在数学、统计学、运筹学等理论基础上,通过各种计算、统计,获得大量数字、图表、曲线、模型等,作出定量的描述或反映出事物应有的属性和特征,如文献计量法等。本节列举典型的几种医学信息分析方法。

1. 逻辑方法

逻辑方法是建立在逻辑推理和辨证分析的基础上,根据事实材料,遵循逻辑规律、规则来形成概念、作出判断和进行推理的方法。它是人们把握思维规律和客观规律的一种基本方法。根据已知事实,运用分析与综合、演绎与归纳、相关和比较等一系列逻辑思维手段来揭示研究对象的本质、发展规律和因果关系。逻辑法又可以分为以下几种方法。

(1) 对比法。对比法是对照各研究对象,确定其各方面异同的一种逻辑思维方法,是信息分析研究中最基本、最常用的一种方法。比较可以在同类之间进行,也可以在异类之间进行;还可以在同一对象的不同方面、不同要素、不同属性、不同状态之间进行。在医学研究领域,比较法对于疾病的鉴别诊断、药物疗效的评价、病因分析等都有广泛的应用和重要的意义。

通过比较,可以发现事物间本质上的异同,确认事物的性质。如流行病学分析的核心即为比较:乳腺癌在北美、北欧最多,东欧次之,在亚洲和非洲发病相对较少,通过对比分析,发现环境因素中的膳食组成不可忽视,每人年平均摄入脂肪量多的国家此病多,反之则少。通过比较有利于对医学对象进行定性鉴别和定量分析,也可以揭示不易直观发现的运动变化规律,建立新的科学概念和理论。

医学信息分析经常对研究对象进行时间上和空间上的比较。时间上的比较是对时间上先后出现的事实之间的比较,例如某种疾病患者,在不同的病程阶段会出现不同的临床症状,通过先后不同阶段的比较,就可以发现这种疾病的病程规律;空间上的比较是对空间上同时并存的现象之间的比较,例如患有同一种疾病的病人之间,会有相同的临床表现,也会有不同的临床表现。

(2) 分析法。分析法是将研究对象的整体分解为各部分、要素并分别加以研究的一种思维方法,是把客观事物整体分解为部分并掌握事物本质和规律的研究方法。

通过分析方法,可以帮助人们从已知的结果中去寻找原因。例如,许多疾病的病因分析就是从分析疾病的现象开始的;通过分析可以揭示组成整体的各个部分和要素之间的联系;通过分析可以透过现象看本质。

分析法包括问题分析、比较分析、相关分析、因果分析和类比分析。问题分析法是按解决问题的思维过程,寻找问题所在,并确定问题发生的原因;相关分析法是通过一事物对另一事物的影响来推理出事物之间相互关系的一种分析方法;类比分析法是根据不同类事物间某些相似性特点得出结论的方法。

(3) 综合法。综合法是将构成事物的各个部分和要素结合起来进行研究的一种逻辑方法,与分析法过程相反。分析是综合的基础,综合是分析的归宿。综合不是机械地把对象各要素凑合在一起,进行叠加,而是按照各要素在对象内部的有机联系从总体上去把握事物,抓住事物的本质。通过综合能揭示事物在分解状态下所不曾显现出来的特征,形成对事物的统一认识;通过综合能形成医学认识和理论。

综合法分为简单综合法、系统综合法和分析综合法。简单综合是对研究对象有关信息进行简单汇集、归纳和整理;系统综合是对研究对象进行时间与空间、纵向与横向的系统的结合研究;分析综合是在比较、分析和推理的基础上以认识对象本质为目标进行的综合。

(4) 推理法。推理法是从一个或几个已知的判断得出一个新判断的思维过程,是在掌握若干已知事实、数据或因素相关性的基础上,通过因果关系或其他相关关系顺次、逐步的推论,最终得出新结论的一种逻辑思维方法。推理是一种由此及彼、由已知到未知或未来的研究方法,在科学研究中具有十分重要的作用。通过推理,可以把与设想和假说有关的事物联系起来。通过推理,可以获得一些未知的事实或数据。

推理法分为归纳推理和演绎推理。归纳推理是从个别事实中推演出一般原理的一种逻辑思维方法。归纳推理由前提和结论两部分构成:前提是若干一直的个别事实,是个别的判断和陈述;结论是从前提中通过逻辑推理得到的一般原理,是普遍性的判断和陈述。例如,最常用的一种归纳推理法公式:

S_1 具有(或不具有)P 的性质;
S_2 具有(或不具有)P 的性质;
S_3 具有(或不具有)P 的性质;
S_4 具有(或不具有)P 的性质;
S_5 具有(或不具有)P 的性质;
……
S_1、S_2、S_3、S_4、……、S_n 是 S 类的全部对象,
所以,所有 S 都具有(或不具有)P 的性质。

演绎推理是从已知的某些一般原理、定理或科学概念出发,推出个别或特殊结论的一种逻辑推理方法,与归纳法的推理过程恰好相反。一类事物所共有的属性,其中的每一个别事物都必然具有,所以从一般中必然能够推出个别。演绎推理能够做出医学预见,也是形成假说的工具。

演绎推理由大前提、小前提和结论三个部分组成,大前提是已知的科学结论,小前提是已知的个别事实与大前提中全体事实的关系,结论是由大前提和小前提通过逻辑推理形成的个别事实的认识,其推理形式为:

S 是 P(大前提);
S_n 是 S(小前提)。
所以,S_n 也是 P(结论)。

2. 文献计量法

文献计量法是采用数学、统计学等计量方法,研究文献情报的分布结构、数量关系、变化规律和定量管理,并进而探讨科学技术的某些结构、特征和规律的一门学科。根据计量数据的来源和性质,其研究对象主要包括三方面。第一,文献外部特征指标,指文献的著者、刊名(题名)、出版年、地址、出版类型、引用文献、文献序号等特征。研究者往往选取某一学科领域内最有价值的项目进行统计和分析。第二,文献内部特征指标,主要指文献研究所属学科或专业、研究的主要内容、研究方法等特征,指标包括分类号、关键词、主题词等。第三,与文献相关的服务指标。文献在开发与利用过程中产生许多可以用于计量分析的有用信息,如阅览数、借阅数、文献复制数、读者类型分布、使用文献类型等。

(1) 文献计量法的理论基础。文献计量法的理论基础包括三大基本定律和两个规

律。三大基本规律为洛特卡定律、布拉德福定律、齐普夫定律,两个规律是指文献信息增长规律和文献信息老化规律。

洛特卡定律是描述文献著者分布的一个计量学的经验定律,揭示科学生产率以及著者与论文之间的数量关系。洛特卡在《科学生产率的频率分布》一文中论述了化学与物理学领域中著者频率与论文数量的分布规律,提出描述这两者关系的一般公式,同时还阐明了科学生产率的平方反比律。洛特卡定律主要应用于信息分析与预测方面,可以预测发表不同数目论文的著者数量和特定学科的文献数量。另外,通过对科学论文著者结构、著述特征的统计和计量分析,可以了解科学活动的特点,掌握科学发展规律,为科学学和人才学提供新途径和手段。

布拉德福定律又称布拉德福文献分散定律,是关于专业文献在登载该文献的期刊中数量分布规律的总结。他认为:如果将科学期刊按其登载某个学科的论文数量的大小,以减序排列,那么可以把期刊分为专门面向这个学科的核心区和包含着与核心区同等数量论文的几个区,核心区与相继各区的期刊数量成 $1:a:a^2\cdots$ 的关系。布拉德福定律最重要的一个应用就是用以确定核心期刊,还可以用于指导期刊订购,指导读者利用重点文献。

齐普夫定律是解释文献的词频分布规律的基本定律。该定律基本内容为:如果把一篇较长文章中每个词出现的频次统计,按照高频词在前、低频词在后的递减顺序排列,并用自然数给这些词编上等级序号,那么等级值和频次值的乘积是一个常数。齐普夫定律主要用于揭示书目特征、设计情报系统、制定标引原则、进行词汇控制、组织检索文档。通过某领域的主题词或关键词的计量分析,还可以了解学科发展动向。

文献信息增长规律是指随着时间的推延,文献数量也随之增长。文献信息老化规律是指科学文献随着"年龄"的增长,其内容日益变得陈旧过时,作为情报源的价值不断减小,甚至完全丧失其利用价值的现象。文献信息增长规律和老化规律对于了解科学文献的数量和增长趋势,优化馆藏和评价文献都提供了依据。

(2) 文献计量方法。对某一学科领域文献特征进行研究的应用最广泛的文献计量方法为描述统计分析法和引文分析法。

描述统计分析法是利用统计学方法对文献信息进行分析,以描述或揭示文献的数量特征和变化规律的方法。文献信息统计的类型包括出版物统计、著者统计、词语统计、引文数量统计等。出版物统计是文献统计的主要对象,包括图书、期刊、科技报告、专利文献等各种类型的文献。可以按著者、机构、地区、时间、学科、出版单位、国家、语种等各个方面来统计文献量。著者统计可以帮助掌握科技发展的水平,为人才评价、科学管理提供数据。词语统计是对专业术语的组成和数量变化的统计,在一定程度上反映学术发展和交叉渗透情况。引文统计可以对文献进行评价。

描述统计法进行的第一步是统计调查,即搜集研究对象的原始文献和数据,第二步是统计整理,对研究对象的相关属性进行数据计算和处理,第三步是数据的结论分析和误差分析。

案例:2002—2011 年度我国儿童孤独症研究论文的文献计量分析

研究目的:应用文献计量学方法分析 10 年内的儿童孤独症研究状况,寻求一些带有规律性的结论,为儿童孤独症领域的研究、发展和文献查阅提供参考。

第一步,文献统计源。利用 CNKI 中国期刊全文数据库,选择题名字段,检索词为儿童孤独症和儿童自闭症,检索到 2002—2011 年我国公开发表的儿童孤独症研究文献共 821 篇(截至 2011 年 11 月数据)。

第二步,对检索出的数据进行统计分析。主要统计指标为论文年代分布、论文期刊源分布、第一作者情况、合作度、合作率、论文主题内容。

表 9-1　文献的年代分布统计表

年代	文献量	百分比
2002	27	3.3%
2003	39	4.6%
2004	53	6.4%
2005	80	9.7%
2006	62	7.6%
2007	88	10.7%
2008	84	10.2%
2009	112	13.6%
2010	148	18%
2011	128	15%

对论文的期刊源分布进行分析,《中国特殊教育》载文最多,其次为《中国儿童保健杂志》、《现代特殊教育》、《中国妇幼保健》和《中国心理卫生杂志》。

对论文作者地区分布进行分析,广东、北京和上海共载文 389 篇,占总载文量 47.38%,江苏和山东形成第二梯队。

表 9-2　论文主题内容统计表

主题内容	篇数	百分比
治疗与护理	269	25.1%
临床研究	139	15.7%
康复与教育	106	11.1%
综述	46	5.6%
诊断与评估	62	7.6%
病因与发病机制	87	10.6%
家庭需求及社会支持	53	6.5%
个案报告	24	2.9%
流行病学调查	35	4.3%
生物学及生化指标	269	4.0%
其他	139	6.7%

第三步,得出结论:
1)论文数量逐年增加。
2)研究地域差异严重。
3)以形成《中国特殊教育》为首的核心期刊群。
4)论文主题内容广泛。

引文分析是对文献的参考文献的分析,文献的相互引用关系是引文分析的主要依据。引文分析是利用各种数学及统计学的方法,对期刊、论文、著者等各种分析对象的引证与被引证现象进行分析,以便揭示其数量特征和内在规律的一种文献计量分析方法。文献的相互引证显示了文献之间的内在联系,同时也显示出刊载文献的期刊关系以及文献各自代表的学科之间的关系。

根据引文的出发点和内容,引文分析包括三种类型:一是对引文数量的分析,用于评价期刊和论文;二是对引文间的网状关系或链状关系进行分析,用于解释学科的发展与联系;三是对引文反映出的主题相关性文献进行分析,用于揭示学科的结构和学科的相关程度。

引文分析法应包括以下步骤:

第一步,选取统计对象。根据所要研究的学科具体情况,选择该学科中具有代表性的较权威的若干期刊,确定一定时间范围内相关论文作为统计的对象。

第二步,统计引文数据。从选取的相关论文中,分项统计每篇论文所附引文的数量、出版年代、发表刊物、语种、类型、引文作者、论文作者的自引量等。

第三步,根据研究目的,从引文的各种指标或其他不同的角度进行分析,如引文量的理论分布分析,引文的集中与离散规律分析,引文随时间增长规律的分析。供引文分析最常用的工具有美国科学引文索引、期刊引证报告和中国科学引文索引。

第四步,得出结论。根据引文分析原理和其他一般原则进行判断和预测,从而作出相应的分析结论。

利用引文分析的原理,人们开发出很多工具,主要用于标志某个学科领域的研究历史和进展。HistCit 是由《科学引文索引》的创始人尤金·加菲尔德(E. Garfield)等于 2001 年推出的一个引文分析可视化系统。其主要功能是可以将某领域的高被引论文按照发表时间先后顺序自动生成引文时序网络图,其网址为 www.histcite.com,可下载 30 天免费试用版。Bibexcel 是一个文献计量分析工具包,由瑞典的于默奥大学社会学系的 Olle Pesson 开发,可以在 www.umu.se/inforsk 网站上免费下载。该软件可以分析从 Web of Science 等书目数据库中下载的记录,并抽取用户指定字段,如标题中的词、作者、期刊、引文、被引作者、被引期刊等,然后统计其出现的频次,进行分析。

3. Meta 分析法

Meta 分析是循证医学中必不可少的定量综合分析方法,是循证医学获取、评价和应用最佳证据的重要手段(循证医学的内容请读者参考第八章)。在医学研究中,针对同一问题常常同时或者先后有许多类似的研究,由于样本量的限制、各种干扰因素的影响以及研究本身的偶然性等原因,许多研究结果可能不一致甚至相反。解决这一问题有两种方法:一种方法是通过严格设计的大规模 RCT 研究进行验证;另一种方法是对单个研究及其加国进行综合分析和再评价,包括系统评价、Meta 分析和传统综述。系统评价作为一种综合文献的分析方法,属于二次研究,即针对某一具体的特定问题,系统、全面地收集已有的相关和可靠的临床研究结果,采用临床流行病学严格评价文献的原则和方法,筛选出符合质量标准的文献并进行科学的定性或定量合并。将多个研究结果进行定量合成分析的统计学方法就是 Meta 分析方法。

Meta 分析在医学中主要应用于以下几个领域:①人群中重大健康问题,如心脑血管疾病问题,恶性肿瘤问题等;②病因研究中因果联系的强度和特异性;③预防、治疗或干预等措施影响的强度和特异性;④临床研究手段问题,如诊断试验方法的有效性、临床药物的疗效判定等；⑤疾病治疗的成本效益问题等；⑥卫生策略效果评价等。Meta 分析有时又称为荟萃分析、整合分析、综合分析、二次分析，或元分析、共分析、再分析、超分析。

  Meta 分析的基本步骤如下：

  步骤 1，提出需要并可能解决的问题，拟定研究计划提出问题。进行科研设计并制定研究方案，拟定一个详细周密的计划书，计划书包括研究目的、研究现状与研究意义、数据的收集、选择研究的方法与标准、确定筛选分析资料的方法和标准、预期结果和撰写报告等。

  步骤 2，确定检索策略，检索相关文献。多途径、多渠道、最大限度地收集相关文献，通过阅读题目和摘要滤掉与研究内容无关的文献，然后阅读剩余文章中的摘要和重要参考文献，通过参考文献的追溯进行计算机检索、手工检索。检索的质量将直接影响纳入研究是否全面、客观、真实，并将最终影响 Meta 分析的有效性。

  步骤 3，制定纳入标准，评价文献质量并筛选合格的研究。纳入标准的制定要依赖于以下因素：①研究设计为 RCT 还是非 RCT；②研究对象的疾病类型、年龄、性别、病情严重程度等应作规定；③明确观察性研究中暴露因素、临床试验中干预措施的计量和强度、病例的依从性等；④研究的结局变量应选择可量化的指标；⑤文献的发表年限应较近；⑥语言的选用；⑦样本量应排除小样本；⑧随访期限需事先确定；⑨信息的完整性要进行评估。依据纳入标准对收集的全部文献进行质量评价，剔除不合格的研究，保证 Meta 分析的有效性。

  步骤 4，提取纳入文献的数据信息。纳入文献的数据信息应包含：①杂志名称、发表年份、作者姓名及单位、研究基金的来源、文章类型等；②研究类型、样本量、研究对象基线特征、暴露或干预的内容、结局指标等。

  步骤 5，统计分析。统计分析的过程依次为：①选择评价指标，即结局变量，通常只选择一个、而且首选文章摘要中提到的评价指标；②选择效应量指标，效应量用来反映处理效应，是处理因素及其水平与反映量之间关联性大小的无量纲的统计量，应根据确定好的评价指标选择恰当的效应量指标；③异质性检验，目的是检查偏移性，推断不同研究的结果是否来自同一人群；④选择分析模型，基于效应量的 Meta 分析多采用 FEM 和 REM 两种模型，其中 FEM 分析中因素的水平数有限且固定，REM 分析中因素的水平数无限且随机；⑤发表偏倚分析，由于发表观念和环境所致的系统误差，是最大的一种选择偏移；⑥亚组分析，即针对一些可能的混杂因素，如年龄、性别、研究类型等进行分层分析；⑦敏感性分析，目的是发现影响结果的主要因素，通过模型参数在合理范围内改变，观察分析结果的变化。

  步骤 6，报告和解释结果。对结果进行分析和讨论，写出总结报告。

  案例：亚甲基四氢叶酸还原酶基因 C677T 位点多态性与结直肠癌关系的 Meta 分析

  研究目的：机体叶酸缺乏可能导致罹患结直肠癌 CRC 风险，5,10-亚甲基四氢叶酸还原酶(5,10-Methyle-netetrahydrofolate reducetase, MTHFR)在体内叶酸代谢过程中起重要的作用。MTHFR 基因存在遗传多态性，国内外研究 C677T 位点多态性与 CRC 较多，但结论存在争议。通过 Meta 分析控制影响异质性的研究及个体水平的相关因素，探讨 MTHFR 基因 677TT 基因型与结直肠癌易感性关系。

  收集文献：制定检索策略，请读者参考本章第二节情景四，通过 Medline、PubMed、中国生物医学文献数据库 CBM、外文生物医学文献期刊服务系统等途径收集国内外 1996 年 1 月—2008 年 1 月期间报道的关于 MTHFR677 基因多态性与结直肠癌关系的研究文献。

制定纳入标准和提取文献数据信息：为国内外独立发表的病例对照研究或队列研究，观察指标为 677 位点 TT(CT+CC)，各文献需提供综合的统计指标，如比值比(OR)或相对危险度值(RR)。对于同一样本研究多篇文献报道的，选取最近发表文献，对于报道提供信息少或者特殊样本人群的文献予以删除。

统计分析：

(1) 异质性检验。23 项研究累计病例 10736 例，对照 15998 例，MTHFR 677TT/CT+CC 基因型异质性检验 $Q=85.86, P<0.0001$，MTHFR 多态性指标在各研究中有显著异质性。

(2) 选择分析模型。采用随机效应模型分析，如图 9-8 所示，合并 OR 值为 0.83 (95%CI 为 0.69～0.99)，Z 值为 2.01($P<0.05$)。

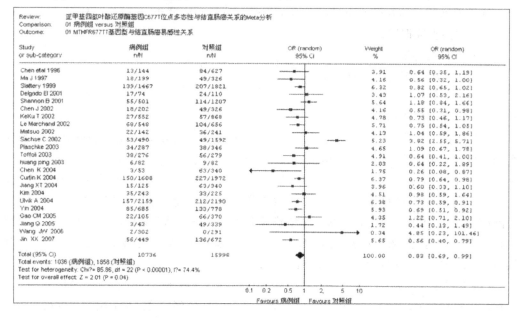

图 9-8 MTHFR 677TT 基因型与结直肠癌关系 Meta 分析森林图

(3) 敏感性分析。在运用其他统计效应模型如固定效应模型时，综合效应 OR 值为 0.81(95%CIs 为 0.75～0.88)，Z 值为 4.93($P<0.001$)。在剔除大样本研究后综合效应 OR 值为 0.83(95%CIs 为 0.68～1.02)，Z 值为 1.78($P=0.07$)。

(4) 发表偏移分析。Meta 分析是一种观察性研究，分析过程中最常见发表偏倚，绘制漏斗图(以各文献的 MTHFR C677T 多态与 CRC 发病危险 ORs 值为横坐标，以 OR 值的倒数为纵坐标)可帮助识别是否有发表偏倚，通过漏斗图可看出基本对称，呈近似倒漏斗状，但有一篇文献结果偏离漏斗中心较远。

分析和讨论：综合结果 MTHFR C677T 多态中 TT 纯合子的 OR 值为 0.83，95%可信区间为(0.69～0.99)，提示 MTHFR C677T 多态与 CRC 的易感性存在相关，突变纯合子型 TT 与 CRC 危险性减低有关联。

第四节 网络医学信息资源评价

Internet自建立以来,以其丰富的信息资源,惊人的传输速度和多功能的服务手段,为医药科技工作者搜集信息、交流经验、服务实践提供了便利,极大地推动了医学事业的发展。然而,面对浩如烟海的网络医学信息资源,医学工作者为了能够快捷准确的查找所需的信息,除了需要具备一定信息检索技能,还需要有一套科学、合理的网络医学信息资源评价方法和指标做指导,筛选出具有较高可信度的网络医学信息资源。

一、网络医学信息资源种类

1. 文献数据库类资源

这是网络医学信息资源中最庞大也是最具权威的一个家族,具体又包括:
(1) 文摘类数据库。
(2) 全文数据库。
(3) 数字图书馆提供的电子图书。
(4) 引文数据库。
(5) 特种文献数据库。
(6) 免费电子期刊,指专门从事免费电子期刊搜集和提供全文服务的网站。较为知名的免费电子期刊网站有 Free Medical Journals(http://www.freemedicaljournals.com)和 HighWire Press(http://highwire.org)。Free Medical Journals 是由 Flying Publish 公司开发的在线全文阅读系统,专门提供免费全文医学电子期刊浏览与预告服务,是"Amedeo.com 医学文献指南网站"的免费期刊专栏。HighWire Press 由斯坦福大学图书馆于1995年创建,收录文献以生物医学为主,涉及物理学、社会科学等学科,提供刊名浏览、关键词检索和主题浏览三种检索方式。
(7) 电子报纸,如《中国中医药报》(http://www.cntcm.com.cn/)、《中国医药报》(http://www.cnpharm.cn/www/yyb/yyb.jsp)、《医药经济报》(http://www.yyjjb.com)等网站都设置信息检索功能,读者能很方便查到相关文献资料。

2. 医学专业搜索引擎和网站导航

3. 医学相关机构网站

二、网络医学信息资源评价目的

对用户来说,网络医学信息资源评价的结果可以帮助医药工作者选择恰当的网络医学信息资源。面对网络信息资源的质量不均衡状态,确定网络信息资源的评价标准,从中挑选出有学术价值或应用价值的精华部分,呈现给用户,提高用户利用Internet信息资源的效率。

网络医学信息资源评价可以促进网络医学信息资源检索系统质量的提高。不同网络医学信息检索系统的收录范围、文献质量、检索效率和花费等方面都不相同,对网络医学信息资源的评价有助于医学信息检索系统找出差距,提高质量。

三、网络医学信息资源评价内容

1. 信息内容

(1) 准确性。包括网页是否提供信息的来源和出处;页面语言是否准确、严谨、无拼写和语法错误;是否明确列出该网页信息的编辑和提供等责任者;语气是否客观;有无政治或意识形态因素的影响。

(2) 权威性。指网页的主办者是否为有声誉的组织、机构、专家和学者;是否提供了进一步联系、核实和交流信息的可能,如电话号码、通信地址及 E-mail 地址;其内容是否有版权保护等。

(3) 新颖性。指信息的提供时间、更新周期及最近一次的修改日期。

(4) 独特性。信息是否独一无二;信息内容是否还有其他的提供形式,如其他的网站、网页、印刷品或光盘版;信息是否有特别的服务功能。

(5) 稳定性。信息资源提供是否持续、可靠;能否较稳定、连续地接受访问;网址是否经常变化,变化后是否通知用户;链接及检索的速度是否正常。

(6) 针对性。该网页是否符合实际需要;该信息资源是否有主要的使用对象;它的效用属于哪个层次,是语义、语用还是语法层次。

(7) 全面性。该网页所覆盖的主题领域所提供信息的广度、深度、时间范围以及所包括的网络资源范围等。

2. 设计与操作

(1) 信息组织与设计。信息的组织、提供、展示的方式如何;是否易于浏览、查找;信息组织方式单一还是多样,是否按主题、学科、形式、读者对象分类;信息资源分类是否科学、合理,页面分布是否适中、平衡。

(2) 用户界面。用户界面是否友好;有无特别的命令、帮助信息,是否清晰、方便查阅;信息是否可以下载与打印;用户界面有无菜单;屏幕内容是否清楚、易读。

(3) 图形和多媒体设计。网页的感官效果是否良好;设计是否具有审美性与吸引力,是否有助于对内容的理解;其所采用的各种图形、图像、声音或虚拟现实等手段是否符合该网页的宗旨、目标,并增强了该网页的信息提供功能。

(4) 检索效能。信息是否能被有效地检索到,检索方式单一还是多样;其组织信息的方式是逻辑分类、按年代或按地理分区;检索界面如何,支持哪种检索算法和检索结果排序;对文献类型、出版时间、形式等是否进行选择、限定。

(5) 连通性。该网页能否用标准设备和软件访问到;是否需要特别的软件、口令或网络设备;网站能否稳定地被访问到,是否常常有超载或脱机现象;等待和下载的速度如何。

(6) 交互性。该网页是否提供与用户的交互功能;这些功能是否增强了该站点的使用价值。

3. 成本

一般我们多认为因特网上的信息是免费的,但实际上费用是存在的,目前人们越来越重视在获取信息中的成本费用因素。

(1) 时间。用户所花费的时间成本,如系统连通时间、信息检索时间、原文献获取时间等。

(2) 技术。用户使用系统投入的技术成本,如软件和使用方法。

(3) 物质。用户所花费的硬件成本、电子期刊的订购费、数据库检索费用等。

四、网络医学信息资源评价方法

网络信息资源的评价至今学界还未形成一套公认的评价标准体系,这与信息资源评价的主观性有关。因为信息质量与用户需求相联系,评价时必须考虑用户的知识、信息需求等差异;另一方面是网络信息资源自身的特性决定的,网络资源的发布处于一种自发和自由的状态,这种游离的状态对评价不能产生积极作用,又由于网络信息资源的海量性特征,致使评价的对象不完整。

本书将众多的评价方法划分为三种类型:定量评价法、定性评价方法和综合评价法。

1. 定量评价法

定量评价方法为人们提供了一个系统、客观、规范、科学的数学分析方法,具有方便、快速、客观公正、评价范围广等优点,是网络信息资源评价的发展方向。国外学者对网络医学信息资源进行定量评价的实例较多,目前网络信息资源评价的定量方法和手段主要集中于四个方面。一是链接关系分析。链接关系分析是目前网络资源评价中比较热门的定量评价方法。二是 Jason Hare 提出的利用 Healthseeker(健康搜索者)。Healthseeker 是一种免费的利用电子邮件传递的时事通讯工具,类似于一个小型的健康搜索引擎,是美国用户利用率较高的一种评价工具。利用 Healthseeker 可以了解到最全面的医学健康网站链接和目前最热门的医学网站,从而更直接地了解用户对医学健康网站的使用情况。三是 Meta 分析方法,利用 Meta 分析对网络医学信息资源的同源性进行分析评价。四是第三方评价法,利用网络资源评价网站和信息服务学术机构对网络资源进行评价。

2. 定性评价方法

国外有很多组织机构、专业网站和专家学者都致力于网络医学信息资源定性评价方法的研究。世界卫生组织的通用标准为:用户的交互性、网络地图、导航、速度、检索功能、更新。专用标准为:对网站设立目的的阐述、网站创办人的联系方式、网站的组织结构、服务、新闻报道、安全性声明、关于药物副作用的说明、反馈机制、关于政策法规的规范指导、药品上市指导、下载格式、医药产品信息、审批合格的医药公司信息、进出口数据、审批合格的批发商、销售商和药店、出版物信息、药品销售的基本统计数据、药品市场的统计数据、药品申请、审批等重大事件的相关统计数据、链接。

3. 综合评价法

美国健康最高研究小组(Health Summit Research Group)采用综合评价的方法对网络医学信息资源进行评价,制定了网络医学信息资源评价的 7 个金标准,并提出了定性和定量相结合的网络医学信息资源评价指标体系,同时根据"调查权重"的方法,在统计、分析调查结果的基础上计算出具体指标的权重系数,如表 9-3 所示。

表 9-3 美国健康最高研究小组对网络医学信息资源所采用的综合评价体系

标准	必须	重要	需要	无用
C1 Credibility(可靠性)	24(86%)	0	0	4
C1.1 Source(资源)	23(82%)	5(18%)	0	0
C1.2 Disclosure(网站的基本情况)	21(75%)	6(21%)	1(4%)	0
C1.3 Currency(更新时间)	12(43%)	14(50%)	2(7%)	0
C1.4 Relevance/Utility(相关性/实用性)	10(36%)	13(46%)	4(14%)	1(4%)
C1.5 Review Process(编辑审查程序)	5(18%)	14(50%)	8(29%)	1(4%)
C2 Content(内容)	19(68%)	3(11%)	0	6(21%)
C2.1 Accuracy(准确性)	26(93%)	1(4%)	0	1(4%)
C2.2 Hierarchy of Evidence(证据等级)	12(43%)	12(43%)	3(11%)	1(4%)
C2.3 Original Source Stated(来源文献说明)	21(75%)	5(18%)	2(7%)	0
C2.4 Disclaimer(声明)	10(36%)	11(39%)	5(18%)	2(7%)
C2.5 Logical Organization(逻辑结构)	4(14%)	14(50%)	9(32%)	1(4%)
C2.6 Internal Search Engine(内部搜索引擎)	1(4%)	10(36%)	14(50%)	3(11%)
C2.7 Mechanism for Feedback(反馈机制)	8(29%)	7(25%)	13(46%)	0
C2.8 Omissions Noted(疏忽遗漏的注释说明)	9(32%)	9(32%)	8(29%)	2(7%)
C2.9 Back Linkages and Descriptions(反链及其描述)	5(18%)	6(21%)	14(50%)	3(11%)
C3 Links(链接)	4(14%)	13(46%)	6(21%)	5(18%)
C3.1 Selection(选择)	5(18%)	11(39%)	10(36%)	2(7%)
C3.2 Architecture(结构体系)	2(7%)	10(36%)	13(46%)	3(11%)
C3.3 Content(内容)	6(21%)	15(54%)	10(36%)	2(7%)
C4 Design(网站设计)	4(14%)	13(46%)	10(36%)	1(4%)
C5 Interactivity(交互性)	2(7%)	10(36%)	11(39%)	5(18%)
C5.1 Comment Options(注释项的选择)	4(14%)	11(39%)	12(43%)	1(4%)
C5.2 Chat Rooms(聊天室)	0	4(14%)	21(75%)	3(11%)
C5.3 Profiling(用户对网站错误信息的修改)	1(4%)	4(14%)	18(64%)	5(18%)

目前,网络医学信息资源评价指标和体系还不十分健全,定性评价方法易受主观因素影响;定量评价方法较为客观,但尚不成熟。国外的评价方法和标准优于国内,网络医学信息资源的评价将朝着评价方法综合性、评价人员互动性的方向发展。

【思考题】

1. 检索效果的评价指标有哪些?
2. 查全率与查准率如何计算?它们之间的关系如何?
3. 什么是检索策略?

4. 针对不同的情境,怎样制定检索策略?对于不同的检索结果,怎样调整检索策略?
5. 医学信息分析有哪些方法?
6. 文献计量法的研究内容是什么?
7. Meta 分析与传统综述有什么区别?Meta 分析的步骤有哪些?
8. 网络医学信息资源有哪些种类?
9. 网络医学信息资源的评价内容和方法有哪些?

(朱 玲)

第十章 医学科研论文写作

第一节 医学科研信息查新

一、科研查新工作概述

科技查新工作是国家为保证科研工作的科学化管理,由科研管理部门提出并委托科技情报机构实施的一项情报服务工作。它作为科技管理的一项基础工作,为科研立项,科技项目评估、验收、奖励,专利申请,技术交易与入股等提供客观评价依据,为国民经济的发展提供快速、准确的信息服务,受到了有关部门的高度重视。同时,科技查新工作作为一项在科技文献检索和科技咨询基础上发展起来的新型科技信息服务业务,在推动科学进步与发展,研究及开发新技术、新产品中,也发挥着不可忽视的作用。

1. 科研查新的由来与发展

查新工作是在我国科技体制改革的进程中逐步发展起来的。20世纪80年代,为了促进我国科技工作尽快发展,提高科技人员的积极性,原国家科委颁布实施了一系列科技改革措施,建立了科研基金制度。例如,设立了国家最高科学技术奖、自然科学奖、技术发明奖、科技进步奖等国家科技奖励奖项,将竞争机制引入科研领域,在科研经费分配中,除向对口科研单位下达指令性科研课题外,开始实行公开招标、公平竞争等分配形式。这些举措极大地推动了我国科学技术的发展,大量的科研成果雨后春笋般不断涌现。但与此同时,科研课题严重低水平重复和成果评审严重失准现象也接踵而至。分析其原因,主要有以下几个方面:

(1) 评审方法的局限。在当时的历史条件下,对科研立题和科研成果的评审主要采取两种方法,即同行专家评议和实践检验。所谓同行专家评议,主要是研究项目的评价和研究成果(论文和著作)的评价。所谓实践检验主要是考察课题的现实需要,了解课题是否属于学科理论发展或生产、技术领域迫切需要解决的问题,估计其理论价值或社会、经济效益。上述两种方法在实践中存在着众所周知的缺陷,不可避免地出现一些偏差和某些失实现象。就同行专家评议而言,专家对自己的专业有较深的造诣和了解,可以对课题和成果进行正确客观的评价。然而,科学技术的发展日新月异,学科专业越分越细,学科内容相互交叉、渗透,整体性和综合性日益增强,加之当今世界信息急剧膨胀,文献载体的多样化和文献管理的自动化,使专家对信息的掌握也受到一定限制,也就不可能要求所有专家对所评议的课题或成果的各个方面以及国内外发展现状都有深入和全面的了解。

（2）文献调研不全面。研究单位和研究者不重视文献调研,科研工作的低水平重复存在一定的普遍性。从科研实施单位来说,当时的情况是研究单位和研究者尚未掌握科学的文献调研手段,获取信息的能力较低,科研立项或成果报奖时具有一定盲目性和侥幸心理。

（3）评审中的不公正行为。评审鉴定时,真正本专业的专家较少,再加上受社会不正之风的影响,使得一些被鉴定或评议的成果不能得到客观、公正、准确的结果。

上述情况引起了科研管理部门的高度重视。为提高科研立题和成果鉴定及奖励的严肃性、公正性、准确性和权威性,许多专家提出在科研立项和成果鉴定之前应先提交情报部门,由情报部门为课题出具客观情况的证明,将"情报评价"作为成果评价的客观依据,以弥补专家评审时对信息掌握的某些不足。科研管理部门采纳了这一建议,并于20世纪80年代中期开始在部分行业和部分地区试行。1985年在全国医药卫生科技工作会议后,卫生部提出对科技立题及成果评审要进行查重预审,揭开了我国医药卫生科研领域查新工作的序幕。1990年10月,原国家科委印发了《关于推荐第一批查新咨询科技立项及成果管理的情报检索单位的通知》([90]国科发情字800号),标志着我国查新工作正式开始。

为推动科技查新工作的健康发展,原国家科委于1991年制定了《科技查新咨询工作管理办法(讨论稿)》和《科技查新咨询工作管理办法实施细则》,同时公布11家单位为科技部授权的国家级查新咨询单位。为进一步规范面向社会服务的查新机构的行为,保证查新的公正性、准确性和独立性,维护查新有关各方的合法权益,科技部于2000年12月发布了《科技查新机构管理办法》和《科技查新规范》(国科发计字[2000]554号),自2001年1月1日起施行,这标志着我国科技查新工作逐步步入法制化的轨道。国家科委在查新宏观管理方面所做的大量工作,极大地推动了查新工作在全国范围的迅速发展。以医药卫生行业为例:1993年经中华人民共和国卫生部科教司和卫生部医学信息工作管理委员会考核评定,全国有21家医学情报研究所、医学高等院校图书馆成为首批卫生部医药卫生科技项目查新咨询工作定点单位;1997年12月《卫生部医药卫生科技项目查新咨询暂行规定》实施细则出台;截至2006年上半年,"卫生部医药卫生科技项目查新咨询单位"发展为33家。此外,为适应科研体制的改革,充分发挥高校的科技信息咨询服务优势,根据《教育办公厅关于认定教育部部级科技查新工作站的通知》(教技发厅函[2003]1号)要求,2003年决定在29所直属高校设立"教育部部级科技查新工作站",工作站含综合类查新站11所,理工类查新站17所,农学类查新站1所,由教育部科技发展中心归口管理,负责资格审查、协调及业务指导。科技查新工作目前已成为整个科技管理中必不可少的一个环节。

2. 科技查新的概念及其演绎

科技查新的概念在不同的历史时期,从不同角度和基于不同的认识,有过多种不同的诠释,目前较为规范的是2000年《科技查新规范》(国科发计字[2000]544号)中所做出的定义:"查新是科技查新的简称,是指查新机构根据查新委托人提供的需要查证其新颖性的科学技术内容,按照本规范操作,并做出结论。"这里所说的查新机构是指具有查新业务资质,根据查新委托人提供需要查证其新颖性的科学技术内容,按照科技查新规范操作,有偿提供科技查新服务的信息咨询机构;查新委托人是指提出查新需求的自然人、法人或者其他组织;新颖性是指在查新委托日以前查新项目的科学技术内容部分或者全部没有在国内外出版物上公开发表过。

3. 科技查新的性质

查新是科学研究与科技管理的重要组成部分,所以查新具有科学性、技术性和政策性。同时,查新与一般的文献检索不同,也有别于专家评审。

(1) 与文献检索的区别。文献检索是针对委托人的需要查找指定的文献或一定范围内的文献,仅提供查找出的文献或文献线索,对检出的文献不进行分析和评价。而查新是在高水平文献检索基础上,进行深入筛选,确定相关文献,并根据相关文献对项目查新点进行分析和评价。

(2) 与专家评审的区别。查新是以检索出的文献为依据,对查新内容的新颖性做出评价。而专家则是根据个人的专业知识、专业信息和实践经验对评价项目做出先进性、科学性和实用性等方面的评价。

4. 科研查新的作用

科研查新是在科技文献检索和科技咨询基础上发展起来的一项新型的科技信息服务业务。它作为科技管理的一项基础工作,为科研立项,科技项目评估、验收、奖励,专利申请,技术交易与入股等提供客观评价依据,为国民经济的发展提供准确的信息服务。具体表现为:

(1) 监督作用。查新工作作为正式立项前和成果评定中必要的程序,对科研项目在论点、研究开发目标、技术路线、技术内容、技术指标、技术水平等方面是否具有新颖性提供全面、准确的国内外有关情报,对提高科研质量、研究起点、避免低水平重复研究以及客观评价成果可以起到重要的监督作用,防止重复研究而造成人力、财力、物力的浪费和损失。同时也可以对评审决策中的人为意志、偏听偏信等主观因素起到监督作用。

(2) 公正作用。查新工作是以科技文献为事实依据,对课题或报奖成果从内容上做出客观的新颖性评价,查清该项目在国内外是否已有人研究开发过,为科研立项和成果鉴定等提供客观评价,不受申请人的主观意识、资历、人际关系等的影响,为科研人员提供了民主、公平的竞争环境。若无查新部门提供可靠的查新报告作为文献依据,只凭专家小组的专业知识和经验,有时难免会有不公正之处,这样既不利于调动科技人员的积极性,又妨碍成果的推广应用。查新工作和专家评审的结合是客观材料和主观知识的结合,以保证鉴定、评估、验收、转化、奖励等工作的客观、公正、权威和科学。

(3) 导向作用。查新报告反映出的国内外研究动向,对科技人员具有一定的指导意义。通过查新,可以了解国内外有关科学技术的发展水平、研究开发方向;是否已研究开发或正在研究开发;研究开发的深度及广度;已解决和尚未解决的问题,等等。对所选项目是否具有新颖性提供客观依据,为科技人员进行研究开发提供可靠而丰富的信息,因此,对科技人员具有导向作用。同时,查新结论对科研管理部门的决策也起到参谋作用。

(4) 协同作用。科技查新在科研管理工作中发挥着重要的协同作用,它激发和深化了科研管理、科技人员和情报人员的共同协作意识。这三者都是科技工作的组成部分,查新密切了三者的联系,共同在科学进步与发展中做出自己的贡献。

二、科技查新与科技创新评价

科技查新咨询机构已成为国家和各部委科技管理的有效支撑,科技查新作为科技成果创新性的评价服务形式已成为科技成果评价和科技立项中必不可少的评估环节。科技查新信息咨询服务为科研立项、正确评价科技成果提供了科学、可靠的依据,但科技查新作为科技信息咨询服务的内容之一,也有其优势和缺点,需要将科技创新管理和技术评估的理念贯穿于服务的过程中,与其他科技创新手段相结合,才能更大范围地扩展科技查新的作用。

1. 科技创新的概念和分类

(1) 科技创新的概念。根据最早提出技术概念创新的美籍奥地利经济学家熊比特对创新的定义,创新是新的生产函数的建立,即企业家对生产要素的新的组合,也就是把一种从来没有过的生产要素和生产条件的新组合引入生产体系。根据这个定义,创新又可以分为技术创新、管理创新、制度创新等。

(2) 技术创新的分类。根据英国苏塞克斯大学科学政策研究所的分类,技术创新分为渐近的创新、根本的创新、技术系统的变革和技术—经济范式的变革。根本性创新是指在观念上有根本突破的创新。它一般是研究机构长时间深入研究的结果,常伴有产品创新、工艺创新和组织创新的连锁反应,可在一段时间内引起产业结构的变化,属于创新的质变过程。渐进的创新是指渐进的、连续的小创新,一般是在应用或者研究的过程中对原始创新进行逐渐的积累,属于创新的量变。

根据技术创新的组织方式不同,可分为独立创新、联合创新和引进创新。独立创新是指从事技术创新的单位或个人,自行研制并组织生产和销售。独立创新对于机构或者企业的研究能力要求较高。联合创新是由若干单位相互合作进行的技术创新活动,往往具有攻关性质,可以更好地发挥各方优势,但这种创新活动涉及面较广,组织协调及管理控制较为复杂。引进创新是从事技术创新的机构从外部引进必要的技术、生产设备或其他软件,再此基础上的自行创新。这种创新开发周期相对较短,创新的组织实施有一定的参照系,风险性相对降低。

2. 我国科技评估的发展概况

(1) 科技评估的作用。科技评估是指对各种形式的技术创新活动或者项目进行的评价行为。科技评估自产生以来,在评价科研立项、规范科学活动、评估科研成果中发挥了重要作用。科技评估在西方一些国家已经有几十年的历史,它产生的主要动力是政府科技管理职能的需求和公众对公共资金去向的监督。由于我国在建国后的计划经济体制下,并未建立完善的科技评价体系,在改革开放以后,我国也开始进行改革科技体制,尤其是在20世纪90年代初,决策的科学化、民主化进程加快,为适应政府职能转变和科学计划管理的需求,促进科技资源优化配置,启动了我国的科技评估工作,也是在这个时期,科技查新工作得到了发展。

科技评估增强了科技管理中决策的科学性,为科学决策提供了运作基础,极大地优化了决策过程;同时增强了科技管理部门运用科技政策、科技计划等宏观杠杆调节、配置科技资源的能力,增强了对项目执行过程监控和对其绩效考核的科学性。此外,完善的科技项目评估技术方法体系,尤其是中期评估、验收评估和追踪评估技术体系,从制度上加强了对公共科技资源使用情况的监督,能够健全科技资源使用责任机制。

(2)科技评估方法。科技评估整体包括评估准备、评估设计、信息获取、评估分析与综合、撰写评估报告等评估活动全过程的集成性技术方法体系,由评估方法与程序、评估指标体系、评估模型、评估专家等要素组成。评估方法包括同行专家评议、文献计量、回溯与案例分析、定标比超、层次分析法等。

3. 科技查新在科技评价中的作用

(1)科技查新与科技评价。查新是对科技项目的创新进行基于文献、专利、权威公开的现状评述,但对于市场、经济、社会的贡献无法评估。由于文献、专利的主要对象是技术创新,因此科技查新的主要应用领域为对科技项目的评估。

科技查新工作的性质和任务决定了科技查新必须按照科技规划管理与科技创新的发展规律进行。在科技项目的不同管理阶段提供不同的信息服务模式,针对技术的不同生命周期给予不同的决策建议,深化扩展查新功能,提供切合需求的最终产品。

在科技政策规划的初期,积极同科研管理部门配合,进行相关技术的筛选与评估优选工作,对重大技术进行技术预见与技术线路图研究,为科研管理部门提供参考信息。

在立项阶段,配合科研人员课题申报工作,为科研人员全面收集国内外信息,进行技术新颖性评价和重点研究指标、技术方法分析,根据创新层次给予科研管理人员和评审专家以建议参考。在项目实施阶段,对重点创新项目进行跟踪服务,了解国内外同类研究进展信息以及竞争对手技术创新信息,为项目的顺利完成做好保障工作。在成果完成阶段,根据国内外同类研究成果对项目进行创新性技术价值评估,并对下一步继续研究和成果转换提出建议,对成果的发展进行追踪,为延续性创新提供信息支持。

(2)医学科技查新的创新评价。在科技查新的业务实践中,需要针对不同医学项目创新类型进行文献检索和创新点对比。医学科学研究的创新存在不同层次的创新类型,可分为两大类:第一类是原始创新,主要为基础研究,其核心是对所在研究领域中基本概念的创新或突破、新方法的建立、新领域的拓展等;第二类是应用创新,主要包括应用基础研究和大部分应用研究,其主要表现在对现有概念、理论、方法等的补充改良和开发应用研究。

三、科技查新与学术不端行为

美国官方2000年对不端学术行为的定义是:伪造、篡改和剽窃。广义定义还包括其他不符合科学规范的行为,例如作者署名权的错误使用、一稿多投等。

学术不端行为就像是白布上的污点,要达到洁净如新的效果必须采取强力措施。美国国立卫生研究院的研究诚信办公室认为:要阻止不端行为的发生,根本在于预防。科研人员要以平和心态对待科研,不要好大喜功;科技管理部门应把学生诚信工作列为重点内容,优化学术环境,完善、加强学术规范和监督机制。

医学科技查新机构应该在项目立项、成果鉴定查新、报奖查新等环节,辨识委托材料的真实性,对学术不端行为起到甄别、监督作用和警示作用,有利于净化科研竞争环境,充分发挥科技查新的作用和价值。

1. 生物医学领域存在的学术不端行为

在生物医学领域也存在造假行为,且不是个例,其普遍性令人吃惊。如可能会报告一个从没有做过的实验,描述根本不存在的患者,或者篡改数据以使研究结果看起来更完美、更令人信服。

无论是国际还是国内,生物医学领域都存在着大量的学术不端行为,对科学的严谨性、真实性与权威性构成威胁,而医学领域造假,则后果更加严重,因此必须有效防范和打击。

2. 科技查新甄别学术不端行为的必要性和手段

生物医学实验难以准确重复、成本高昂、个体差异大,这是造成学术不端行为频发的一个原因。医学领域学术造假的危害是难以估量的。经验表明,科技查新对科研越轨行为具有不可忽视的监察作用。

论文抄袭者或学术造假者的最终目的,是通过发表论文、特别是评奖,达到晋职、晋级或捞取名利的目的。因此,查新咨询作为科研管理的一个必经程序,可通过对文献全面检索、综合分析,发现某些科研越轨行为,起到监察的作用。

(1)对委托查新资料真实性的认定。随着学术造假手段的不断升级,对学术不端行为的防范也需要有相应的对策。目前我国对科研成果的奖励种类比较多,而报奖材料的审核往往不够严格。查新站在受理查新之后,有必要首先对委托人提供的论文、专利、研究报告等的复印件进行真实性认证,对抄袭、弄虚作假的查新委托材料,应该按照规定处理;而对抄袭虽不多但在研究设计、实验结果、结论部分等关键部分雷同或类似的委托查新项目,则可以直接否定其新颖性。

只有在委托查新材料的真实性得到确认的前提下,才可进行下一步骤的查新。医学科技查新机构有义务、责任并且也应有能力做好查新申报材料的真实性认证。

(2)完善查新制度管理。从我国查新咨询工作的发展历程来看,由于管理体制尚不健全,没有统一的查新咨询管理制度和基本法规,存在着各行其是的弊端。

目前国内各单位受理查新申请,均由查新委托人个人提出,不需单位的介绍信或证明。实践中,就不能避免有些查新委托人,会因为一个查新单位出具的查新结论不理想而私自另换查新单位,以得到有利于自己的查新结论的情况,而委托人单位则无法知情。

为加强与科研管理部门的协调,建议查新单位受理课题查新时,应要求委托人提供单位出具的证明,或由单位集体报送。查新报告完成后必须交给委托单位,而不直接与该课题的委托人接触。其好处是,一方面可以防止或减少查新委托人因结论不满意而另换他家的弊端,同时有了问题单位能及时知晓,也更有利于查新咨询结论的公正性和客观性,保证查新咨询工作监督作用、科研导向作用的发挥,委托查新单位也能够及时了解课题查新的实际结果,从而有利于科研管理。

(3)深刻认识查新咨询的重要意义和责任。无论是科研管理部门还是科研工作者、查新员,都应该充分了解和认识查新咨询工作的重要性和必要性,重视这项工作,在科技查新所涉及的任何一个环节,都要严谨、认真,不能把科技查新当成是走形式。

(4)甄别学术不端行为的手段。目前国内多数编辑部使用了不同机构研发的"学术不端检测系统"进行文字重复性检测,对抄袭论文的发表起到了一定的遏制作用,但仍不能排除抄袭论文的漏网和存在。查新机构在受理查新时可应用这类学术不端检测软件进行抄袭论文的甄别。

①应用"学术不端文献检测系统"。通过学术不端检测软件可对大部分抄袭论文进行

有效的识别,如清华同方开发的"学术不端文献检测系统"可准确给出复制的文字、百分比和来源文献,对抄袭论文很容易识别。

有些论文虽然抄袭、雷同的部分不多,但检测后可以发现,在"资料与方法"、"结果"、"结论"等关键部分为抄袭内容。由此也可以断定,该篇论文的性质是完全的学术造假行为。

②通过检索发现抄袭或伪造论文。目前国内的学术不端检测软件还只能识别文字重复,而对图、表的重复则无能为力,需要查新者通过阅读全文来判断。

从题名中抽取关键词进行查重,容易发现相同内容的论文。当发现题名、关键词、作者相同或基本相同,或作者同属一个作者单位时,一定要查阅全文,进而判断论文的主要数据和结论是否相同或基本相同。对个别题名不太相同者,则先要阅读对比其摘要,怀疑重复或抄袭则应查阅全文,并特别要注意图表中的数据。抄袭的论文,数据结构往往都与被抄袭论文完全一致。

第二节　医学科技查新方法

一、医学科技查新的主要类型

1. 科研立项查新

科研立项是科学研究的第一步,科研立项设计必须把握好研究项目具有新颖性、先进性和实用性。在立项研究前必须进行科学的评估,才能保证准备研究的课题将来具有一定的质量和水平。医学科研立项前查新的目的在于为管理部门和评审专家提供客观的文献依据,能够真实地反映出这些项目在国内外的研究现状和进展情况;避免简单重复的研究,避免人力、物力和资源浪费,尽量将有限的经费运用到更有价值的研究项目中去。也使医疗卫生科研人员在开题前更能全面细致地掌握课题的相关文献信息,以达到优化该科研项目的设计目的。同时也以缩短科研立项和出成果的周期和少走弯路为目的。科研立项查新要求科研人员本人填写查新检索咨询委托单,提供科研立项申请书,其中包含有全面、充分的研究背景、明确的研究目标和具体的研究内容以及出成果的期限等。当然,查新技术人员也有为科研人员技术保密的义务,保证不会对所提供的资料泄密。

2. 科研成果查新

医疗卫生的科技成果查新是在申请成果鉴定之前,由客观的资料来证实该成果的创新性,为成果评审鉴定专家提供第三方的相关旁证材料。它有利于帮助评审鉴定专家客观公正地对该成果作出评判,减少失误,保证该成果的水平能得到恰如其分的评价。医学科技成果查新是申报卫生系统科技成果奖的条件之一,也是成果鉴定和评审的重要依据。它还可以增强科学的严肃性,真实地反映医疗卫生科技成果的新颖性和创新性。医疗卫生科技成果查新需要对成果的方法、结果、结论的新颖性进行全面系统的文献检索,检索的文献范围广、类型多,要求查找出与该项目成果最为密切的相关文献进行比对分析,并由此证明所申报的成果具有先进性和创新性。因此,医学科技成果查新委托人查新时应提供成果申报书的相关内容,包括该申报成果鉴定或报奖的主要研究内容,技术关键、实施方法、技术指标、创新的技术特点和结果、结论的新颖性等。还需要提供在国内外已经发表的论文科研成果鉴定。评审之前,需要通过查新为查证科技成果的创新性和判断科研成果在国内外相同或类似研究中的技术水平、先进性、创新点提供文献依据,目的在于帮助评审专家客观、公正地评价研究成果,减少评审失误,保证成果的质量,实事求是地反映科研水平。论著或批准颁发的专利证书,最好同时提供所发表的论著被他人在期刊中引用的情况证明,这样更有利于评审专家对课题作出更准确的评价。

一、科技查新的新颖性及其判断

1. 新颖性概念

新颖性是指在查新检索开始日以前查新项目的科学技术内容部分或者全部没有在国内外出版物上公开发表过。按照定义,科技查新中新颖性的含义涉及:①界定新颖性的时间,是以查新委托日为界限;②鉴定新颖性的范围;③确定新颖性的内容,是查新项目的科技内容部分或全部。因此,查新的新颖性是一个相对变化的概念,它和查新时间、数据库选择、数据库覆盖时间和查新项目自身内容都有关系。

2. 新颖性判断原则

(1) 相同排斥原则。相同排斥原则是指将查新项目和检索出的文献进行对比,若存在"同样的成果",则项目不具备新颖性。即查新项目的立题目的、技术领域、技术解决方案以及所获得的效果均与文献报道的现有技术相同。那么,该项目缺乏新颖性;反之,新颖性成立。

(2) 单独对比原则。单独对比原则是要求将查新项目的查新点与每一份技术内容相关的对比文献单独进行比较来判断新颖性,而不能将它与几份对比文献内容的组合进行比较。

(3) 上下位概念否定原则。上下位概念否定原则指在同一科学技术主题中,具体(下位)概念的公开可使一般(上位)概念的查新项目丧失新颖性。

(4) 突破传统数值范围原则。突破传统通常用于数值范围的判断,主要是指若在现有技术中公开的某个数值范围是为了告诫所属技术领域的技术人员不应当选用该数值范围,而查新项目却正是突破这种传统而确立该数值范围。那么,该项目具有新颖性。该原则也可扩展应用到其他技术创新点的评价,如技术路线、方法等。

(5) 文献公开时间为先原则。文献公开时间为先原则是指委托人发表的与查新项目相关的文献与检索到的他人相关文献在公开时间上进行对比,如果两个文献的实质内容相同,则公开时间早的文献否定公开时间晚的文献。也就是说公开时间晚的文献缺乏新颖性。

三、科技查新程序和方法

查新点是从项目报告、项目简介中抽取,用最精炼的语言表述出来的技术关键、技术创新点。查新过程需要提炼(对于查新委托者)查新点,理解查新点。查新点可以在研究论点、研究目标、研究模型、技术路线、技术内容、技术手段、技术指标等方面提炼、选择。明确查新点可以细化主题,为选择数据库和制定检索策略做细致的准备。这对政策性、思想性、技术性和科学性的要求都很高。

1. 查新受理

（1）受理查新委托。查新机构在受理查新委托时，参照下列步骤进行：

①判断待查新项目是否属于查新范围；判断查新项目所属专业是否属于本机构承担查新业务的受理范围。查新机构可以受理的查新业务（在获准的专业范围内）包括：立项前需要查新的；研究、开发、转化和技术转移过程中需要查新的；国家及地方有关规定要求查新的；其他需要查新的。

②确定查新员和审核员。

③初步审查查新委托人提交的资料是否存在缺陷，是否符合查新要求。判断查新委托人提交的资料内容是否真实、准确。

④判断查新委托人提出的查新要求能否实现。

⑤确认能否满足查新委托人的时间要求。

⑥初步判别查新项目的新颖性。

（2）签订合同。若接受查新委托，查新机构应当与查新委托人订立查新合同并履行查新合同。查新合同的条款包括：查新项目名称；查新合同双方各自的基本情况；查新目的；查新点；查新要求；查新项目的科学技术要点；参考文献；查新委托人提供的资料清单；合同履行的期限、地点和方式；保密责任；查新报告的适用范围；查新费用及其支付方式；违约金或者损失赔偿的计算方法；解决争议的方法；名称和术语的解释等。凡有保密要求的委托人，应主动向查新员提出，并在查新合同上注明保密期限，特殊要求保密的可根据国家有关规定与查新单位签订项目技术内容的保密合同。

如果委托人不能明确阐述查新项目的科学技术要点或查新点，查新机构可以拒绝查新委托。查新项目的科学技术要点主要包括查新项目的主要科学技术内容、技术特点、技术参数或指标、应用范围等。查新点是指需要查证的内容要点，是查新课题内容要点中具有新颖性的地方，和查新结论密切相关。能否简明扼要、客观地阐述查新项目的科学技术要点、查新点，不仅关系到查新结论，同时也是申请课题能否获准资助的关键。为了使同行评审专家认可，委托人一定要将当前国内外在该领域内的研究内容，采用的理论、方法、技术已达到的研究程度和水平，以及存在的问题和研究趋势阐述清楚，然后再提出申请项目在这个领域内所要研究的内容，采用的理论、技术、方法，以及这些理论、技术、方法与以前或别人的有什么不同，新的观点、方法、理论是什么。阐述时不宜过宽、过泛或过于笼统，切忌故意遮掩事实，将模仿部分与创新部分混为一谈，对研究课题的创新性给予不切实际的评价。

2. 文献检索

（1）确定检索年限。科技查新年限一般在 10~15 年。医学专业科技查新最低回溯时间一般为 10 年。但由于医学各学科发展速度不同，在具体查新中，可根据不同学科、不同课题和用户特殊要求，在最低时限基础上进行调整。

（2）确定检索范围。根据查新课题所属内容，选择具有针对性、覆盖面广、权威性强的检索刊物、数据库和 Internet 网上相关站点作为检索范围。随着电子化信息数量的不断增加和对纸本文献的覆盖，在现代的查新实践中一般都使用数据库为主要的检索目标。

（3）制定检索策略。制定检索策略时要注意以下几点：

①查新人员要和委托人员认真交换意见,充分理解课题内容来确定检索词和检索策略。注意检索词的全面性、专指性和一致性,还要考虑到同义词和习惯用词等。

②尽量使用分类号检索,避免漏检。

③检索结果为零时要进行检索词调整或扩大检索范围等方法进行非零化处理。当检出文献太少时应当扩大检索范围;当检出文献过多时应当优化检索策略,缩小检索范围。

3. 文献对比分析

在认真阅读、领会所检索到的相关文献的基础上,对照查新点,按照内容和技术要素,逐项进行对比分析;在此基础上,再从整体上进行综合分析,对整个项目的新颖性作出判断。在分析对比文献时,要针对课题的主要技术内容、技术特点、技术指标进行分析,以审核该课题是否有实质性的创新,研究的深度、广度如何,主要技术指标相比之下如何等。

4. 出具查新报告

查新报告是以文献为依据得出结论,按照规范的格式撰写成的查新工作报告,也是查新工作成果的最终体现。内容应当符合查新合同的要求,并做到客观、公正、全面。具体内容包括:

(1) 基本信息。查新报告编号、项目名称、委托人、委托日期、查新机构的名称、地址及联系方式、查新员和审核员姓名、完成查新报告日期等。

(2) 查新目的。

(3) 查新项目的科学技术要点。以委托人在查新合同中提供的项目简介和查新项目的科学技术要点为基础,分析、归纳,进行扼要阐述。

(4) 查新点与查新要求。查新报告中的查新点和查新要求与查新合同中的一致。查新要求是指查新委托人对查新提出的具体愿望。一般分为以下四种情况:①希望查新机构通过查新,证明在所查范围内国内外有无相同或类似研究;②希望查新机构对查新项目分别或综合进行国内外对比分析;③希望查新机构对查新项目的新颖性作出判断;④查新委托人提出的其他愿望。

(5) 文献检索范围及检索策略。列出查新员对查新项目所使用的数据库、检索工具、检索年限、检索策略等。

(6) 检索结果。这一部分应反映出命中的相关文献情况及对比分析的客观情况,并以标准著录格式著录文献,内容包括:对所检数据库和工具书命中的相关文献情况进行简单描述;依据检出文献的相关程度,分国内、国外两种情况分别依次列出;对所列主要相关文献逐篇进行简要描述(一般可用原文中的摘要或利用原文中的摘要进行抽提),对密切相关文献,可节录部分原文并提供原文的复印件作为附录。

(7) 查新结论。

①《科技查新规范》对查新结论内容的规定:查新结论是查新工作的核心,是一系列严谨细致工作后得出的最终情报评价结论,应详细具体、实事求是。《科技查新规范》对查新结论内容的规定包括:相关文献检出情况;检索结果与查新项目的科学技术要点的比较分析;对查新项目新颖性的判断结论。

②查新项目新颖性及其判断原则。查新项目新颖性不是指项目研究水平的高低,而是指在查新委托日以前该项目的科学技术内容有没有部分或者全部在国内外出版物上公开发表过。

第一,相同排斥原则。在查新中,对"同样的项目"采取"相同排斥原则"。同样的项目是指科学技术领域和目的相同,技术解决手段实质上相同,预期效果相同的项目。如果查新项目的某一查新点在科学技术领域和目的,技术解决手段实质和预期效果均与已公开报道的某一文献相同,那么该查新点缺乏新颖性,反之,则新颖性成立。第二,单独对比原则。所谓"单独对比",是指将查新项目的查新点与已公开报道的文献的相关内容进行单独对比,不得将其与几篇对比文献的内容组合进行比较。第三,具体(下位)概念否定一般(上位)概念原则。在同一科学技术主题中,具体(下位)概念的公开即可使一般(上位)概念的查新项目丧失新颖性。第四,突破传统原则。通常用于数值范围的判断,主要指如果在现有技术中公开的某个数值范围是为了告诫所属技术领域的技术人员不应当选用该数值范围,而查新项目却正是突破这种传统而确立该数值范围,那么,该项目具有新颖性。

③查新项目新颖性的判断结论。查新工作的目的是为科研立项、成果评审等科技活动的评价提供科学依据。查新结论作为课题立项中的重要参考依据几乎已经推广到各级各类科研管理中。但是,在理解新颖性、看待查新结论的问题上,许多科研人员甚至科研管理人员仍然存在一些片面或者错误的观点。比较普遍的是,查新委托人迫切希望查新人员能在查新结论部分给出"未见报道"的评价,以增加课题中标或获奖的可能性。委托人希望课题获得立项或者获奖的心情可以理解,但查新结论中的"尚未见报道"或"已有报道"不能作为课题是否能立项或获奖的直接依据,更不能作为唯一依据。

应当承认"未见报道"可能表明该课题具有较高的创新性,很多课题都是因为"未见报道"而立项。然而,也有很多"未见报道"的课题是不宜立项的,因为它们可能根本不具备可行性或者没有任何应用价值。例如,理论上现有的仪器设备难以观察到稳定的数据而无法开展的研究;课题组人员所在单位研究条件限制,无法达到预期目的的研究;课题没有可以预见的价值,不宜投入宝贵科研经费的研究;课题过时或者陈旧,已经被学术界否定或者公认不值得的研究等。查新结论"已有报道"说明课题的主要设计思想不是由申报者首次提出的,因此常被认为没有创造性而成为否定课题立项的依据,但是,单纯以此作决策具有片面性。科学发展史证明,因为客观世界的复杂性,很多重要的科研成果都是经过多人多次的努力攻关才取得满意的科学结论。有些课题甚至经过学术界几十年的争论,仍然无法取得一致的结论;有些课题前人提出创意,后来的科学家通过更深入的研究又有了新的发现,开创出新的研究领域。所以,很多有报道的课题也是可以立项的。例如,课题本身具有重大的社会、经济效益或者科学价值的研究;为降低实际应用风险而需要开展的同类研究;需要全国或世界范围联合行动的计划项目等。

综上所述,正确的查新结论是科研立项或成果获奖的重要参考依据。科研课题能否成功立项需要综合考虑,全面评估项目的创新性、应用价值、研发能力、经费预算等各种因素,需要查新机构、专家评审委员会、科研管理部门等各环节的有关人员共同把关。查新人员有责任努力做出具有科学依据的查新结论,评审专家、科研管理部门以及查新委托人亦应当客观地看待查新结论,避免片面而导致决策失误。

(8) 查新员、审核员声明。

(9) 附件清单。主要包括密切相关文献的题目、出处以及原文复制件;一般相关文献的题目、出处以及文摘。

5. 查新结果审核

查新报告完成后,查新员需将全部查新材料提交给审核员作最终审查。审核员应具有高级技术职称。经审核员审查通过后,才可以在查新报告上签字、盖章,并正式交付委托人。经审核不合格的查新报告,审核员或委托人有权要求重查。

6. 提交查新报告

完成查新报告后,打印一式数份,一份归档保存,其他的查新报告及其附件按查新合同规定的时间、方式和份数交付给委托人。

7. 查新文件归档

查新员按照档案管理部门的要求,及时将查新项目的资料、查新合同、查新报告及其附件、查新咨询专家意见、查新员和审核员的工作记录等存档保存。

第三节 医学科研论文的基本结构与要求

医学论文是医学学术论文的简称。它讨论和研究医学领域中存在的问题、新发现,对客观事物研究结果进行记载和分析。它记载人们社会实践的足迹及探索真理的过程,反映了科研工作的水平和价值,也是科学工作者之间进行学术交流的文字资料,是一次文献形成的过程。撰写医学论文是科研工作的重要组成部分,是科研人员基本素质的体现,也是培养和造就医学专业人才的有效途径。论文水平的高低也是衡量专业技术人员业务能力和学术水平的重要标志。

一、医学论文写作要求

医学论文担负着积累医学资料、交流医学情报和推广运用科技成果的使命。它直接指导医学理论的探索与发展,并指导防治疾病的实践。因此,必须以严谨的科学态度对待论文的撰写。究竟如何写好医学论文,用什么标准去衡量论文的质量呢?通常应注意下列基本要求。

1. 科学性

科学性是医学论文的关键。一篇医学论文的科研设计、所采用的研究方法、搜集的资料、对数据的统计分析及其结论是否真实地反映客观事实,只能依其科学性来判断,依其是否反映客观真理和有效地指导实践来检验。论文最忌主观、片面和虚设。因此,论文中的任何数据和语言表达一定要实事求是,绝不能为提高论文的身价而臆造,也不能违背逻辑推理的原则去追求理想的结论。如事物间是否有差异,是显著性还是非显著性差异,虽然只是"是"和"非"二字之差,却反映了事物的本质。为此,对实验观察、资料统计要认真细致,遇有含混不清时,该重复的一定要重复,不能持马虎的态度,不能以"大概"、"可能"来代替科学结论。总之,论文一定要把好科学性这一关。

2. 先进性

先进性是论文的灵魂,是决定论文质量高低的主要标准之一。先进性表现在四个方面:①在同类领域中提出了新理论、新概念、新原理,或者在原有的基础上有新的发展;②

在同一原理的基础上有新方法、新手段、新技术的创造;③发现了过去没有发现的新事实、新现象,提供了新的数据和实验结果;④对原有的技术方法在不同领域和不同地区有新的应用,取得了较好的经济效益或社会效益。

3. 学术性

一篇医学论文没有学术性就失去了科学论文的资格。所谓学术性,就是论文侧重于对事物进行抽象的、概括的叙述或论证,基本内容不是客观事物的外部直观形态和过程,而是事物发展在内在本质上发展变化的规律,它致力于表现事物的发生、发展和变化的规律性。

4. 实践性

理论源于实践,并接受实践的检验。医学论文中的研究结果是否具有"可重复"性,是否具有指导人们认识客观世界并能动地改造客观世界的效果,也是检验论文的质量的标准之一。如果他人采用同样的实验方法均不能重复得出该项研究结果,这样的论文既没有科学性,也没有实践性,是没有任何应用价值的。

5. 可读性

一篇好的医学论文,应该是概念清晰、表达准确、文字简练、层次分明、重点突出、符合规范、用词恰当、语句通顺,使人读后兴趣盎然,而不是枯燥难懂。

二、医学论文的分类及其特点

医学领域的社会实践内容十分丰富,不但涉猎的专业范围广泛,而且社会活动、研究方式、观察角度也多种多样,从而导致医学论文格式的多样化。从文章体裁上来看,医学论文属于议论文,尽管病例报道属于纪实性文体,但也离不开作者的观点和议论。根据作者研究的领域、专业、性质、研究手段和目的的不同,可将医学论文大致按照四种方式进行分类。

1. 按论文的专业性质分类

(1) 自然科学论文。这类论文包括医学学科中的基础医学论文、临床医学论文等。

(2) 社会科学论文。这类论文包括医院管理论文、医学社会学论文、医学哲学论文等。

(3) 教育科学研究论文。这类论文包括教育科研论文、教学成果论文等。

2. 按论文的专业性质分类

(1) 基础医学研究论文。这类论文包括人体解剖、组织胚胎学、生理学、生物化学、病理学、药理学、微生物学、免疫学、寄生虫学等学科的论文。

(2) 应用医学研究论文。

①临床医学论文,包括诊断、医疗、护理等方面的内容。有理论研究、临床经验、技术报告,以回顾性的总结分析性论文居多。

②预防医学论文,包括卫生保健、防疫、流行病学调查等。

3. 按论文的研究手段分类

(1) 调查研究。调查研究指在一定的人群内对某种疾病等的发病情况、病因病理、防治效果、流行病学进行调查,并对防治方案提出评价的论文。分为现状调查、回顾调查、前瞻性调查和追踪调查。

(2) 观察研究。观察研究指不附加人工的处理因素,对一定对象进行观察,如临床新的诊断、治疗技术的应用情况的观察、评价。

(3) 实验研究。实验研究指用人工处理因素给予受试的人或动物,使之产生特定的症状及疾病,观察分析其生理及病理变化,如临床试验和动物实验。

(4) 总结经验性研究。总结经验性研究指综合既往的资料和自己的实验观察结果,作出分析和结论。如临床病例分析、临床病理研究等。

(5) 资料研究。资料研究指对既往的资料通过统计学处理后再进行分析,如死因调查等。

4. 按医学论文的功用分类

(1) 学术论文。学术论文指在刊物上发表或学术会议上交流的论文。

(2) 学位论文。学位论文指为申请学位,用于答辩与评审的论文。又分为学士论文、硕士论文及博士论文。

总之,在医学领域范围内,只要亲自参加实践,善于发现问题,勤于动脑、动手,无论是什么专业题材,什么经验、体会等素材都可以写成文章、发表论文,撰写论文并非高不可攀。

三、选题与设计

科研的选题和设计是决定医学论文质量高低的两个先决条件。选题是医学论文写作的第一步,也是关键的一步。选题好坏,对论文是否具有吸引力,读者是否愿意阅读,是否被编辑部采用都起着重要作用。

1. 选题的原则

选好、选准研究课题,等于论文写作成功了一半,"题好一半文"就是这个道理。选择有研究价值、顺应物质生产和精神文明建设需要的课题,就大致保障了论文的质量。培根说过:"跛足而不迷路能赶过虽健步如飞但误入歧途的人。"选题不当常导致科研失败或总结不出有价值的成果;如果选择了自己不熟悉的课题,会使你无从下手,"啃不动",甚至导致科研工作中途夭折。课题本质上就是需要研究、探讨并力求解决的矛盾和疑难问题。

科研课题起源于问题。爱因斯坦说过:"提出一个问题往往比解决一个问题更重要。"没有一定的创造性思维和想象力,就不会选出高质量的科研课题。选题要符合需要与可能相统一的原则,即既有学术价值和应用价值,又符合客观规律并能实现。具体地说应遵循以下五个原则。

(1) 需要性原则。我国现行的科技政策是"加强应用科学的研究,重视基础科学研究",为面向实际、按需选题、讲求社会、经济效益指明了方向。应该指出,某些基础研究课题,一时看不出什么应用背景,不能直接为现实服务,但它是新发明、新科技的先导,也不可忽视。

(2) 创造性原则。创新是科研的灵魂。创新性是指选题的新颖性、先进性,它所反映的学术水平能推动该学科的发展。它要求所选课题应是国内外还没有人研究或没有充分研究的问题;如果是别人也在研究的问题,则起点要高,要在原有的基础上有所发现而不是单纯重复别人的研究。要有创新就要不迷信权威、书本、传统观念,要像李政道先生说的那样:"要跳到最前线去作战,问题不是怎样赶上,而是怎么超过。"要做到这一点,应该充分发挥想象力和假说,想象力比知识更重要,而假说则是科学家的天梯。要选好具有创新性课题,最好寻找各学科之间交叉和渗透所产生的空白区。"处女地"问题最多,最需要去开垦与耕耘。要寻找课题与课题之间容易被忽视或视为畏途与力不可及的空白区或薄弱环节。这类选题难度较大,可供借鉴较少,但也为施展才华、建功立业提供了广阔天地。

(3)科学性原则。科学性原则是指选题必须符合基本的科学原理和客观实际,也就是说有理论和事实根据。选题必须建立在总结过去有关领域的实验结果和理论的基础上,不能"空想"、"幻想",否则必定误入歧途。选题是用事实和时间去证实科学假说。

(4)可能性原则。研究者应充分考虑研究的主、客观条件,考虑有无实现的可能,各种条件都要考虑俱全。主观条件指人才、信息、经费和实验手段、管理等方面情况。其中学术带头人的学术水平、知识结构,文献资料、情报机构是否能满足需要,经费是否充足等是保证科研正常进行的重要条件。课题要能顺利完成,选题要难易适中。要选择自己熟悉,兴趣大,容易驾驭的课题。课题太大、太难,脱离本单位、个人的条件和基础,会使研究陷入困境。所以,涉及面广、难度大的课题,如生物工程学中的遗传、细胞、基因工程等难度较大的项目选题,一定要慎重,否则实验条件不够,证据不足,又要出"成果",容易导致弄虚作假。

(5)效益性原则。科研课题要社会效益与经济效益并重。有的招标课题是以应用为主,把经济效益放在第一位,要求投资少、见效快,合理利用自然资源,讲求经济实用。一些在控制人口增长、老龄化、环境治理等方面的研究,则以社会效益为主。对于具有基础理论价值的研究,主管科研的部门也很重视,它们的效益是从长远的观点来看,所解决的理论问题可能在今后的几十年或更长的时间内对人类认识疾病、征服疾病起着重要作用,这就是远期效益。

2. 科研选题的方法

选题的基本过程是:首先提出问题,即在实践中勤思考,发现问题,提出问题,形成初始意念或者说产生思想火花;然后,查阅文献形成假说,对假说进行初步论证;最后确立题目。

对于大学生和研究生来说,由于缺乏实践的机会,除了在阅读过程中发现问题外,主要依靠导师的帮助和指引寻找课题。有时是为完成上级下达的科研项目而建立的课题,如省、市课题,往往是一些重大的热门课题或攻关课题。也可以找冷门课题,寻求空白,"别人未想到的我先想到,别人未看到的我先看到",发挥智慧和想象力,以创新精神出奇制胜。选题最忌"人云亦云"、"拾人牙慧"。在科学实践中往往会出现意外的反常现象,很可能是形成新研究课题的好机会。要发挥洞察力,探查它背后是否隐藏着起支配作用的规律。"留心意外之事"是研究工作的座右铭。不但有学识而且要有思想准备,才能抓住机遇。法国细菌学家尼尔说:"机遇只垂青那些懂得怎样追求她的人。"巴斯德曾说过:"在客观的领域中,机遇只偏爱那种有准备的头脑。"绝大多数生物学和医学上的新发现都是意外捕获的。总之,要想寻找好的课题,就要动手实践,多做实验,仔细观察,发现问题,否则课题将是无源之水,无本之木。

3. 科研的设计

科研设计是为了实现所选题目而制定的行动方案,是对课题的目的、内容、方法、预期结果的设想和具体安排。只有在着手实验之前周密考虑、精心构思、严密设计,才能取得科研的成功，否则在着手写论文时缺乏关键的实验资料，不得不补充实验和调查，不但耽误了时间，而且随着实验条件的改变还可能得出矛盾的结论。

医学科研设计包括专业设计和统计学设计。前者保证研究工作的目的性和先进性，后者保证研究结果的可重复性与经济合理性。由于医学分支较多，可分为多种不同的专业，其设计方式也有所不同。如基础医学与临床医学、流行病学的特点就不相同，即使在基础医学中，机能学科与形态学科的特点也各不相同。课题的前瞻性研究和回顾性研究也不相同。故设计的规律虽不大相同，但是它必须涉及以下两个基本因素。

（1）受试对象。受试对象（实验对象）可以是人、动物，也可以是血液或人体组织，所有的受试对象应具有同质性、可比性。如临床病例选择要求年龄、性别、治疗、诊断等都应有明确的规定和标准；实验动物要注意选择种属、年龄、体重相似且合格的动物；人体组织则注意选择诊断明确、病史清楚、完整的病例。

（2）实验基本原则。

①设对照组。其目的是排除种种非实验性因素的干扰。对照的要求是齐同对比，即除了实验因素外，一切条件两组应尽量相同。如对照组与实验组结论相同则说明实验有干扰因素存在，其结果不可信。第一，空白对照。对照组不给处理与实验组对比。第二，实验对照。实验组给实验与非实验因素，而对照组只给非实验因素。第三，有效对照。一组给公认的方法，另一组给新方法，又叫"标准对照"。第四，配对对照。配对对照有两种形式，一种是自身前后对照，另一种是将条件相近的两组分成对子进行对照。第五，组间对照，不同处理的各实验组之间的对照。第六，历史对照与正常值对照。前者用自己过去资料或别人的文献资料与本次观察结果对照，后者用公认的正常值与本次实验所得数值对照。

对照组的样本大小应与实验组相近。尤其是利用动物做机能实验时，因个体差异导致实验数据的改变易被误认为是病变，而引出错误的结论。没有对照组的科研是不可信的，文章不能发表。

②注意条件均衡。除待观察因素外，实验的其余条件应该尽可能均衡一致，使之具有可比性。这一点已在"实验对象"中述及。

③随机取样。科研时，总是从"总体"中抽出一定数量的对象作样本进行研究，找出规律推及总体。为使样本具有代表性，必须缩小抽样误差，这就需要抽取样本时避免人为的主观性，尽量反映客观情况。因此，动物分组、病人分组、病例构成变化均应遵守随机原则，按随机化进行抽样与分组以保证机会均等，顺序随机。

4. 重复几率大

科研结果要保证不是个别现象而是能在多数病例中重复，这是检验实验科学性的主要指标，也是检验科研结果可靠性的唯一方法。为保证可重复性，观察值不能太少。如果是计量资料，样本例数可在10~20例。而对于计数资料，即使设计、条件、误差等控制较好，样本数也需30~100例。精选同质性好的小样本，优于选择庞杂的大样本。对于未加任何控制的庞杂样本，常无法做统计学处理，其重复性不可信。对实验结果进行组间比较，计量资料用T检验，在两组以上时用F检验（方差分析）。

四、科研素材收集

科研论文的材料分为直接材料和间接材料两种,它们是建筑论文大厦的基础。

1. 直接材料

直接材料指科研工作者参加实验时获取的实验、图像、标本、切片、观察记录等,称第一手材料,它们是创造的源泉。不同学科领域和不同实验目的所采用的实验是不同的,常用的实验有定性、定量、析因、对照、模拟等实验方法。

(1) 定性实验。定性实验是研究被测对象具有哪些性质,某个假说是否成立以及某些因素之间相互关系的实验方法。它只要求对被测对象的性质做出是或否的回答,一般不涉及量的关系。它记录被测对象的属性或类别,如血型分布、免疫组化染色反应等。

(2) 定量实验。定量实验是研究被测对象的性质、组成、化学反应强度及其有关因素数量值的一种方法。把研究内容测量出来并用数学方式表示,使科学发现的表达更精确,更有普遍意义。根据其精确程度可分定量和半定量实验。

(3) 对照实验。对照实验是通过比较来提示研究对象的某种性质或发生原因的一种实验方法。即将研究对象作为"试验"组,另外设置一个"对照"组,以此作为比较的对象和标准。然后通过实验进行比较,从而判定"试验"组是否具有某种性质,如比较解剖学实验以及药效试验等。

(4) 析因实验。析因实验是由已知结果去寻找未知原因和分析因果关系的一种实验方法。应用该法时,要力求全面把握影响结果的各种因素。通常是固定可能的影响因素而改变其中的一个因素,依次进行实验,然后进行分析对比。其结果用 F 分析。

(5) 模拟实验。模拟实验是人为地建立或选择一种与研究疾病相似的模型,在模型上进行研究,然后将实验结果类推到原型中去,以揭示其本质和规律。建立动物模型是中心环节。模型必须满足相似条件(模型与原型相似关系)、替代条件(模型能替代原型做实验)和外推条件(从模型实验研究中可以求得原型的信息),三者缺一不可。

2. 间接材料

间接材料即指文献资料,常常通过文献检索获得。按文献加工深度分为一次文献(原始文献或原著)、二次文献(检索工具如索引、文摘等)、三次文献(综述、手册、教科书等)和四次文献(机读文献如光盘、磁带等)。图片、照片等未形成文字的知识又称零次文献。做文献检索首先要了解和熟悉检索工具的具体情况,哪些检索工具收录了所查专题有关文献资料,哪些收录的资料齐全,哪些收录的质量较高,等等,以便及时使用这些检索工具。检索方法包括常用法、追溯法和综合法。

至此,科研的素材收集完毕,可以着手撰写,下面将介绍如何具体撰写论文。

五、论文撰写与格式

论文需要回答以下四个方面的问题:①你研究的问题是什么?这个靠导言交代清楚问题的由来和发展。②你是怎样来解决这个问题的?这就需要说清所采用的材料与方法。③通过研究你发现了什么?这便是文章的结果。④你得出的结论意味着什么?需要联系前任和别人的工作,从理论上加以解释和说明,这就是讨论。国际医学期刊编辑委员会于1992年公布了《对生物医学期刊文稿的统一要求》,简称"温哥华格式"。国内外医学期刊大同小异,其基本格式相同,仅在是否有关键词、文前是否要内容提要以及参考文献书写格式等细节方面略有不同。在投稿时应参考所投杂志的一些特殊要求。下面重点介绍温哥华格式的写法。

1. 篇名

篇名(heading)(题目、标题、文题)居论文之首,概括地表达论文的中心内容,如实地反映出论文的性质、研究的对象和主要观测项目。篇名的拟定必须清楚、精炼、准确、醒目,要求层次鲜明、结构严谨、内容突出,避免笼统、抽象和不确切的篇名。篇名切忌冗长繁杂,以不超过20字为宜,一般不设副篇名。凡有副篇名者应用圆括号或破折号与正篇名分开。篇名中可用已被惯用的缩略字或代号,但不宜将缩略字和原形字同时列出,慎用"的研究"或"的观察"等非特定词。篇名应当是一个句子,表达一个完整的意思。不要使用疑问句,篇名中的数字用阿拉伯数字,但不包括作为名词或形容词的数字。

2. 作者署名

(1) 署名的意义。署名(signature)是严肃而认真的事情,它意味着社会对作者辛勤劳动的承认和尊重,而更重要的是,它反映了一种责任。医学论文的发表,无论其正确与否,都将给社会带来正反两方面的影响,都要经受实践的检验,承担着法律、政治、学术、专利权以及道义上的责任。署名的主要意义在于反映了作者的负责精神。也表明成果归谁所有,便于读者与作者直接联系。

(2) 署名的条件:①作者应是论文内容的设计人,或研究设计的主要责任人,并对论文提出撰写计划;②作者必须参加全部或大部分研究,并对各项观察、获取数据、科研成果有答辩解释能力;③作者必须参加论文撰写,至少参加过论文的讨论,并阅读和修改过论文全文;④作者应对论文负有学术责任及法律责任。作者享有论文的著作权、出版权等,同时对论文的科学性和创造性负有责任。

(3) 署名的形式:作者分为个人署名和集体署名,前者居多,为医学论文署名主要形式。凡能用个人署名的尽可能少用集体署名,集体署名多用于一些规模较大的、多中心(单位)参加的课题协作组。应在文末注明具体责任人或执笔者、整理者的姓名(通常加括号,如×××执笔),以明文类,便于查询。一篇论文的署名作者人数通常没有限制,目前国内外的趋向都是署名作者越来越多。美国国立医学图书馆规定,当作者超过25人时,Medline列出前24名加上最后一名。但国内外出版的医学期刊对文题下所列的作者人数多有限制,一般规定不超过6人,其余作者可用"脚注"形式列出。作者署名顺序按对论文贡献大小顺序排列,投稿后不应再更改。

3. 摘要

摘要是论著类论文、经验交流类论文、病例报告性论文等的重要组成部分,它以准确而简洁的语言说明论著的目的、方法、结果和结论,使读者能以最少的时间了解全文的概貌。

文摘的内容要有科学性及逻辑性,说明有无对照、病例或实验次数,所列数据最好要有标准和统计学检验,对其结果和意义可加以讨论,最后形成结论。凡有提要的论文,文末的小结(或结论)要删除,以免不必要的重复。提要不宜用第一人称,尤其不能用第一人称单独叙述,且不用疑问词、缩写词、公式、图标、注释。

作者在英文摘要撰写前可先写好中文摘要,然后将中文译成英文。英文句中并列的外文词或阿拉伯数字间用逗号分开。英文摘要的篇名、作者姓名、工作单位和关键词均应与中文一致,国人姓名用汉语拼音,姓(全大写)和名的第一个字母大写,两个拼音之间打连字号。力求名次、语法、拼写、含意与逻辑正确。目前,国际上科技期刊通常使用结构式摘要,并统一使用下列单词:abstract(摘要),objective(目的),methods(方法),results(结果),conclusion(结论)。

温哥华格式要求摘要不超过150个英文词,中文的报道性摘要不超过500字,指示性摘要不超过200字。总之,原则是表达清楚,尽可能短。

4. 关键词

关键词(key words)是具有实质意义的检索语言,也是论文中最能表达中心意思的单词或词组,具有代表性、专指性、可检索性和规范性。应选用《医学主题词表》(medical subject headings,MeSH)或《汉语主题词表》中记载的规范性词语。每篇论文用3~8个,不超过10个。关键词不能随意编造和任意选择。

上述四部分为论文的前置部分,下面为论文的主体部分。

5. 导言

导言(introduction)是文章的开场白,应简洁明快,开门见山,一般不超过300字,包括点题、简介目的和总纲。具体内容有:①研究目的、性质、范围,讲清楚要研究、解决的问题是什么。②背景及起点。有关文献、交代问题的来龙去脉,指出知识的空白点或争论的焦点,帮助读者了解课题意义和评价本文的结果。写清立题的根据是导言的核心。③国内外研究的简况及最新进展。④拟用什么方法去解决所提出的问题。无需讲方法细节,仅需交代解决问题的基本途径。在撰写导言时不要与摘要雷同。慎用"首次报导"、"填补国内空白"、"文献未见记载"等词句,也忌用"错误难免"或贬低别人的词语。最好作者不做评价,让读者自己去做。"导言"二字不必写出。

6. 材料与方法

在实验型论文中,通常使用"材料和方法"(materials and methods)作为小标题,在临床研究论文中,这一部分小标题常改为"临床资料"。它是医学论文中一个重要内容,是论文科学性、先进性、可信性和可重复性的重要体现,要求详细具体,真实可信。其内容应包括:①受试对象,指病人、人群、实验动物或其他材料。当受试对象为人体,则用"对象与方法"。临床病例应说明例数、年龄、性别、诊断标准、分期或分型的标准、疗效标准、抽样或分组方法等。实验动物应说明名称、种类、分级、性别、体重、健康状况、分组方法等。病理组织材料则应说明来源、诊断标准、分期、分级等有关内容。②实验因素和效应,临床上包括治疗措施、给药手段与方法、安慰剂与对照剂的使用等。实验室研究包括各种仪器、设备、特殊的实验方法(仪器应注明生产单位、型号、性能)、检测数据的统计处理方法等。

7. 结果

公布通过实验所取得的数据和所观察到的现象即结果(results),是摆事实的过程,是论文的主体部分。其内容应专写实验结果或调查结果,自己的新发现必须是第一手材料,要用统计数据、统计图表或文字描述结果,并进行统计学检验。材料不要加以分析推理,不夹杂前人的工作。结论应有对照及统计学处理结果。对实验中出现的问题,应实事求是地加以说明。不要用含混不清的语言来掩盖无统计学意义的结果,如"有增多(或减少)的趋势","有……倾向"等。

8. 讨论

讨论(discussion)是论文的核心,是最难写的部分,是对实验结果的综合分析和理论的说明。内容应包含以下几点:

(1) 对实验结果进行分析、判断、评价,从感性认识上升到理论认识。应揭示各种观察结果之间的内在联系,强调本研究的新发现、新事实,论述其规律性,而不要重复结论中的内容。

(2) 与前人的工作联系起来,回答导言中提出的拟解决的问题,明确说明是否已达到了预期目的,是否证明了原来提出的假说。这里常需围绕论文主题,以自己工作为基础,援引必要的文献资料来证明自己的观点;或与别人的工作进行比较,分析其异同;或据理反驳某些相反的见解,但要留有余地;不要旁征博引,罗列过多文献而无自己的观点。

(3) 对于一些出乎意料的特征现象或新线索可在讨论中做必要的说明。对于本研究尚存在的缺陷或尚待解决的问题以及今后的设想也可做一交代。

(4) 对于本工作的理论意义或实际应用的可能性,可实事求是地加以讨论,切忌夸张。讨论中,不要用尚未成熟的和未经证明的理论作论据,避免仅以本文资料为据,做出不当的结论或文过饰非,自圆其说。应避免文献结果与自己的结果混为一谈。为此,引用文献应注明出处。无论与前人报导一致或不一致,应解释其因果关系,探讨可能的原因。

9. 结论

结论(conclusions)是论文全文的概括和总结,明确提出全文的研究结论,着重描述研究的重要发现。结论必须明确回答前言中提出的问题,内容与研究目的相一致,且要客观、准确、简明地说明,不能与讨论部分重复。现在许多医学论文的结论内容在讨论中阐明,因此不再有结论这一部分。

10. 致谢

致谢(acknowledgements)是对论文写作或实验中确有帮助或实际贡献的合作者、指导者表示尊重或谢意。这部分并非必须,应根据实际情况,不强加于人,不拉名人来装门面。常用句式有"本研究曾得到××的帮助,谨此致谢",一般自成一段。

11. 参考文献

参考文献也是论文的重要组成部分,是撰写论文的重要依据资料。在自己的论文中引用了他人的方法、观点和结果时,要在论文中相应的地方标上角码,然后在文章后面的"参考文献"部分按规定的格式列出。列出参考文献时,著者不超过3人的全部列出,姓名之间用逗号隔开;超过3人的,只著录前3名,其后加"等"。在列出论文题目后标上文献标志码,各种文献标志码为:专著(M)、论文集(C)、期刊(J)、学位论文(D)、报告(R)、标准(S)、专利(P);电子文献类型的标志用双字母,如数据库(DB)、计算机程序(CP)、电子公告板(BB)等。

常用医学论文参考文献的格式有以下两种:

(1) 引用期刊的参考文献列出格式:[序号]著者.题名[J].刊名,出版社,卷(期):起止页码。

(2) 引用专著(书籍)的参考文献列出格式:[序号]著者.书名[M].版次.出版地:出版社,出版年。

第四节　医学科研论文的写作步骤与特点

医学论文的撰写是在医学实践基础上完成的,论文每一部分的写作都需要临时实践或实验室工作经验以及阅读大量医学文献,因此,写好医学论文的基础是良好的科研实践和临床工作。医学科学研究工作从选题、实验设计到实验和观察、资料整理与分析、理论总结等都与论文撰写密切相关,因此写好论文的关键首先是做好科研实际工作,在实际工作中积累写作经验。

一、医学论文的写作步骤

1. 确定论文题目(选题)

根据自己现有的材料和自己掌握的信息,确定自己能有把握写好的题目。要根据论文写作的 6 个基本原则来选题。

2. 检索文献

在网上或用期刊查阅近年的相关论文,了解有关领域的发展动向,掌握别人取得的结果,从而检验自己所选题目的创新性和先进性,同时可以学习别人的写作方法,并不断修正自己的题目。

3. 拟出提纲

即布局谋篇,按照医学论文的格式(层次)要求安排好提纲、标题及其大概内容。要突出重点,把主要的内容安排在前面。

4. 写作和修改

按提纲将自己掌握的材料逐一写出,并不断修改。反复核实结果,估计论文的字数,需要补充的材料及时补充。完成初稿后,反复阅读和修改几遍。

二、医学论文投稿应注意的问题

1. 及时投稿

论文写完后应尽快按有关杂志的要求投稿(网上投稿或邮寄),争取将论文发表的时间尽量提前,提高论文发表的可能性。因为一旦有同类的论文发表后,随后发表的论文的创新性随即受到影响,进而影响论文的评奖或相关成果的评奖。

2. 自留论文底稿

多数杂志编辑部收到论文后即使不使用也不退回稿件,一般是杂志编辑部收到稿件后,随即寄出一封关于稿件收到的信;并在信中声明收到稿件 3 个月(有的是 6 个月)未得到录用通知的可为日后投向其他杂志做准备。

3. 附单位证明信或加盖公章

邮寄稿件的同时附上论文作者单位的证明信或加盖公章于文稿上。单位证明信主要是表明本单位是否同意发表该论文,论文资料是否属实,是否涉及保密问题,是否存在知识产权方面的纠纷,以示单位对该论文的发表负责任。

4. 投稿前阅读"投稿须知"

应仔细阅读拟投向杂志近期的"投稿须知"(一般刊登在当年杂志的第一期)。了解该杂志的编排要求,并按要求将自己的论文修改好。

5. 选择适合的杂志投稿

要对自己论文内容所属的专业杂志有大体的了解,然后根据自己论文的水平决定投向哪一级、哪一本杂志。一般来讲,专业性很强的论文投向专业对口的杂志为好。

6. 寄图表、照片

论文有图表、照片等附件的,要与论文一起寄出。

7. 论文不能一稿两投

一篇论文只能在一本杂志刊出,不能重复在两本杂志刊出,如果重复发表需符合重复发表的条件。

三、医学综述写作

综述(review),又称述评,是以介绍某一学科或某一专题的国内外研究水平或发展动态为目的,在参阅大量文献资料的基础上,对原始文献中有用的资料信息加以分析整理,并加以系统、综合评述的文献。综述一般是由各学科或专业的专家学者撰写而成,他们针对某学科或某专业的国内外现状,对现有文献和历史文献进行分析研究,既总结过去的经验和教训,又指出当前研究的状况、存在的问题和发展的趋向,并加以学术性评价和建议。所以,综述一般能反映出某一学科或某专业的新水平、新成就、新技术和新发现,具有较高的参考价值,受到科研人员和文献工作者的重视。

1. 综述的特点

(1) 信息量大。文献综述属于三次文献,作者需要组织几十篇甚至上百篇文献,对其概括、浓缩而形成文献。综述反映专业科研领域的历史背景、科研现状、动向和趋势,为医学科技人员提供了丰富的相关专业信息。所以综述是浓缩的情报,为科技人员节省了大量查阅原始文献的时间。

(2) 专业性强。综述一般由学科专家撰写,针对某一专题对大量的信息进行有序的加工,全面汇集了该专题的资料信息,可帮助科研人员发现前人研究的空白点和不足之处,从而选出新课题。

(3) 具有新颖性。综述主要介绍某一学科领域内某一方面工作的新进展,把学科最新的发现、最新的成果介绍给读者,紧扣学科发展的脉搏,反映学科的最新发展动态。

2. 综述的类型

综述通常可分为叙述性综述和评论性综述。叙述性综述以汇集文献资料为主,辅以注释,评述少而客观。这类综述通过对所选专题大量原始文献的数据、资料、主要观点,有争议的问题进行概要性摘录,不掺杂作者本人的观点,由读者阅读后自己对综述内容做出判断。叙述性综述的作者一般为从事某一专题研究的科研工作者、医务人员和在读研究生。他们在开展自己的课题研究前,往往要查阅大量相关文献资料,综述的写作过程,也就是作者确定科研选题、澄清思路和制定科研计划的过程。

评论性综述着重评论,在对大量文献的论点、内容进行概要性摘录的基础上,通过理论分析、数据分析以及回顾、观察和展望,提出合乎逻辑的、具有启迪性的看法,有作者本人的观点和建议。这类文章的撰写要求较高,具有权威性,往往能对所讨论学科的发展起到引导作用。其作者一般为该学科的学术权威和学科带头人。

3.医学综述的写作格式和内容

医学综述的前置部分和后置部分与其他医学基本论文相同,其正文主要由三部分组成。

(1)前言。前言部分应简要地说明本综述的写作目的与意义,为读者提供必要的背景材料、课题的研究现状、进展情况、争论的焦点及其发展趋势,交代综述讨论的范围。通过阅读前言应使读者知道综述的主要内容,并产生继续阅读的欲望和兴趣。在前言部分中应有概括性的介绍。字数一般在300字左右。

(2)主体。主体部分是综述的核心。通过提出问题、分析问题,根据前人文献中的理论、数据和观点,通过比较、综合等分析方法提出作者本人的观点和建议,说明课题存在的问题、可能的解决方法以及今后的发展趋势。一般可根据自己所要阐述的内容安排不同层次的标题。每级标题必须紧紧扣住文章主题,先提出论点,以一次文献中的实验结果或调查统计材料来论证这一观点,客观地、实事求是地反映出主题的发展过程。

(3)总结。总结部分简明扼要地叙述本课题目前存在的意见分歧、主要问题和发展趋势,也可以提出作者的观点、倾向和建议。总结一般以100~200字为宜。

4.医学综述的写作步骤

医学综述的写作步骤与一般医学学术论文大体一致,关键因素在于是否全面收集论文主题相关的国内外文献,是否准确理解原作者含义,分析比较是否合理,是否反映专题的发展动态。

选题应新颖,主题明确、准确。题目大时容易造成内容空洞,资料分散,泛泛而谈。题目应选择小而具体的、实用的专题,因为题目小,资料容易搜集、整理,写出的综述重点突出,具有深度。选题确定后,应围绕选题有针对性地搜集查阅文献资料。应尽可能用一次文献,因为综述的基本原则是忠于原文,应由亲自阅读的一次文献归纳、综合而成。作者须对大量的文献进行归纳、分类、取舍,从中筛选出有价值的信息,然后逐层深入地阐述,使这些信息条理化、系统化,从而成为一篇具有较强逻辑性的研究成果。

【思考题】

1.简述科技查新的程序。
2.医学论文写作必须遵循哪几个基本原则?
3.医学论文写作的步骤有哪些?

(杨 敏)

参考文献

1. 包忠文.文献信息检索概论及应用教程[M].北京:科学出版社,2007
2. 北京万方数据股份有限公司.中国科技论文引文分析数据库.(CSTPI)[DB/OL]. http://210.45.242.12:85/html_outside/kjxx/cstpi.htm. 2011-12-6
3. 曹洪欣.医学信息检索与利用(第二版)[M].上海:第二军医大学出版社,2008
4. 陈光,刘秉文.现代药学文献利用指南[M].北京:中国医药科技出版社,2009
5. 陈维维,李艺.信息素养的内涵、层次及培养[J].电化教育研究,2002(11):7-9
6. 陈颖.医学科技查新的探讨[J].学理论,2010,(29):131
7. 陈珍芳.网上免费标准文献信息的检索方法[J].科技情报开发与经济,2008,18(30):96-97
8. 代涛.医学信息检索与利用[M].北京:人民卫生出版社,2010.133-137
9. 邓可刚.循证医学证据的检索与利用[M].2版.北京:人民卫生出版社,2008
10. 董建成.医学信息检索教程(第二版)[M].南京:东南大学出版社.2009.89-103
11. 方平.医学文献信息检索[M].北京:人民卫生出版社,2005
12. 方平.网络医学资源检索与利用[M].北京:科学出版社,2007
13. 辜明铭.医学科技查新类型与查新结论[J].河北医学,2011,17(9):1275-1277
14. 郭继军.医学文献检索[M].北京:人民卫生出版社,2011
15. 郭继军.生物医学信息检索与利用[M].第3版.北京:人民卫生出版社,2008
16. 郭继军.医学文献检索[M].北京:人民卫生出版社,2004
17. 国家科技数字图书馆.国际科学引文数据库.[DB/OL]. http://disc.nstl.gov.cn/disc/view/m02/A020008.xhtml?pageKey=10369. 2011-12-10
18. 黄如花.网络信息的检索与利用[M].武汉:武汉大学出版社,2002
19. 黄亚男.信息检索与利用[M].长沙:中南大学出版社,2009.106-117
20. 黄燕.医学文献检索[M].北京:人民卫生出版社,2009
21. 黄音,兰小筠.医疗卫生网络信息资源评价综述[J].大学图书馆学报,2007,6:34-40
22. 黄月娥,王天平,姚应水.亚甲基四氢叶酸还原酶基因C677T位点多态性与结直肠癌关系的Meta分析[J].皖南医学院学报,2009,28(3):228-231.
23. 金玉坚,刘焱.新型网络信息检索效果评价指标体系设计[J].现代情报,2005,4:184-186
24. 晋晓强,王秀平.《国际药学文摘》光盘数据库的检索与应用[J].中华医学图书情报杂志,2003,12(3):46-47

25. 李超英.2000－2009年我国儿童孤独症研究论文的文献计量分析[J].现代预防医学,2011,38(20):4192-4194

26. 李春光.从美国信息素质标准谈图书馆信息素质教育改革.图书馆理论与实践,2005(4):91-92

27. 李道萍.医学信息分析[M].北京:人民卫生出版社,2009,3:110-130

28. 李湖生,康美娟.中外四大官方网站免费专利检索系统之比较研究[J].图书馆理论与实践,2008(1)16-18,52

29. 李立,管绪.外国学位论文检索方法论要[J].昭乌达蒙族师专学报,2004,25(6):78,87

30. 李彭元,何晓阳.医学文献检索[M].北京:科学出版社,2010

31. 李晓玲,夏知平.医学信息检索与利用(第四版)[M].上海:复旦大学出版社,2008,7:204-212

32. 廖剑岚.英国德温特专利数据库及其检索方法[J].中国索引,2004,2(1):46-48

33. 刘传和,杜永莉.医学信息检索与利用[M].北京:军事医学科学出版社,2008.10

34. 刘海航.国际医学会议信息检索简介[J].新世纪图书馆,2007(3):44-45

35. 刘薇薇,王虹菲,医学信息检索[M].天津:天津大学出版社,2009.

36. 路怀明,郑春彩,范奉莲.医学图书馆文献检索与利用[M].北京:中国海洋大学出版社,2003

37. 罗爱静,胡德华.医学科技信息检索[M].长沙:中南大学出版社,2008.7

38. 罗爱静,马路.医学文献信息检索[M].第2版.北京:人民卫生电子音像出版社,2011.5

39. 罗爱静.医学文献信息检索(第三版)[M].北京:人民卫生出版社,2009

40. 雠虹,魏青山.学位论文数据库信息服务与资源建设模式[J].图书馆理论与实践,2009(1):60-63.

41. 宋凌云.序列相似性检索工具BLAST的使用和检索[J].情报探索,2008,(4):74-75

42. 宋一梅.网络信息资源的评价标准[J].情报探索,2006,1:55-56

43. 王俊杰.略论高校大学生信息素养教育[J].图书馆论坛,2004(4):194-196

44. 王庭槐.医学信息资源检索与利用[M].北京:高等教育出版社,2005

45. 王秀平.生物医学信息检索[M].北京:科学技术文献出版社,2004

46. 维普期刊资源整合服务平台.中文科技期刊数据库(引文版)CCD[DB/OL].http://cstj.cqvip.com/productor/pro_zkyw.shtml.2011-12-1

47. 吴蓉,羡秋盛.Medline Plus特点及其对我国医学信息网站的启示[J].实用医药杂志,2011,28(4):374-375

48. 肖学斌.检索策略的质量评价方法[J].现代情报,2006,10:153-157

49. 徐庆宁.信息检索与利用[M].上海:华东理工大学出版社,2004

50. 燕今伟,刘霞.信息素质教程[M],武汉:武汉大学出版社,2008

51. 杨克虎.生物医学信息检索与利用[M].北京:人民卫生出版社,2009

52. 姚果源.医学文献检索[M].北京:人民卫生出版社,2003

53. 余鸣. 医学信息检索与利用[M]. 合肥:安徽大学出版社,2011

54. 张春霆. 生物信息学的现状与展望[J]. 世界科技研究与发展,2000,22(6):17-20

55. 张新明,方小洵,吴国栋. 专利文献和标准文献检索系统及网站的研究[J]. 广东科技,2010(243):5-7

56. 赵文龙,李小平,肖凤玲. 医学文献检索(第三版)[M]. 北京:科学出版社,2010.

57. 赵文龙,吕长虹. 医学文献检索[M]. 北京:科学出版社,2001

58. 赵文龙等. 医学文献检索[M]. 北京:科学出版社,2010

59. 赵文龙等. 医学文献检索[M]. 北京:科学出版社,2008

60. 浙江大学信息资源管理系. 信息检索[M/OL]. http://jpkc.zju.edu.cn/k/244/,2011-11-18

61. 周宁. 信息组织学教程[M]. 北京:科学出版社,2007

62. 中国科学院国家科学图书馆. 中国科学引文数据库.[DB/OL]. http://sdb.csdl.ac.cn/. 2011-11-30

63. 中国社会科学研究评价中心. 中文社会科学引文索引数据库.[DB/OL]. http://cssci.nju.edu.cn/news_show.asp?Articleid=52. 2011-12-5

64. CNKI. 中国引文数据库[DB/OL]. http://ref.cnki.net/knsref/index.aspx. 2011-11-28

65. Embase 生物医学信息库[DB/OL]. http://www.embase.com/info/zh-hans/node/313. 2011-10-13

66. http://cstj.cqvip.com/

67. http://images.webofknowledge.com/WOK48B5/help/zh_CN/WOS/h_toc.html. 2009-2-17

68. http://med.wanfangdata.com.cn

69. http://pqdt.calis.edu.cn/

70. http://pqdtopen.proquest.com/

71. http://search.ebscohost.com/

72. http://www.cnki.net/

73. http://www.proquest.com/

74. http://www.sciencedirect.com/

75. http://www.sipo.gov.cn/

76. iGroup 亚太资讯集团公司. SciFinder[DB/OL]. www.cas.org. 2011-10-20

77. NCBI. pubmed[DB/OL]. http://www.ncbi.nlm.nih.gov/pubmed/. 2011-10-11

78. Thomson Reuters. BIOSIS Previews[DB/OL]. http://www.thomsonscientific.com.cn/productsservices/biosispreviews/. 2011-11-16